二十五史藝文經籍志考補萃編

第十六卷

二一志存書述略

王承略　劉心明　主编

佚名　撰
陳金麗　郭偉宏　整理

清華大學出版社　北京

圖書在版編目(CIP)數據

二十五史藝文經籍志考補萃編. 第16卷/王承略，劉心明主編. --北京：清華大學出版社，2014

ISBN 978-7-302-33268-8

Ⅰ. ①二… Ⅱ. ①王… ②劉… Ⅲ. ①中國歷史—古代史—紀傳體 ②《二十五史》—研究 Ⅳ. ①K204.1

中國版本圖書館CIP數據核字(2013)第165711號

責任編輯：馬慶洲
封面設計：曲曉華
責任校對：劉玉霞
責任印製：楊　艷

出版發行：清華大學出版社
網　址：http://www.tup.com.cn，http://www.wqbook.com
地　址：北京清華大學學研大廈A座　**郵　編**：100084
社總機：010-62770175　**郵　購**：010-62786544
投稿與讀者服務：010-62776969，c-service@tup.tsinghua.edu.cn
質量反饋：010-62772015，zhiliang@tup.tsinghua.edu.cn
印刷者：清華大學印刷廠
裝訂者：三河市金元印裝有限公司
經　銷：全國新華書店
開　本：148mm×210mm　**印　張**：9　**字　數**：197千字
版　次：2014年3月第1版　**印　次**：2014年3月第1次印刷
定　價：43.00元

產品編號：043541-01

《二十五史藝文經籍志考補萃編》編纂委員會

目　録

一志存書述略

佚名　撰

陳金麗　郭偉宏　整理

底本：民國排印本(整理者按,此書藏山東大學圖書館,無撰者名氏,疑常麟書撰)

經部

易

子夏易傳十一卷

《隋志》:《周易》二卷,魏文侯師卜子夏傳。殘缺。梁六卷。

本書提要云:《子夏易傳》,舊本題卜子夏撰。案說《易》之家,最古者莫若是書。其僞中生僞,至一至再而未已者,亦莫若是書。唐以前所謂《子夏傳》已爲僞本,晁說之《傳易堂記》,又稱今號爲《子夏傳》者,乃唐張弧之《易》。是唐時又一僞本並行,故《宋國史志》以假託《子夏易傳》,與眞《子夏易傳》,兩列其目,而《崇文總目》亦稱此書篇第略依王氏,決非卜子夏之文也。朱彝尊《經義考》證以陸德明《經典釋文》、李鼎祚《周易集解》、王應麟《困學紀聞》所引,皆今本所無。德明、鼎祚猶曰在張弧以前,應麟乃南宋末人,何以當日所見與今本又異?然則今本又出僞託,不但非子夏書,亦並非弧書矣。

周易註十卷

《隋志》:《周易》十卷,魏尚書郎王弼注六十四卦六卷,韓康伯注《繫辭》以下三卷,王弼又撰《易略例》一卷。

本書提要云:《周易註》併王、韓爲一書,其來已久。自鄭玄傳費直之學,始析《易傳》以附經,至弼又更定之。鄭本尚以《文言》自爲一傳,所割以附經者,不過彖傳、象傳。今本乾、坤二卦各附《文言》,知全經皆弼所更定,非鄭氏之舊也。弼之說《易》源出費直,直《易》今不可見。然荀爽《易》即費氏學,李鼎祚書尚頗載其遺說。大抵究爻位之上下,辨卦德之剛柔,已與弼註略近。但弼全廢象數,又變本加厲耳。平心而論,闡明義理,使《易》不雜於術數者,弼與康伯深爲有功。祖尚虚無,使《易》竟入於老、莊者,弼與康伯亦不能無過。瑕瑜不掩,是其定評。諸儒偏好偏惡,皆門户之見,不足據也。

《易》本卜筮之書,故末派寖流於緯讖。王弼乘其極敝而攻之,遂能排擊漢儒,自標新學。然在當日已有異同,此揚彼抑,互詰不休。至唐孔穎達等奉詔作疏,始專崇王註,而衆説皆廢。

附輯佚本

歸藏一卷

《隋志》:《歸藏》十三卷,晋太尉參軍薛貞注。

本書提要云:"《周禮·春官》'太卜掌三易之法,一曰連山,二曰歸藏,三曰周易',鄭玄注:'歸藏者,萬物莫不歸而藏於中。'《禮記·禮運》孔子曰'吾欲觀殷道,是故之宋,而不足徵也,吾得坤乾焉',鄭注云:'殷陰陽之書,存者有《歸藏》。'是以《歸藏》爲殷易矣。《漢書·藝文志》不著録,《晋中經簿》始有之。《隋書·經籍志》有十三卷,《唐書·藝文志》卷同。宋《中興書目》載有三篇。諸家論説,多以後出疑其僞作。楊慎云:'《連山》藏於蘭臺,《歸藏》藏於太卜,見桓譚《新論》。則後漢時《連山》、《歸藏》猶存,未可以《藝文志》不列其目而疑之。'今玩其遺爻,奇古可誦,與《左氏傳》所載諸繇詞相類。《焦氏易林》源出於此。但殷易而載武王枚占、穆王筮卦,蓋周太卜掌其法者推記占驗之事,附入篇中,其文非漢以後人所能作也。今並宋時三篇亦佚。朱太史《經義考》搜輯甚詳,据以爲本,閒有遺漏,爲補綴之,並附諸家論説爲一卷,以此與世傳《三墳》書，所謂氣墳歸藏者，互較參觀，其眞贋可以辨矣。”

周易子夏傳二卷

本書提要云：“子夏之《傳》，漢代所師承也。劉向以爲韓嬰作，荀勗以爲丁寬作，張璠以爲馯臂作、薛虞記，必其所説與子夏同。漢、晋人及見丁、韓諸傳，故有是論，非後人懸揣之比。蓋此書自馯臂傳之，至丁寬、韓嬰得而脩之，載入己書中，如毛萇説《詩》，首列子夏《小序》之類。故班《志》《易》十三家，有《丁氏》八篇，《韓氏》二篇，而不云子夏。猶之《毛詩》但言毛傳，而不别著《小序》之目也。薛虞記述以後，子夏《傳》乃單行，故《隋》有二卷也。唐初最重此書，僧一行《易纂》、孔氏《正義》、陸氏《釋文》亟引之。明皇欲頒行學校，爲議者格廢不果，書遂淪没。李鼎祚集古《易》三十餘家，僅存數節，此外蓋無聞矣。後人不見原書，張弧輩遂用王弼本，别撰十卷，或有增至十一卷者。惠徵君棟謂以《釋文》及李氏《集解》校之，無一字相合。諸儒所指僞子夏《傳》，乃此十卷後出之本，非二卷殘闕之本也。武威張太史澍輯此篇刻入《張氏叢書》，今据校録，分爲二卷，仍《隋志》之舊目也。”

蔡氏易説一卷

《漢志》：《蔡公》二篇，衛人，事周王孫。

本書提要云：“《易説》一卷，漢蔡景君撰。景君，當是蔡氏之字，名爵未詳。虞翻稱彭城蔡景君説，翻生漢季，及引述之，則蔡氏漢人，在翻前。考《漢書・藝文志》有《蔡公易傳》二篇，注：‘蔡公，衛人，事周王孫。’意景君即蔡公。殆衛人而官彭城，虞氏稱其官號，如南郡之稱馬融，長沙之稱賈誼歟？《隋志》不載，書佚已久。《集解》引止一節，朱震《漢上易叢説》推廣其卦變之説，一家法度猶存，据輯以質世之治漢學者。”

丁氏易傳二卷

《漢志》:《丁氏》八篇。名寬,字子襄,梁人也。

本書提要云:"《易傳》二卷,漢丁寬撰。寬梁人,景帝時爲梁孝王將軍,事蹟具《漢書·儒林傳》。寬受《易》於田何,又從周王孫受古義。傳同郡碭田王孫,王孫授施讎、孟喜、梁邱賀。傳稱作《易説》三萬言,訓故舉大誼而已。《藝文志》易家《丁氏》八篇,《隋志》不著録,佚已久。攷陸氏《釋文》,《子夏易傳》下,引荀勗云'丁寬所作',則丁傳必本子夏而成。推其義例,或如毛萇之《詩傳》歟?今既輯録《子夏傳》,即據《中經簿》所云,轉屬丁氏,師承淵源,可以考見。又沛人高相治《易》,與費公同時,其學亦亡章句,專説陰陽災異。案《家語》載子夏論《易》陰陽一篇,文理精微,《大戴禮》取之,稱《易本命》。既是一家之學,附録于後,高氏絶學,亦見一斑云。"

周易韓氏傳二卷

《漢志》:《韓氏》二篇。名嬰。

本書提要云:"《周易傳》二卷,漢韓嬰撰。嬰燕人,官至常山太傅,事蹟見《漢書·儒林傳》。嬰以《詩》著名,亦以《易》授人,推《易》意而爲之傳。《漢·藝文志》《易》十三家,有《韓氏》二篇,注'名嬰'。其書已佚,惟《蓋寬饒傳》引一節,他無所見。考王儉《七志》引劉向《七略》云:'《易傳子夏》,韓氏嬰也。'則《子夏傳》爲嬰之所修。與《中經簿録》謂《子夏傳》丁寬所作者,同是本子夏而暢明之。卜《易》之贊於丁、韓,猶卜《詩》之闡於毛、鄭。故既依《隋志》别出子夏一家,並以其傳之佚説屬之丁氏、韓氏,備考源流,無嫌重複。又史稱《韓氏易》深,必有發揮奥旨,羽翼微言者,惜莫可徵見。第從《韓詩外傳》得其説《易》,凡六節,觸類引伸,以名言而發精理。雖非本書,足補殘缺。玆並掇輯,釐爲二卷。"

周易古五子傳一卷

《漢志》:《古五子》十八篇,自甲子至壬子,説《易》陰陽。

本書提要云:"《周易古五子傳》,撰人名氏缺。劉向《别録》云:'所校讐中《古五子書》,除複重,定著十八篇。分六十四卦著之辰,自甲子至壬子,凡五子。'《漢志》亦十八篇,《隋志》不著録,書佚已久。考《漢書·律曆志》引傳,有'日有六甲,辰有五子'之語。下又引《易》'九戹',孟康注云:'《易》傳也。中言陰九陽九、陰七陽七、陰五陽五、陰三陽三,皆以陰陽之數推歲,以定水旱之災。'如淳注:'積算甲子甚詳。'此蓋《古五子傳》之佚文,漢魏人及見而引述之。又《吴都賦》注引《易説陽九》一書之文,古帙雖亡,猶可補綴而得其大要云。"

周易淮南九師道訓一卷

《漢志》:《淮南道訓》二篇,淮南王安聘明《易》者九人,號九師説。

本書提要云:"《周易九師道訓》,漢劉安撰。安,厲王長子,文帝時封淮南王,事蹟見《漢書》本傳。劉向《七略别録》云:'所校讐中《易》傳《淮南九師遺訓》,除複重,定著十三篇。淮南王聘善《易》者九人,從之採獲,故書中署曰《淮南九師書》。'九師,不詳何人。高誘《淮南鴻烈解·序》:'天下方術之士多往歸焉,於是遂與蘇飛、李尚、左吴、田由、雷被、毛技、伍被、晋昌等八人,及諸儒大山小山之徒,共講論道德,總統仁義,而著此書。'然則《道訓》之九師,亦其流也。陳振孫《書録解題》以荀爽九家當之,誤矣。文中子《中説》云:'九師興而《易》道微。'觀其命書之義,頗涉玄宗。或有道其所道,而無資於聖經者,遂以來河汾君子之譏乎?《隋》、《唐志》皆不著録,其佚已久。《文選》注兩引其訓'飛遯'之語,此外罕見稱述。朱彝尊《經義考》謂《鴻烈解》引《易》曰'剝之不可遂盡也,故受之以復',此則《道訓》之《序卦傳》文。案九師之書,定於淮南。《鴻烈》所引,自與《道訓》合。丁民槐箋《困學紀聞》,亦以陰陽言日夕,爲《道訓》之説。竹垞之言,信而可徵。茲採《淮南書》中諸引《易》語,輯爲一卷,聊存《道訓》之遺。"

周易施氏章句一卷

《漢志》:《易經》十二篇,施、孟、梁邱三家章句。施、孟、梁邱氏各二篇。

本書提要云:"《周易章句》一卷,漢施讎撰。讎字長卿,沛人,與孟喜、梁邱賀並受《易》於田王孫。宣帝詔拜博士。甘露中,與五經諸儒雜論同異於石渠閣,見《漢書·儒林傳》。晋永嘉之亂,施《易》已亡。今其佚説,惟許慎《五經異義》引一節,陸德明《釋文》、朱震《漢上易》引二事而已。考本傳,讎授張禹,禹授淮陽彭宣,《漢書》宣傳尚有説《鼎卦》一節,葢述施氏義也。又考熹平中,蔡邕奉詔書石經,《易》用三家經本,《釋文》引石經止一條,凡邕引《易》,要是石經本字,並据採輯爲一卷。至漢代諸儒多引《易》説,未能區分,不具録云。"

周易孟氏章句二卷

《漢志》:十二篇。又《孟氏京房》十一篇,《災異孟氏京房》六十六篇,章句二篇。

《隋志》:《周易》八卷,漢曲臺長孟喜章句,殘缺。梁十卷。

本書提要云:"《周易章句》二卷,漢孟喜撰。喜字長卿,東海蘭陵人,官至曲臺署長,事蹟見《漢書·儒林傳》。喜受業於田王孫,傳田何之《易》。《釋文·序録》云:'十卷,無《上經》。'又引《七録》云:'《下經》無《旅》至《節》,無上《繫》。'《唐志》尚著録十卷,今佚。惟《釋文》及《正義》、《集解》閒引之。唐《大衍曆議》云:'十二月卦,出于《孟氏章句》,其説《易》本於氣，而後以人事明之。'亦引孟氏説《震》、《坎》、《離》、《兑》四卦義，及六十卦用事，配七十二候圖。又許慎《説文·序》云《易》用孟氏，而所著《五經異義》引孟、京説。又虞翻自言世傳《孟氏易》，則許、虞二家所引，與今《易》異者，皆佚説也。並据輯録，依十二篇次第，釐爲二卷。其説精微奥衍，於陰陽消息，獨見發揮。雖斷簡殘編，而田何一綫之傳，藉以不墜矣。"

周易梁邱氏章句一卷

《漢志》：十二篇，章句二篇。

本書提要云："《周易章句》一卷，漢梁邱賀撰。賀字長公，琅琊諸人，官至少府，事蹟見《漢書·儒林傳》。賀本從大中大夫京房受《易》，更事田王孫。宣帝時，與施讎、孟喜並立於學。賀與施、孟雖同事田王孫，而卒以京顯。至其子臨，專行京房法。可見賀傳兩師之業，義訓必不能盡同。故班《志》於'經十二篇'統云三家，明其文之不異。於章句云'各二篇'，見其義之不盡同也。其《易》盛於後漢，張興傳其學，弟子著録萬有餘人。至西晋永嘉之亂，與《施易》並亡。陸德明《釋文》，'莧''陸'引三家音，'先心'引石經外，别無顯徵。考本傳，琅琊王吉通五經，聞臨説，善之，乃使其子駿從臨受《易》。臨傳五鹿充宗，充宗授齊衛咸。咸，王莽講大夫。又後漢范升，與梁恭、吕羌俱修梁邱氏。兹從《宣元六王傳》得王駿引《易》一節，《王莽傳》得引《易》六節，《范升傳》得引《易》二節。又蔡邕引《易》本石經，爲三家佚説者，凡得七節。合爲一卷。如范所引'正其本，萬事理'，與太史公引《易》同，而今《易》無之。太史公學本楊何，梁邱行京法，亦淵源於楊氏，此眞古《易》之語，而王輔嗣佚之者。得麟一角，而古今因革之會，判於此矣。"

周易京氏章句一卷

《漢志》:《孟氏京房》十一篇,《災異孟氏京房》六十六篇,《京氏段嘉》十二篇。

《隋志》:《周易》十卷,漢魏郡太守京房章句。

本書提要云:"《周易章句》一卷,漢京房撰。房本姓李,吹律自定爲京氏,字君明,東郡頓邱人。受《易》梁人焦延壽,官至魏郡太守,見《漢書·儒林傳》。案漢宣帝時,以《易》授梁邱賀者,亦京房。淄川楊何弟子,官至大中大夫,爲齊郡太守,颜師古謂别一人。賀傳子臨,專行京法,不聞有所撰作。元帝立《京易》,延壽弟子也。荀悦《漢紀》云:'京房受於梁人焦延壽,獨得隱士之説,託之孟氏。'劉校《易説》云:'不與孟氏同。'葉夢得云:'其言龐雜,專主卜筮。'兩人莫知爲誰審爲受延壽學者,《漢書·藝文志》不言章句,阮孝緒《七録》有《京房章句》十卷,《録》一卷。《隋》、《唐志》並云十卷。陸德明《釋文·序録》云十二卷,今佚不傳。《正義》、《釋文》、李鼎祚《集解》閒引之。晁氏、吕氏亦多引京説。採輯一卷,可與三家、費氏互考同異,而辨其是與非也。"

周易鄭康成註一卷

《隋志》:《周易》九卷,後漢大司農鄭玄注。

本書提要云:"《周易鄭註》一卷,宋王應麟編。《隋志》稱鄭玄、王弼二註,梁、陳列於國學,齊代惟傳鄭義。至隋,王註盛行,鄭學寖微。然《新唐書》著録十卷,是唐時其書猶在,故李鼎祚《集解》多引之。宋《崇文總目》惟載一卷,所存者,僅《文言》、《序卦》、《説卦》、《雜卦》四篇,餘皆散佚。至《中興書目》始不著録,則亡於南北宋之間,故晁説之、朱震尚能見其遺文。而淳熙以後諸儒,即罕所稱引也。應麟始旁摭諸書,裒爲此帙。經文異字,亦皆並存。其無經文可綴者,則總録於末簡。又以玄註多言互體，並取《左傳》、《禮記》、《周禮正義》中論互體者八條，以類附焉。考玄初從第五元先受《京氏易》，又從馬融受《費氏易》，故其學出入於兩家。然要其大旨，費義居多，實爲傳《易》之正脈。齊陸澄與王儉書曰：'王弼註《易》，玄學之所宗。今若崇儒，鄭註不可廢。'其論最篤。唐初詔修正義，仍黜鄭崇王，非達識也。應麟能今散佚之餘，蒐羅放失，以存漢《易》之一綫，可謂篤志遺經，研心古義者矣。近時惠棟別有考訂之本，體例較密。然經營搠始，實自應麟。其捃拾之勞，亦不可泯。今並著於録，所以兩存其功也。"

新本鄭氏周易三卷

本書提要云："《鄭氏周易》三卷，惠棟編。初，王應麟輯鄭玄《易註》一卷，雖殘章斷句，尚頗見漢學之崖略，於經籍頗爲有功。然皆不著所出之書。又次序先後，間與經文不應，亦有遺漏未載者。棟因其舊本重爲補正，凡應麟所已載者，一一考求原本，註其出自某書，明其信而有徵，極爲詳核。其次序先後，亦悉從經文釐定。復搜采羣籍，《上經》補二十八條，《下經》補十六條，《繫辭傳》補十四條，《説卦傳》補二十二條，《序卦傳》補七條，《雜卦傳》補五條。移應麟所附《易贊》一篇於卷端，删去所引諸經正義論互卦者八條，而别據玄《周禮·太師》注作《十二月爻辰圖》，據玄《月令》注作《爻辰所值二十八宿圖》，附於卷末，以駁朱震《漢上易傳》之誤。雖因人成事，而考核精密，實勝原書。應麟固鄭氏之功臣，棟之是編，亦可謂王氏之功臣矣。"

周易劉氏章句一卷

《隋志》：《周易》五卷，漢荆州牧劉表章句。

本書提要云："《周易章句》一卷，後漢劉表撰。表字景升，山陽高平人,官至鎮南將軍、荆州牧、南成侯,事蹟見《後漢書》本傳。荀勗《中經簿録》載劉表《易注》十卷,阮孝緒《七録》云九卷,《隋志》有五卷,《新》、《舊唐志》及陸德明《釋文·序録》並云五卷。書在隋唐時已非完帙,今更散佚無傳,唯就《釋文》及《正義》、李氏《集解》、晁氏、吕氏《古易》所引録爲一卷。其文字解説與今《易》異者,皆足備考訂之助。史稱表起立學校,博求儒術,綦毋闓、宋忠等,撰立五經章句,謂之後定。由此觀之,表於《尚書》、《詩》、《禮》、《春秋》,並有撰述,以故各高八及爲海内所稱。[①] 今悉湮淪,良爲可惜。得此卷而玩之,雖賸馥無多,猶足資沾匄云爾。"

周易荀氏注三卷

《隋志》:《周易》十一卷,漢司空荀爽注。

本書提要云:"《周易注》三卷,後漢荀爽撰。爽字慈明,潁川潁陰人,官至司空,事蹟具《後漢書》本傳。《易》本費氏,荀悦稱叔父司空爽著《易》傳,據爻象承應、陰陽變化之義,以十篇之文解説經意,由是兖豫之言《易》者,咸傳荀氏學。隋氏十一卷,《唐志》十卷,今佚。惠氏棟《易漢學》列荀慈明一家,而佚文不具載。張氏惠言輯荀氏九家,佚文具載,而雜入九家中,今特别出爲三卷。程迥曰:'荀爽於《説卦》添物象,以足卦爻。查元章謂不須添,添亦不盡,不知八卦逸象,費氏古文有之,三家脱佚耳。荀傳費學,參用孟氏,正其篤古之深,非有所失。况陰陽升降,洞見本原,虞仲翔謂潁川荀諝號爲知《易》,且謂馬融有俊才,解釋復不及之。亦何可淺窺虚擬,妄生詆訾耶?'"

---

① "各高八及",疑當作"名高八斗"。

周易王氏注二卷

《隋志》:《周易》十卷,魏衛將軍王肅注。

本書提要云:"《周易注》二卷,魏王肅撰。肅字子邕,東海蘭陵人,魏衛將軍、太常、蘭陵侯。傳言肅善賈、馬之學,而不好鄭氏。採會同異,爲《尚書》、《詩》、《論語》、三《禮》、《左傳》,及撰定父朗所作《易》傳,皆列于學官。李延壽云:'鄭玄《易》大行於河北,王肅《易》亦間行焉。'《隋》、《唐志》云十卷,《崇文總目》乃十一卷。王應麟《困學紀聞》云:'王肅注《易》十卷,今不傳。'《釋文》云:'自《繫辭》訖於《雜卦》,肅本皆有"傳"字。'《漢·儒林傳》云'孔子晚而好《易》,讀之韋編三絶,而爲之傳',肅本是也。肅注在魏立學,頗著盛名。文字解説,雖與康成殊異,要皆有據。朱子《本義》每稱王肅本,蓋深有所取也。今其注佚,聊就《正義》、《釋文》、《集解》、《文選》注、《御覽》所引,輯爲二卷,與鄭《易》參考異同,比於宋之朱、陸云。"

周易姚氏一卷注

《隋志》:《周易》十卷,吴太常姚信注。

本書提要云:"《周易注》一卷,吴姚信撰。《吴志》無信傳,阮孝緒《七録》云:'字元直,吴興人,吴太常卿。'陸德明《釋文·序録》云:'字德祐。'《晋書·范平傳》:'平研覽墳索,徧該百氏,姚信、賀部之徒,皆從受業焉。'又《南史·姚察傳》:'《讓選部書》曰:"臣九世祖信,名高往代。"'此其可考者。其説《易》與荀、虞相似,故九家集解有之。梁《七録》云十二卷,《隋》、《唐志》皆十卷,陸德明《釋文·序録》亦云十卷。其書今佚,《釋文》、《正義》及李氏《集解》引四十餘節,輯爲一卷。"

陸氏易解一卷

《隋志》:《周易》十五卷,吴鬱林太守陸績注。

本書提要云:"《易解》一卷,明姚士粦所輯吴陸績《周易注》也。《吴志》載績所著有《易註》,不言卷數。《隋·經籍志》有陸績《周易註》十五卷,《經典釋文·序録》作陸績《周易述》十三卷,《會通》一卷。《新》、《舊唐書》志所載卷數,與《釋文》同。原本久佚,未詳其孰是。此本爲《鹽邑志林》所載,凡一百五十條,朱彝尊《經義考》以爲鈔撮陸氏《釋文》、李氏《集解》二書爲之。然此本採《京氏易傳註》爲多,而彝尊未之及。又稱其經文異諸家者,此本皆無之,豈所見别一本歟?然彝尊明言《鹽邑志林》,其故則不可詳矣。彝尊又言曹溶曾見有三卷者,然諸家著録,[①]並無三卷之本,殆《京氏易傳》三卷,舊本題曰陸績註,溶偶觀之未審,因誤記誤説也。昔宋王應麟輯鄭氏《易註》,爲學者所重。士粦此本,雖不及應麟搜討之勤博,而掇拾殘剩,存十一於千百,亦可以見陸氏《易註》之大略矣。績字公紀,吴郡人,官至鬱林太守,加偏將軍,事蹟具《吴志》。"

周易陸氏述三卷

本書提要云:"《周易述》三卷,吴陸績撰。今全書散佚,《鹽邑志林》載有一卷,朱太史彝尊《經義考》謂曹侍郎秋嶽曾見藏書家有存三卷者,惜二本皆未見,茲仍就《釋文》、《集解》,並附《正義》、《太平御覽》諸書所引,輯爲《上經》一卷,《下經》一卷,《繫辭》、《説卦》諸傳一卷,録而藏之。雖非完帙,而要義已該。顔延之所謂'馬、陸得其象數',朱漢上所謂'陸績之學,始論動爻'者。引而伸之,皆資隅反。又績嘗注《京氏易學》,葢本之。而玩其遺文,不主一家,擇善而從。注之稱'述'也,其在斯乎?"

---

① "然",原作"燃",據《文淵閣四庫全書總目》改正。

周易黄氏注一卷

《隋志》:《周易》四卷,晋儒林從事黄穎注。梁有十卷,今殘缺。

本書提要云:"《周易注》一卷,晋黄穎撰。《晋書》無穎傳,陸德明《釋文·序録》云'南海人,晋廣州儒林從事',此其可考者。《隋志》載其《易注》四卷,梁有十卷,今殘闕。《唐志》及《釋文》並作十卷,今殘闕。《唐志》及《釋文》並作十卷,今佚無傳,他書亦不見徵引,唯《釋文》引其説九節而已,輯録爲一卷,與晋人《易》注類列焉。"

周易干氏注三卷

《隋志》:《周易》十卷,晋散騎常侍干寶注。

本書提要云:"《周易注》三卷,晋干寶撰。寶字令升,新蔡人,官至散騎常侍,《晋書》有傳。其注《易》,《隋》、《唐志》並十卷,宋宣和四年,蔡攸上干寶《周易傳》十卷,《爻義》一卷,故《中興書目》、尤袤《遂初堂書目》得著録,今並散佚。明姚士粦輯《干常侍易解》三卷,俱取李氏《集解》,而時有疏謬,歸安丁氏杰補正,武進張氏惠言梓入《易義别録》,玆據參校而重刊之。史稱寶好陰陽術數,留心京房、夏侯勝之傳,故其注《易》,盡用京氏占候之法以爲象,而援文、武、周公遭遇之期運,一一比附。後人譏其小物詳而大道隱,誠非無自。然其論法象始于天地,疾虚誕之言若邪説,見亦卓矣。"

周易王氏注一卷

《隋志》:《周易》三卷,晋驃將軍王廙注,殘缺。梁有十卷。

本書提要云:"《周易注》一卷,晋王廙撰。廙字世將,琅琊臨沂人,右軍將軍羲之之叔父,官至荆州刺史,贈驃騎將軍、武陵康侯,事蹟詳《晋書》本傳。王儉《七志》、阮孝緒《七録》並云王廙《周易注》十卷,《隋志》三卷,云殘缺。《唐志》亦云十卷,陸德明《釋文·序録》云十二卷。今其書不傳已久,其佚文散見,自是六朝雋語。葢世將以貴族大家,復以書畫擅名當代,窮經根柢,宜非荀、虞、馬、鄭之比。然清詞霏霏,亦足賞玩。兹從《正義》、《釋文》、李鼎祚《集解》、劉孝標《世説新語》注、《太平御覽》等書,採輯一卷云。"

周易張氏集解一卷

《隋志》:《周易》八卷,晋著作郎張璠注,殘缺。梁有十卷。

本書提要云:"《周易集解》一卷,晋張璠撰。《晋書》無璠傳,陸德明《釋文·序録》云:'璠,安定人,東晋祕書郎、參著作。其《易》解集鍾會、向秀、庾運、應貞、荀煇、張煇、王宏、阮咸、阮渾、楊乂、王濟、衛瓘、欒肇、鄒湛、杜育、楊瓚、張軌、宣舒、邢融、裴藻、許適、楊藻,凡二十二家,依向秀爲本。《七志》云十卷,《隋志》云八卷,《唐志》亦云十卷,《略論》一卷。《釋文》云十二卷,蓋合《略論》、《目録》爲十二歟?古來集合諸家之《易》以成一家者,荀爽《九家集解》、李鼎祚《集解》及此書,號爲大作。今惟李書尚存,《九家易》與此罕有傳本。考《釋文》引張璠本,皆省文言張。及汲古閣《釋文》本作張倫,以屯卦下有'張倫反',涉筆而誤。朱氏《經義考》於張璠外,别外張氏一家,以爲《九家易》所引之張氏,又誤以《釋文》單言張者屬之,不知《釋文》於張璠下皆書張,有張軌、張晏,則書軌與晏以别之。朱君未細繹其例,牽混言之,一歸於誤出之張倫。歧之又歧,謬以千里矣。兹取《釋文》所引凡言張者,悉定爲張氏《集解》,復從《正義》、李氏《集解》、《文選》注,輯爲一卷。又序稱依向秀爲本,故凡向氏説,悉採入。其楊乂、鄒湛、張軌佚説,並附著之。惜他家泯絶,無從徵述,爲可憾爾。"

周易蜀才注一卷

《隋志》:《周易》十卷,蜀才注。

本書提要云："《周易蜀才注》一卷，范長生撰。長生一名賢，隱居青城山，自號蜀才，李雄以爲丞相。長生善天文，有術數，民奉之如神。其人蓋功名之士，抱才而隱，乘機見用，遂相僞朝。觀其以'蜀才'自命，宜不甘巖穴以終老也。其説《易》明上下升降，蓋本荀氏學。《隋》、《唐志》、陸氏《釋文・序録》並云十卷。今佚無傳，武威張太史澍嘗從《釋文》及李氏《集解》所引輯爲一卷，今据校録。偶有遺漏，悉爲補之。"

周易繫辭桓氏注

《隋志》：《周易繫辭》二卷，晋桓玄注。

本書提要云："《周易繫辭注》，晋桓玄撰。玄字敬道，譙國龍亢人，僭號僞楚皇帝，事蹟見《晋書》本傳。《隋志》有二卷，《唐志》云三卷，其注久佚。陸德明採注《繫辭》者十人，尚引有桓玄三節。夫僭竊之徒，何足稱述？然其所本，亦有可資考訂者，不以人廢言可也。"

周易徐氏音一卷

《隋志》：《周易音》一卷，晋太子前率徐邈撰。

本書提要云："《周易音》一卷，晋徐邈撰。邈字仙民，東莞姑幕人，官至中書侍郎、太子前衛率，拜驍騎將軍，事蹟見《晋書》本傳。邈於諸經皆有音，顔之推《家訓》屢稱其説，史言'撰正五經音訓，學者宗之'是也。《隋志》有一卷，《唐志》不著録，散亡已久。陸德明《釋文・序録》云'爲《易》音三人，王肅、徐邈、李軌'，而引徐音尚百餘條，輯爲一卷。"

周易李氏音一卷

《隋志》：《周易音》一卷，晋尚書郎李軌弘範撰。

本書提要云："《周易音》一卷，晋李軌撰。《晋書》無軌傳，陸德明《釋文・序録》云：'軌字弘範，江夏人，東晋祠部郎中、都亭侯。'《隋志》載其《周易音》一卷，《唐志》不著録，蓋在唐時已缺佚,故《釋文》引止七條,不及徐音十中之一。輯合存之,以備《易》音云。"

周易卦序論一卷

《隋志》:《周易卦序論》一卷,晉司徒右長史楊乂撰。

本書提要云:"《周易卦序論》一卷,晉楊乂撰。《晋書》無乂傳,陸德明《釋文·序録》:'乂字元舒,汝南人,晋司徒左案此作"左",與《隋志》異。長史,爲《易卦序論》。'《隋》、《唐志》並云一卷,今佚。王應麟《玉海》云《御覽》引楊乂《易卦序論》云云。考徐堅《初學記》卷五引,與《御覽》卷三十八所引同,葢《御覽》本之《初學》也。乂,今《御覽》本訛作'義',以《玉海》訂之,知俗刻誤爾。"

周易統略一卷

《隋志》:《周易統略》五卷,晉少府卿鄒湛撰。

本書提要云:"《周易統略》一卷,晋鄒湛撰。湛字潤甫,南陽新野人,太康中爲散騎常侍、國子祭酒,轉少府,事蹟見《晋書》列傳。張璠集二十二家《易》解,有鄒湛《易統略》,不言卷數。《隋志》五卷,《新》、《舊唐書》志並作《統略論》三卷。今佚,陸德明《釋文》引有二節,葢宗王弼,而顯門費學者也。"

周易繫辭荀氏注

《隋志》:《周易繫辭》二卷,荀柔之注。

本書提要云:"《周易繫辭注》,宋荀柔之撰。《南史》、《宋書》皆無柔之傳,其字亦佚。陸德明《釋文·序録》載注《繫辭》者十人,有荀柔之,云潁川潁陰人,宋奉朝請。《册府元龜》云'荀柔之注《周易·繫辭》,並爲《易》音。'考《釋文》列爲《易》音者三人,不言柔之,未知所据。《隋》、《唐志》並有《繫辭注》二卷,今佚。唯《釋文》引其三節。"

周易劉氏義疏一卷

《隋志》:《周易乾坤義》一卷,齊步兵校尉劉瓛撰。《周易繫辭義疏》二卷,劉瓛撰。

本書提要云:"《周易義疏》一卷,南齊劉瓛撰。瓛字子珪,沛國人,徵步兵校尉,不拜,謚貞簡先生,事蹟見《南齊書》本傳。《七録》言作《繫辭義疏》,不詳卷數。《隋志》有《周易乾坤義》一卷,别有《周易繫辭義疏》二卷。《唐書·藝文志》卷並同,惟《乾坤義》亦稱《義疏》。今其書皆不傳,陸德明《釋文》、唐釋玄應《一切經音義》、李善《文選》注引數節,皆《繫辭疏》。孔氏《正義》及李鼎祚《集解》亦引其説乾、坤二卦,則乾、坤義之佚文也。合輯一卷,即從《唐志》,總以《義疏》題之。"

周易大義一卷

《隋志》:《周易大義》二十一卷,梁武帝撰。

本書提要云:"《周易大義》一卷,梁武帝撰。帝姓蕭,諱衍,字叔達,南蘭陵中都里人,受齊禪,即皇帝位,事蹟見《南史·帝紀》及《梁書·本紀》。帝撰著經義凡二百餘卷,《隋志》有《周易大義》二十一卷,《唐志》有《大義》二十卷,又有《大義疑問》二十卷,今並亡佚。陸德明《釋文》引梁武帝凡四節,蓋《大義》逸文也,兹据標題。並採《武帝集》引《易》附之,以考異同。夫梁武篤信佛法,學未能醇,然大同中於臺西立士林館,命儒臣朱异、賀琛、孔子袪等遞相講述,四方郡國,趨學向風,其時聚書最盛,阮孝緒《七録》第一《内篇經目》統計四千七百一十卷,而易部五百九十卷,蓋亦取多而用宏矣。"

周易褚氏講疏一卷

《隋志》:《周易講疏》十六卷,梁五經博士褚仲都撰。

本書提要云:"《周易講疏》一卷,梁褚仲都撰。《梁書·孝行傳》:'褚脩父仲都善《周易》,爲當時最。天監中,歷官五經博士。'《南史·全緩傳》:'幼受《易》于博士褚仲都。'陸德明《釋文·序録》云:'近代梁褚仲都、陳周弘正,並爲《易》義,此其知名者。'《隋》、《唐志》俱載其《講疏》十六卷,其書佚矣。孔穎達《正義序》稱江南義疏有十餘家,辭尚虚誕,皆所不取,而採録弗遺褚氏,故散亡之餘,而見《正義》者猶得十五節,《釋文》亦間稱引,茲並輯録。"

周易周氏義疏一卷

《隋志》:《周易義疏》十六卷,陳尚書左僕射周弘正撰。

本書提要云:"《周易義疏》一卷,陳周弘正撰。弘正字思行,汝南安成人,官至尚書右僕射,領國子祭酒、豫州大中正,謚簡子,事蹟見《陳書》本傳。其《易》説,本傳云《講疏》十六卷,《隋志》作《義疏》,卷數同。陸德明《釋文·序録》稱'義',與《隋志》合,想原書本題作《義疏》也。今則佚矣,《釋文》引止四節。孔穎達《正義》亟引周氏,不標其名,以《序》稱簡子斷之,知爲弘正説。茲併合輯一卷。大抵衍輔嗣之旨,亦或用鄭説,而於《序卦》分六門以主攝之,頗見新意。夫《易》冒天下之道,無所不包,學者玩索而有得焉,斯名埋日出而不窮已。"

周易張氏講疏一卷

《隋志》:《周易講疏》三十卷,陳諮議參軍張譏今刊本作"機"。撰。

本書提要云:"《周易講疏》一卷,陳張譏撰。譏字直言,清河武城人,事蹟見《南史》本傳。《隋志》有《周易講疏》三十卷,《唐志》亦三十卷,今不傳。孔穎達《正義》引張氏,每與何氏、褚氏並稱。考《唐志》載張譏《講疏》下,即次何義、褚仲都,皆近代爲義疏者,故並引之。觀其説《易》者换代之名,待奪之義,引何氏、張氏,謂本周簡子變易之旨,又獨詳於《乾卦》。

簡子即周弘正,史稱譏受學於汝南周弘正。梁武帝嘗於文德殿釋《乾》、《坤》、《文言》,譏與陳郡袁憲等與焉。敕令論議,諸儒莫敢先出。譏乃整容而進,諮審循環,辭令溫雅,帝異之,賜裙襦絹,云:'表卿稽古之力。'以此而證,尤爲明確。茲採《正義》所引張氏數節,即依《隋》、《唐志》題識,以章其名。又陸德明《釋文》每稱師讀、師説,臧氏鏞謂陸氏之師也。考本傳云:'譏性恬靜,不求榮利,常慕閒逸,所居宅營山池花果,講《周易》、《老》、《莊》而教授焉,吴郡陸元朗傳其業。'元朗,德明本名,以字行。然則陸氏之師即譏也。茲並取《釋文》所引,合輯一卷。"

周易何氏講疏一卷

《隋志》:《周易講疏》十三卷,國子祭酒何妥撰。

本書提要云:"《周易講疏》一卷,隋何妥撰。《北史》本傳云:'妥字棲鳳,西城人。入周,仕爲太學博士,封襄城縣男。文帝受禪,除國子博士,加通直散騎常侍,進爵爲公,尋爲國子祭酒。撰《周易講疏》十三卷,行於世。'《隋志》有《講疏》十三卷,卷數與妥傳不殊,不著代者,以妥爲隋人也。《宋國史志》尚有《何氏講疏》十三卷,今其書佚,《正義》及李鼎祚《集解》引之,尚數十節。李明標何妥,《正義》稱何氏,其説每與張氏、周氏、褚氏、莊氏並引。莊氏不詳何人,周爲周弘正,張爲張譏,褚爲褚仲都,何即何妥,皆唐近代爲講疏者。《正義》亦疏也,故僅題某氏。又王應麟《玉海》稱何襄城爲《六象論》云云,襄城,妥在周時所封男爵也。茲並采輯,合爲一帙。"

周易姚氏注一卷

《隋志》:《周易》七卷,姚规注。

本书提要云:"《周易注》一卷,姚规撰。规不详何人。《隋志》有七卷注,不著何代,蓋在隋時已無考。但繫姚注於梁何胤、伏曼容、朱异之下，當是齊、梁間人。《唐志》不著録，亡佚已久。李鼎祚《集解》引一節説言互體，葢亦治鄭、虞學者。掇拾殘亡，以質好古之士焉。”

周易崔氏注一卷

《隋志》:《周易》十三卷，崔覲注。

本書提要云:“《周易注》一卷，崔覲撰。覲不詳何人，時代、爵字、里居並佚。《隋志》有《周易》十三卷注，又有《周易統例》十卷，亦僅題崔覲。注次姚規，《統例》次周顒、范氏，當是齊、梁間人。考《北史·儒林傳》有清河崔瑾，與范陽盧景裕，同爲徐遵明弟子。覲、瑾音同，或一人而傳寫各異歟？今其書不傳，孔氏《正義》、李鼎祚《集解》各引一節，録出與姚規注比次，存《隋志》一家云。”

周易傅氏注一卷

《隋志》:《周易》十三卷，傅氏注。

本書提要云:“《周易傅氏注》一卷，撰人名字缺。《隋志》有十三卷，《唐志》有十四卷，皆言傅氏，不知何代人。《隋志》在盧氏上，《唐志》在何胤、盧氏下，殆亦齊、梁間作者。其注今佚，陸德明《釋文》引三節，音訓皆與今《易》異。輯録存之，可備一解云。”

周易盧氏注一卷

《隋志》:《周易》一帙十卷，盧氏注。

本書提要云:“《周易盧氏注》一卷，未詳何人。《隋》、《唐志》均有十卷，不載其名。十卷之注，今頗佚亡，唯《正義》及李鼎祚《集解》引之，凡二十節，亦僅稱盧氏而已。考《後魏書·盧景裕傳》:‘景裕字仲孺，范陽涿人也。專經爲學。’又云:‘先是，景裕注《周易》。齊文襄王入相，於第開講，招延時儁，令景裕解所注《易》。景裕義理精微，吐發閒雅，從容往復，無隙可尋，由是士君子嗟美之。景裕雖不聚徒教授，所注《易》大行於世。'由此觀之，則盧氏注《易》，審爲景裕矣，乃《隋》、《唐志》佚其名者，蓋由蕭梁之代，南北分疆，故《七録》所記，詳南而略北。《隋志》本《七録》，《唐志》因之，故多缺亡耳。玆不直標其名，仍題盧氏，闕疑也。其説《易》爻用升降，與蜀才略相似，大抵宗荀氏之學者。輯録一卷，延此經香。尚友之儒，或可資以論世焉。"

周易乾鑿度二卷

《隋志》：《易緯》八卷，鄭玄注。梁有九卷。

本書提要云："《周易乾鑿度》，鄭康成注。説者稱其書出於先秦，自《後漢書》、南北朝諸史，及唐人撰《五經正義》，李鼎祚作《周易集解》，徵引最多，皆於《易》旨有所發明，較他緯獨爲醇正。至於太乙九宫、四正四維，皆本於十五之説，乃宋儒戴九履一之圖所由出。朱子取之，列於《本義・圖説》。故程大昌謂漢魏以降，言《易》學者皆宗而用之，非後世所託爲，誠稽古者所不可廢矣。原本文字斷闕，多有譌舛，謹依經史所引各文校正。其定爲上下二卷，則從鄭樵《通志》之目也。"

易緯稽覽圖二卷

本書提要云："案《後漢書・樊英傳》注舉七緯之名，以《稽覽圖》冠《易緯》之首。《隋志》鄭康成注《易緯》八卷，不詳其篇目。《宋志》有鄭康成注《稽覽圖》一卷，《通志》七卷，而馬氏《經籍考》載《易緯》七種，亦首列鄭注《稽覽圖》二卷。獨陳振孫《書録解題》别出《稽覽圖》三卷，稱與上《易緯》相出入，而詳略不同，似後人掇拾緯文依託爲之者，非即康成原注之本。自宋以後，其書亦久佚弗傳。今《永樂大典》載有《稽覽圖》一卷，謹以《後漢書・郎顗楊賜傳》、《隋書・王劭傳》所見緯文及注參校，無不符合，其爲鄭注原書無疑。其書首言卦氣起中孚,而以坎、離、震、兑爲四正卦,六十卦卦主六日七分。又以自復至坤十二卦爲消息,餘雜卦主公卿侯大夫,候風雨寒溫,以爲徵應。蓋即孟喜、京房之學所自出。漢世大儒言《易》者悉本於此,最爲近古。今援經注史文,是正譌舛,依馬氏舊録,析爲上下二卷,庶言《易》學者或有所考見焉。"

易緯辨終備一卷

本書提要云:"案《辨終備》一作《辨中備》。《後漢書·樊英傳》注《易緯》凡六,爲《稽覽圖》、《乾鑿度》、《坤靈圖》、《通卦驗》、《是類謀》,而終以此篇。馬氏《經籍考》皆稱爲鄭康成注,而《辨終備》著録一卷。今《永樂大典》所載,僅寥寥數十言,已非完本,且其文頗近《是類謀》,而《史記正義》所引《辨中備》之説,與此反不類。或其書先佚,而後人雜取他緯以成之者,亦未可定也。然别無可證,姑仍舊題云。"

易緯通卦驗二卷

本書提要云:"案《易緯·通卦驗》,馬端臨《經籍考》及《宋史·藝文志》俱載其名。黄震《日抄》謂其書大率爲卦氣發,朱彝尊《經義考》則以爲久佚,今載於《説郛》者,皆從類書中湊合而成,不逮什之二三。蓋是書之失傳久矣。《經籍考》、《藝文志》舊分二卷,此本卷帙不分。核其文義,似爲上下卷,上明稽應之理,下言卦氣之徵驗也。至其中譌脱頗多,其字句與諸書所徵引,亦互有異同。然此書久已失傳,當世並無善本可校,謹於各條下脱漏異同者,則與本文兩存之,蓋闕疑仍舊之意也。"

易緯乾元序制記一卷

本書提要云:"案《乾元序制記》,《後漢書》注七緯名並無其目,馬氏《經籍考》始見一卷,陳振孫疑爲後世術士附益之書。今考此篇首簡,孔穎達《詩》疏引之,作《是類謀》。又《隋書·

王邵傳》引《坤靈圖》之文，亦在此篇。疑本古緯所無，而後人於各緯中分析以成者耳。”

易緯是類謀一卷

本書提要云：“案《是類謀》一作《筮類謀》。馬氏《經籍考》一卷，鄭康成注其書，通以韻語綴輯成文，古質錯綜，別爲一體。《藝文類聚》、《太平御覽》諸書，引其文頗多，與此本參校並合，葢視諸緯略稱完備。其閒多言機祥推驗，並及於姓輔名號，與《乾鑿度》所引《易歷》者，義相發明。”

易緯坤靈圖一卷

本書提要云：“案《坤靈圖》，孫穀謂配《乾鑿度》名篇。馬氏《經籍考》著録一卷，今僅存論《乾》、《无妄》、《大畜》卦辭，及史注所引‘日月連璧’數語，則其闕佚者葢已夥矣。考《後漢書》注，《易緯·坤靈圖》第三，在《辨終備》、《是類謀》之上，而王應麟《玉海》謂三館所藏，有鄭注《易緯》七卷，《稽覽圖》一，《辨終備》四，《是類謀》五，《乾元序制記》六，《坤靈圖》七，二卷、三卷無標目。《永樂大典》篇次亦然。今略依原第，葢從宋時館閣本也。”

書

古文尚書孔氏傳 唐孔穎達正義，凡二十卷。

《漢志》：《尚書古文經》四十六卷，爲五十七篇。師古曰：“孔安國《書序》云：‘凡五十九篇，爲四十六卷。承詔作傳，引序各冠其篇首，定五十八篇。’鄭玄《叙贊》云‘後又亡其一篇’，故五十七。”

《隋志》：《古文尚書》十三卷，漢臨淮太守孔安國傳。《今字尚書》十四卷，孔安國傳。

本書提要云：“《尚書正義》二十卷，舊本題漢孔安國傳。其書至晉豫章内史梅賾始奏於朝。唐貞觀十六年,孔穎達等爲之疏。永徽四年,長孫無忌等又加刊定。孔傳之依託,自朱子以來,遞有論辯。至閻若璩作《尚書古文疏證》,其事愈明。若璩謂定從孔傳,以孔穎達之故,則不盡然。《經典釋文·叙録》稱《藝文志》云'安國獻《尚書傳》,遭巫蠱事,未立於學官',以證實其事。又稱今以孔氏爲正,則定從孔傳者,乃陸德明,非自穎達也。梅賾之時,去古未遠,其傳實據王肅之註,而附益以舊訓,故《釋文》稱王肅亦注《今文》,所解大與《古文》相類。或肅私見孔傳而祕之乎?此雖以末爲本,未免倒置,亦足見其根據古義,非盡無稽矣。"

附輯佚本

古文尚書三卷

本書提要云:"案《漢書·儒林傳》,孔氏有《古文尚書》,安國以今文字讀之,《逸書》得十餘篇。遭巫蠱,未立於學官。又杜林於西州得漆書《古文尚書》一卷,常寶愛之。林傳《古文尚書》,林同郡賈逵爲之作訓,馬融作解,鄭玄注解,由是《古文尚書》遂顯於世。《漢志》'《尚書古文經》四十六卷',《隋》、《唐志》並十三卷。今注疏本即《古文尚書》也。特《古文》逸於漢代,東晉梅賾始得奏上,中閒不無竄亂。又唐玄宗不喜《古文》,天寶三載,詔集賢學士衛包,改從開元文字,而孔壁之古文,乃廢絶不可復見矣。考許慎《說文解字》自叙云:'今叙篆文,合以古、籀。'又云:'其稱《書》孔氏,皆古文也。'然則《說文》引《書》,及所載古文之字見《尚書》者,確爲壁經真本。又賈、馬、鄭皆傳古文學,其本與今《書》異者,亦皆古經之舊。又郭忠恕《汗簡》載古《尚書》遺字,多與《說文》古文字合。雖時出增多篇内,以馬、鄭注古文止二十九篇證之,似爲晋梅氏所上。然《漢志》已有古經四十六卷,亦未可執晚出者必以爲僞也。又日本山井鼎得足利學所藏《古文尚書》三本,摘取之以作《考文補遺》及《古文考》,其古字多奇,而文句增減殊異尤多。海外流傳,或即徐福所挾之古本歟? 今併輯録,他書有引稱者亦採入,釐爲三卷。宋薛季宣有《尚書古文訓》,其書行於世,固可取以参攷也。"

尚書歐陽章句一卷

《漢志》:《歐陽經》三十二卷,《歐陽章句》三十一卷,《歐陽説義》二篇。

本書提要云:"《尚書章句》一卷,漢歐陽生撰。生字和伯,千乘人。事伏生,授兒寬,寬授歐陽生子,至曾孫高爲博士。高孫地餘以授太子,後爲博士論石渠。地餘少子政,爲王莽講學大夫。由是《尚書》世有歐陽氏之學。《漢書·儒林》有傳。《藝文志》'《章句》三十一卷,《説義》二篇',《隋》、《唐志》皆不著目,佚已久。今從諸書所引輯録。又考《儒林傳》,林尊事歐陽高,授平陵平當。又後漢楊賜通《尚書桓君章句》,桓君名郁,治《歐陽尚書》者也。兹取平當、楊賜引《書》語,亦並輯入。其他引三家及今文家説,不能區别,各輯録之。鄭康成《書贊》譏歐陽氏失其本義,鄭師祖孔氏古文學,故有此論。然當古文未顯之時,抱守殘編,此爲功首。兩漢歐陽之學,視夏侯爲盛。學非康成,固未可輕議之也。"

尚書大夏侯章句一卷

《漢志》:經二十九卷,大、小夏侯二家。師古曰:"此二十九卷,伏生傳授者。"大、小夏侯章句各二十九卷,大、小夏侯解故二十九篇。

本書提要云:"《尚書章句》一卷,漢夏侯勝撰。勝字長公,東平人,官至諫大夫,事蹟詳《漢書》本傳。又《儒林傳》云:'先是,夏侯都尉從濟南張生受《尚書》,以傳族子始昌,始昌傳勝。勝又事同郡簡卿,簡卿,兒寬門人。勝傳從兄子建。由是《尚書》有大、小夏侯之學。'《漢志》'大、小夏侯章句各二十九卷、解故二十九篇',今並佚,裒輯爲卷。考《儒林傳》,周堪、孔霸俱事大夏侯,霸傳子光,由是大夏侯有孔學。又《五行志》載夏侯始昌善推《五行傳》,以傳族子夏侯勝,其傳與劉向同,則子政與大夏侯亦一家之學。兹併取孔光、劉向所引《書》義輯入,其説多與《古文》殊異。"

尚書小夏侯章句一卷

本書提要云:"《尚書章句》一卷,漢夏侯建撰。建字長卿,勝從父子,師事勝及歐陽高,官至太子少傅,事蹟見《漢書·夏侯勝傳》及《儒林傳》。《勝傳》謂建從五經諸儒問與《尚書》相出入者,牽引以次章句,具文飾説。勝非之曰:'建所謂章句小儒,破碎大道。'建亦非勝爲學疏略,難以應敵,建卒自專門名經。此夏侯一家,授受而各分門户也。《漢·藝文志》'大、小夏侯章句各二十九卷',今與大夏侯書並佚,輯録一帙,引者率與歐陽同稱,其稱夏侯者,又不顯標大、小,惟據所引,分繫三家書内。攷《儒林傳》張山拊事小夏侯建,授同郡李尋,由是小夏侯有李氏之學。今《李尋傳》所述經義,皆小夏侯之佚説,並取編輯。雖非原文,而確有師授。其與大夏侯殊旨者,見一斑已。"

古文尚書馬鄭注十卷

《隋志》:《尚書》十一卷,馬融注。《尚書》九卷,鄭玄注。

《尚書馬鄭注》十卷,孫星衍輯。本書《自序》云:"《古文尚書》分三十四篇,《序》一篇。篇次文字從馬、鄭本,皆見《釋文》、《正義》諸書,不敢妄作,必載所采之書。兩書並見,從其備者。鄭氏受學于馬,二家本同,故兼録之。後附《篇目表》及

《逸文》二卷、《音義》一卷。漢文帝使鼂錯受伏生《尚書》二十八篇。《泰誓》後得，大、小夏侯爲二十九。歐陽三分《盤庚》爲三十一。馬氏、鄭氏三分《泰誓》，又分《顧命》出《康王之誥》，爲三十四。益以《書序》而爲之注，即《隋・經籍志》所稱馬融注《尚書》十一卷、鄭玄注《尚書》九卷也。此二十八篇經文，爲伏生壁藏之餘，見《史記》、《漢書・儒林傳》及《藝文志》。孔安國亦傳今文，故《史記》云：'孔氏有《古文尚書》，而安國以今文讀之。'當時謂伏生《書》爲今文，蓋在孔壁科斗書既出之後，稱今以别於古。後漢杜林又得漆書古文，賈逵撰《歐陽大小夏侯尚書古文同異》，于是今文合于古文。《隋・經籍志》稱馬、鄭所傳惟二十九篇，又雜以今文是也。馬、鄭所注，雖止伏生之《書》，既從張恭祖受逸十六篇，又注壁中百篇之《序》，遂題曰《古文尚書》。晋世祕府所存，有《古文尚書》經文。永嘉喪亂，衆家之書並亡，古文蓋絶于此時。元帝時，梅賾上《尚書孔傳》。至孔穎達爲撰正義，而鄭注漸微。宋王應麟撰集《古文尚書鄭氏注》，王光禄鳴盛又加增補，漸無漏略。然王伯厚則不採馬注，鄭亦不備。光禄則博搜羣籍，連綴成文，或頗省改。今之所集，非敢冀越前修。抄胥之勞，庶加致密，冀當世好古敏求之儒，知我而不罪我也。"

尚書馬氏傳四卷

本書提要云："《尚書傳》四卷，後漢馬融撰。《後漢書・儒林傳》云：'扶風杜林傳《古文尚書》，同郡賈逵爲之作訓，馬融作傳。'《隋志》十一卷，《唐志》十卷，今佚。茲從《釋文》、《正義》、《史記集解》等採輯，分爲三卷。《正義》謂'馬、鄭之徒，百篇之《序》爲一篇。'《隋志》較《唐志》多一卷者，即書《序》也。更别輯録，合爲四卷。夫季長治古文學，而所注止今文二十九篇。《序》謂《太誓》後得，頗以神怪爲疑。然觀注中佚説,亦止是今文《太誓》,其本多異字,蓋典校祕府時,能見古文真本,閒有參三家今文而用之者。以視爲孔傳,判霄壤矣。康成之學,淵源於馬氏。參攷鄭義,多與之同。宜乎雅才好博,與衛、賈並見稱許也。”

尚書王氏注二卷

《隋志》:《尚書》十一卷,王肅注。《尚書駁議》五卷,王肅撰。

本書提要云:“《尚書注》二卷,魏王肅撰。《魏書》本傳云:‘肅善賈、馬之學,而不好鄭氏。采會同異,爲《尚書》解。’《隋志》‘《書注》十一卷,《駁議》五卷’,《唐志》‘注十卷,又《駁釋》五卷’,今并佚。輯録二卷,所注亦今文二十九篇,與馬、鄭本同。百篇之《序》亦有注,既因馬本,自必總爲一篇,别輯附後。其學專與鄭爲難,鄭贊謂‘孔子撰《書》,乃尊而命之曰《尚書》。尚者,上也’。肅序謂‘上所言,史所書,故曰《尚書》也。’開卷已自立異。王氏鳴盛《尚書後案》云:‘王注之存於今者,按之皆與馬融及僞孔合。僞孔之出於肅,乃情事之所有,考古者當以此辨之。’”

古文尚書舜典注一卷

《隋志》:《古文尚書·舜典》一卷,晋豫章太守范甯注。

本書提要云:“《古文尚書舜典注》一卷,晋范甯撰。甯字武子,順陽人,官至豫章太守,事蹟具《晋書》本傳。陸氏云:‘江左中興,豫章内史梅賾奏上孔傳《古文尚書》,亡《舜典》一篇,’闕不可得,乃取王肅注《堯典》,從‘慎徽五典’以下,分爲《舜典》。學徒遂盛。後范甯變爲今文集注。俗閒或取《舜典篇》以續孔氏,孔傳本隸古定,尚多古字,范則直改爲今字。《正義》曰:‘昔東晋之初,梅賾上孔氏傳,猶闕《舜典》,多用王、范之注以補之。’《隋志》有范注《舜典》一卷,以合孔傳獨存也。今佚。從劉昭《後漢書》注、唐釋玄應《一切經音義》、

《太平御覽》等書，輯得十二節，大抵用馬、鄭舊義。孔傳所采遺説，具存《尚書》内，惜無由區分之也。”

古文尚書音一卷

《隋志》：《古文尚書音》一卷，徐邈撰。

本書提要云：“《古文尚書音》，晋徐邈撰。《隋志》載其一卷，今佚，從陸氏《釋文》，參《集韻》、《六經正誤》等書輯録。邈在東晋之世，梅賾所上古文孔氏傳已出，故徐氏音有《胤征》、《太甲》、《説命》諸篇，並及孔傳之字也。音從鄭氏者多，其不明言鄭者，亦可推見之。”

尚書述義一卷

《隋志》：《尚書述義》二十卷，國子助教劉炫撰。

本書提要云：“《尚書述義》一卷，隋劉炫撰。炫字光伯，河閒景城人，《北史》有炫傳，與《劉焯傳》相次。焯傳云：‘劉炫聰明博學，名亞於焯，故時人稱二劉焉。’炫本傳叙其著作，有《尚書述義》二十卷，《隋》、《唐志》並同。今佚。孔氏《正義》引之，謂炫嫌焯之煩雜，就而刪焉。葢炫書以焯爲主，稍加裁改。孔謂炫義更太略，辭又過華，以爲炫之所失焉。”

尚書顧氏疏一卷

《隋志》：《尚書疏》二十卷，顧彪撰。

本書提要云：“《尚書疏》一卷，隋顧彪撰。彪字仲文，餘杭人。明《尚書》、《春秋》，煬帝時爲祕書學士，《北史·儒林》有傳。傳稱‘撰《古文尚書義疏》二十卷，行於世’。《隋志》‘疏二十卷’。今佚亡，從《正義》輯録爲帙。疏衍孔傳，而時參用鄭康成説，葢顧嘗爲《今文尚書音》、《大傳音》各一卷，留心舊學，不墨守一家之訓詁也。”

尚書大傳四卷　補遺一卷 按，此書時代實在前，今依四庫附録之例列此。

《漢志》：《尚書傳》四十一篇。

《隋志》:《尚書大傳》三卷,鄭玄注。

本書提要云:"《尚書大傳》,舊本題漢伏勝撰。勝,濟南人。考《史記》、《漢書》,但稱伏生,不云名勝,故説者疑其名爲後人所妄加。然《晋書·伏滔傳》稱遠祖勝,則相傳有自矣。《漢志》書類載'經二十九卷,傳四十一篇',無伏勝字。《隋志》載'《尚書》三卷,鄭玄注',亦無伏勝字。陸德明《經典釋文》稱《尚書大傳》三卷,伏生作。《晋書·五行志》稱漢文帝時伏生剏紀《大傳》。《玉海》載《中興館閣書目》引鄭康成《尚書大傳序》曰'蓋自伏生也。伏生爲秦博士,至孝文時,年且百歲。張生、歐陽生從其學而受之,音聲猶有譌誤,先後猶有舛差,重以篆隸之殊,不能無失。生終後,數子各論所聞,以己意彌縫其闕,别作章句。又特撰大義,因經屬指,名之曰傳。劉向校書,得而上之,凡四十一篇,銓次爲八十一篇'云云。然則此傳乃張生、歐陽生所述,特源出於勝爾,非勝自撰也。《唐志》亦作三卷,《書録解題》則作四卷。今所傳者凡二本,一爲杭州三卷之本,與《隋志》合。然實雜採類書所引,裒輯成編,漫無端緒。一爲揚州四卷,與《書録解題》合,兼有鄭康成注。校以宋仁宗《洪範政鑒》所引鄭注,一一符合,知非依託。二本各附《補遺》一卷,揚州本所補較備。其文或説《尚書》,或不説《尚書》,大抵如《詩外傳》、《春秋繁露》,與經義在離合之間,而古訓舊典,往往而在,所謂六藝之支流也。其第三卷爲《洪範五行傳》,首尾完具。漢代緯候之説,實由此起。然《月令》先有是義,今列爲經,不必以董仲舒、劉向、京房推説事應,穿鑿支離,歸咎於勝之剏始。第四卷題曰《略説》,王應麟《玉海》别爲一書,然《大傳》爲大名,《略説》爲小目,析而二之,非也。惟所傳二十八篇無《泰誓》,而此有《泰誓》傳,又《九共》、《帝告》、《歸禾》、《揜誥》皆逸書,而此書亦皆有傳，葢伏生畢世業《書》，不容二十八篇之外全不記憶，特舉其完篇者傳於世。其零章斷句則偶然附記於傳中，亦事理所有，固不足以爲異矣。”

尚書大傳定本八卷

《尚書大傳定本》，陳壽祺輯。本書《自序》云："《尚書大傳》四十一篇，見《漢書·藝文志》。鄭康成《序》謂出自伏生。《隋書·經籍志》、《唐書·藝文志》、《崇文總目》、《郡齋讀書志》並著録三卷。《唐志》别出《暢訓》一卷，疑即《略説》之譌。自葉夢得、晁公武皆言今文首尾不倫。《直齋書録解題》言印板刓闕。宋世已無完本，迄明遂亡。近人編録，譌漏猶不免焉。今覆加稽核，楬所據依，總爲八卷。伏生以明經爲秦博士，其生在周末，得見《詩》、《書》古文。且博識先秦舊書雅記，多漢諸儒所未聞。遭時燔災，抱百篇藏之山中。漢興，求得二十九篇，而《九共》、《帝告》、《嘉禾》、《揜誥》、《肆命》諸闕篇，猶能言其作意，述其佚句。文帝命晁錯從受《尚書》，而伏生亦自以二十九篇授張生、歐陽生，教於齊、魯之閒。迄武、宣世，有歐陽、大小夏侯氏立學官，是爲《今尚書》。《尚書》今學，精或不逮古文，然亦各守師法。賈逵以爲俗儒，康成以爲嫉此蔽冒不悛，乃謂當時博士末師破碎章句之過。而伏生《大傳》，條撰大義，因經屬旨，其文辭爾雅深厚，最近《大》、《小戴記》七十子之徒所説，非漢諸儒傳訓之所能及也。康成百代儒宗，獨注《大傳》，其釋三禮，每援引之。及注《古文尚書》，咸據《大傳》以明事，豈非閎識博通，信舊聞者哉。伏生之學，尤善於禮，其言皆唐虞三代遺文，往往六經所不備，諸子百家所不詳。宋朱子與勉齋黄氏纂《儀禮經傳通解》，攈摭《大傳》獨詳，蓋有裨禮學不虚也。《五行傳》者，自夏侯始昌，至劉向父子傳之，皆善推禍福，著天人之應。漢儒治經，莫不明象數陰陽,以窮極性命。告往知來,王事之表,不可廢也。是以録《漢書·五行志》附於後,以備一家之學云。”

尚書緯璇璣鈐一卷

《隋志》:《尚書緯》三卷,鄭玄注。梁六卷。

本書提要云:“《璇璣鈐》一卷,漢鄭玄注。孫瑴《古微書》云:‘《璇璣鈐》當是載曆象之奥祕,而術已無傳。’”

尚書緯考靈曜一卷

本書提要云:“《考靈曜》一卷,漢鄭玄注。孫瑴《古微書》云:‘學莫大於稽天,自堯曆象,舜璿璣,於是禮樂兵刑,一祖天矣。後世以宣夜爲殷制,周髀託於周公,然於天度多不相應。渾儀之圖,師準璿璣,曆代寶用。自漢張衡鑄爲銅儀,迄唐之梁令瓚、李淳風以至許衡、郭守敬,莫能外焉。而不知其祕皆原於緯書。漢儒窮緯,故談天爲至精,此《考靈曜》所由名也。孔門之學揆合唐虞,以故其傳天官,亦最密云。謂緯書不出於孔門,漢儒亦何自而溯其術哉?此亦可爲闢緯者抉疑。’”

尚書緯刑德放一卷

本書提要云:“《刑德放》一卷,漢鄭玄注。孫瑴《古微書》云:‘放,一作攷。’”

尚書緯帝命驗一卷

本書提要云:“《帝命驗》一卷,漢鄭玄注。孫瑴《古微書》云:‘帝王之興,自有命運。五德終始,録圖更承。皆先革之於天象,錯之以地文。是故皇帝王伯,春夏秋冬,望氣前知,占瑞逆見。未有運世無本而得崛起在位者。河不圖,鳳不至,孔子以不王而命驗鍾漢。此圖緯之書,所以著于删後歟?不然,緯耳、讖耳,以何重之云。’”

尚書緯運期授一卷

本書提要云:“《運期授》一卷,漢鄭玄注。”下闕。

尚書中候三卷

《隋志》:《尚書中候》五卷,鄭玄注。梁有八卷,今殘缺。

本書提要云:"《尚書中候》三卷,漢鄭玄注。《史記索隱》引《書緯》,稱:'孔子求得黄帝玄孫帝魁之書,至秦穆公,凡三千三百三十篇,乃删以百篇爲《尚書》,十八篇爲《中候》。'《隋志》'《尚書中候》五卷',《唐志》不著録,佚已久。從諸書搜輯,十八篇目猶具。其可考者入各篇中,無考者統入雜篇,釐爲三卷。書中多言河洛符應,亦緯讖之類也。康成大儒,既爲之注,又往往取以説《毛詩》、三禮。儻以古書不忍湮没乎,蒐存遺簡,可與汲冢竹書競爽矣。"

詩

詩毛氏傳鄭氏箋 唐孔穎達正義,凡四十卷。

《漢志》:《毛詩》二十九卷,《毛詩故訓傳》三十卷。

《隋志》:《毛詩》二十卷,漢河閒太守毛萇傳,鄭氏箋。

本書提要云:"《毛詩正義》,漢毛亨傳,鄭玄箋。案《漢書·藝文志》但稱毛公,不著其名。《後漢書·儒林傳》始云趙人毛長傳《詩》,是爲《毛詩》。其'長'字不從草。《隋書·經籍志》載《毛詩》二十卷,漢毛萇傳。於是《詩傳》始稱毛萇。然鄭玄《詩譜》曰:'魯人大毛公爲《訓詁傳》於其家,河間獻王得而獻之,以小毛公爲博士。'陸璣《毛詩草本蟲魚疏》亦云:'孔子删《詩》,授卜商,商爲之序。毛亨作《詁訓傳》,以授趙國毛萇。時人謂亨爲大毛公,萇爲小毛公。'據此二書,則作傳者乃毛亨,非毛萇,故孔氏《正義》亦云:'大毛公爲其傳,由小毛公而題毛也。'《隋志》所云殊誤,今參稽衆説,定作傳者爲毛亨。以鄭氏後漢人,陸氏三國吴人,併傳授《毛詩》,淵源有自,所言必不誣也。鄭氏發明毛義,自命曰箋。《博物志》曰:'毛公嘗爲北海郡守,康成是此郡人,故以爲敬。'推張華所言,葢以爲公府用記、郡將用箋之意。然康成生於漢末,乃修敬於四百年前之太守,殊無所取。案《説文》曰:'箋,表識書也。'鄭氏《六藝論》云:'注《詩》宗毛爲主,毛義若隱略,則更表明。如有不同,即下己意,使可識别。'然則康成特因毛《傳》而表識其傍,如今人之簽記,積而成帙,故謂之箋,無庸别曲説也。自鄭《箋》既行,齊、魯、韓三家遂廢。然《箋》與《傳》義,亦時有異同。魏王肅申王難鄭,歐陽修謂鄭不如王。王基又申鄭難王,王應麟謂王不及鄭。晉孫毓復申王説。陳統難孫氏,又明鄭義。袒分左右,垂數百年。至唐貞觀十六年,命孔穎達等因鄭《箋》爲正義,乃論歸一定,無復歧塗。《毛傳》二十九卷,《隋志》附以鄭《箋》,作二十卷,疑爲康成所併。穎達等以疏文繁重,又析爲四十卷。"

韓詩外傳十卷

《漢志》:《韓外傳》六卷。

《隋志》:《韓詩外傳》十卷。

本書提要云:"《詩外傳》十卷,漢韓嬰撰。嬰,燕人。文帝時爲博士,景帝時至常山太傅。《漢志》有《韓故》三十六卷,《韓内傳》四卷,《韓外傳》六卷,《韓説》四十一卷。歲久散佚,惟《韓故》二十二卷《新唐書》尚著録。故劉安世稱嘗讀《韓詩·雨無正》篇,然歐陽修已稱今但存其《外傳》,則北宋之時,士大夫已有見、有不見。范處義作《詩補傳》在紹興中,已不信劉安世得見《韓詩》,則亡在南北宋之閒矣。惟《外傳》至今尚存。然自《隋志》以後,即較《漢志》多四卷,葢後人所分也。其書雜引古事古語,證以《詩》詞,與經義不相比附,故曰'外傳'。所采多與周秦諸子相出入。班固論三家之《詩》,稱其

‘或取《春秋》,采雜説,咸非其本義’,殆即指此類歟?其中引荀卿《非十二子》一篇,删去子思、孟子二條,惟存十子,其去取特爲有識。又精理名言,往往而有,不必盡以訓詁繩也。是書之例,每條必引《詩》詞,而未引《詩》者二十八條,均疑有闕文脱簡。至《藝文類聚》引‘雪花六出’之類,多涉訓詁,則疑爲《内傳》之文,傳寫偶誤。董斯張盡以爲《外傳》所佚,又似不然矣。”

元錢惟善《韓詩外傳序》云:“始余年少讀《韓詩外傳》,疑其爲先秦文字。及授《詩》,爲專門學,聞有韓、魯、齊三家之《詩》,因考其説。《韓詩》燕韓嬰所作,故號‘韓詩’。《魯詩》浮邱伯傳之魯申培公,故號‘魯詩’。《齊詩》齊轅固所傳,故號‘齊詩’。或以國稱,或以氏傳。《齊詩》魏代已亡,《魯詩》亡於西晋,《韓詩》存而無傳者,至唐猶在。今存《外傳》十篇,非韓嬰傳《詩》之詳者。遺説時見於他,與毛説絶異,茲固不暇論也。《外傳》雖非其解經之詳,斷章取義,要有合於孔門商、賜言《詩》之旨。況文辭清婉,有先秦風,學者安得不宗尚之乎?”

附輯佚本

魯詩故三卷

《漢志》:《詩經》二十八卷,魯、齊、韓三家。應邵曰:“申公作《魯詩》,后蒼作《齊詩》,韓嬰作《韓詩》。”《魯故》二十五卷,師古曰:“故者,通其指義也。”《魯説》二十八卷。

本書提要云:“《魯詩故》三卷,漢申培撰。培,魯人。官至大中大夫,《漢書·儒林》有傳。培,魯人,故所傳《詩》稱《魯詩》。本傳云:‘少與楚元王俱事浮邱伯受《詩》’。又云:‘申云獨以《詩經》爲訓故以教,亡傳,疑者則闕弗傳。’《藝文志》

云:‘《詩魯故》二十五卷,《魯説》二十八卷。’故、訓通名。或稱傳者,殆如《毛詩》之《詁訓傳》乎?其書亡於西晋,故《隋》、《唐志》皆不著録。宋王應麟嘗輯三家佚説爲《詩考》,《魯詩》僅十四條。考《儒林》本傳:‘申公弟子爲博士十餘人,孔安國至臨淮太守。’又曰:‘韋賢治《詩》,傳子玄成,以淮南中尉論石渠,由是《魯詩》有韋氏學。’又《王式傳》云:‘沛褚少孫來事式,由是《魯詩》有褚氏之學。’今孔安國有《書傳》、《論語訓説》、《古文孝經傳》,韋玄成《漢書》本傳載其奏議,褚少孫有補《史記》,凡所引《詩》,皆《魯詩》也。司馬遷從孔安國問《古文尚書》,於申公爲再傳弟子,《史記》引《詩》,亦爲《魯詩》無疑。《困學紀聞》云:‘《魯詩》出於浮邱伯,以授楚元王交。劉向乃交之孫,其説蓋本《魯詩》。’案《漢·藝文志》謂三家魯爲近之,班志藝文本《七略》,則劉氏世傳《魯詩》,又一確證矣。朱氏《經義考》謂蔡邕石經悉本《魯詩》。案《石經魯詩》殘碑,載洪适《隸續》,王氏《詩考》取入《魯詩》,他書亦尚有引石經者,由此推之,邕所撰述,其引用不與《毛詩》同,皆《魯詩》也。臧庸《拜經日記》云:‘《爾雅》是《魯詩》之學。’又謂唐人義疏引某氏《爾雅》注,即樊光也。其《詩》並與毛、韓不同,蓋本《魯詩》。又謂王叔師《楚辭章句》所引《詩》,或與韓不同,與《爾雅》、《列女傳》合,蓋《魯詩》也。兹並輯補,釐爲三卷。諸所引述經文,異同畢載。其訓説有兩見者,亦並採之。意在互明,無嫌複舉。縱不必盡出原書,而根據不違乎本訓,視明豐坊《魯詩》世學,及申培説《詩》之僞本,固大有閒矣。”

齊詩傳二卷

《漢志》:《齊后氏故》二十卷,《齊孫氏故》二十七卷。《齊后氏傳》三十九卷,《齊孫氏傳》二十八卷,《齊雜記》十八卷。

本書提要云:“《齊詩傳》三卷,漢后蒼撰。蒼字近君,東海郯人,官至少府,《漢書·儒林》有傳。《齊詩》出於轅固。固齊人,故號齊詩。《儒林·固傳》云:'以治《詩》,孝景時爲博士。'又云:'諸齊以詩顯者,皆固之弟子也。昌邑太傅夏侯始昌最明。'《蒼傳》云:'事夏侯始昌,始昌通五經,蒼亦通《詩》、禮,授翼奉、蕭望之、匡、衡。衡授師丹、伏理。由是《齊詩》有翼、匡、師、伏之學。'《漢志》:'《后氏故》二十卷,《孫氏故》二十七卷,《后氏傳》三十九卷,《孫氏傳》二十八卷,《雜記》十八卷。'孫氏不知何人。應劭曰:'后蒼作《齊詩》。'陸德明《釋文·序録》云:'轅固作《詩傳》。'徐天麟《西漢會要》亦以《齊詩傳》爲轅固作。然《志》題后蒼,不著固名者,則《齊詩》之有傳説自蒼始。孫氏故傳亦宗后氏也。《隋志》云:'《齊詩》魏代已亡。'《文獻通考》云:'董逌《藏書目》有《齊詩》六卷,疑後人依託爲之。'王應麟《詩考》輯十六節,并及翼奉、蕭望之、匡衡及伏理、子湛之説,《漢書·地理志》引《齊詩》者皆收入。考班固作《漢書·叙傳》述其家學,云:'伯少受詩於師丹。'固父彪爲伯弟穉之子,固其從孫也。班氏世傳齊學,故《地理志》引用《齊詩》。由此推之,凡《漢書》中除紀傳所載詔、策、疏、奏之類,各録本文外,表、志、贊、叙出於父子手筆,所引皆《齊詩》無疑也。《後漢書·班固傳》云:'天子會諸儒講論五經,作《白虎通德論》,令固撰集其事。'今《白虎通》引《詩》有《魯訓》,有《韓内傳》,其引《詩》不言何家者,以齊爲本。故不復顯其姓名也。並據輯補,釐爲二卷。題后蒼者,以翼、匡、師、伏之學,皆出后氏也。引者多稱傳,因總題《齊詩傳》。"

韓詩故二卷詩内傳一卷詩説一卷

《漢志》:《韓故》三十六卷,《韓内傳》四卷,《韓説》四十一卷。

薛君韓詩章句二卷

《隋志》:《韓詩》二十二卷,漢常山太守韓嬰薛氏章句。

本書提要云:“《韓詩章句》二卷,漢薛漢撰。《後漢書·儒林》有漢傳,云:‘字公子,淮陽人也。世習《韓詩》,父子以《章句》著名。漢少傳父業,尤善説災異讖緯,教授常數百人。建武初爲博士。當世言《詩》者,推漢爲長。’又《杜撫傳》云:‘撫少有高才,受業於薛漢,定《韓詩章句》。’案《章句》定於杜撫,稱薛君者,撫所題。尊師,故稱薛君。且同時有山陽張匡亦習《韓詩》,作《章句》,著薛君以别之也。《隋志》:《韓詩》二十二卷。《薛氏章句》,《唐志》有二十二卷,不書薛名,書已散佚。宋王應麟《詩考》輯附《韓詩》,而尚多漏略,兹更輯補,别爲二卷。薛君世傳之業,粗見梗概。而題約義通,猶可循杜君法云。”

韓詩翼要一卷

《隋志》:《韓詩翼要》十卷,漢侯芭傳。

本書提要云:“《韓詩翼要》一卷,漢侯芭撰。芭不詳何人。《隋志》有《韓詩翼要》十卷。《唐志》亦載十卷,而不著作者之名,略也。今佚,唯從《正義》及陳暘《樂書》輯録四節,附考證訂爲卷。其説‘衣裼弄瓦’,與《毛傳》合,《正義》取之爲毛説。意其以毛通韓,摘論節訓,故以翼要爲名歟。”

毛詩義問一卷

《隋志》:《毛詩義問》十卷,魏太子文學劉楨撰。

本書提要云:“《毛詩義問》一卷,魏劉楨撰。楨字公幹,東平人,爲太子文學。《魏志》附見《王粲傳》。魏文帝《典論》,以孔融、陳琳、王粲、徐幹、阮瑀、應瑒、劉楨爲七子,稱其於學無所遺,於辭無所假,蓋亦偉其才矣。其撰《毛詩義問》,《隋》、《唐志》並十卷。今佚,從《水經注》、《北堂書鈔》、《藝文類聚》、《初學記》、《太平御覽》諸書輯得十二節。訓釋名物,與陸璣《毛詩草木鳥獸蟲魚疏》相似。蓋當時儒者,究心考據,猶不失漢人家法云。"

毛詩王氏注四卷

《隋志》:《毛詩》二十卷,王肅注。

本書提要云:"《毛詩注》四卷,魏王肅撰。《隋》、《唐志》並二十卷。《隋志注》:梁有二十卷,鄭玄、王肅合注。蓋魏晋人取肅《注》次鄭《箋》後,以便觀覽,非肅别有注也。今並佚,輯録四卷。其説申述毛《注》,往往與鄭不同。案鄭箋《毛詩》,而時參三家舊説,故《傳》、《箋》互異者多。《正義》於毛、鄭皆分釋之,凡毛之所略,而不可以鄭通之者,即取王注以爲《傳》意。間有申非其旨,而什得六七。歐陽修《本義》引其釋《邶風·擊鼓》五章,謂鄭不如王,亦持平之論也。"

毛詩義駁一卷

《隋志》:《毛詩義駁》八卷,王肅撰。

本書提要云:"《毛詩義駁》一卷,魏王肅撰。肅注《毛詩》,以鄭《箋》有不合於毛者,因復爲此書。曰'義駁'者,駁鄭氏義也。《隋志》八卷,《唐志》作《雜義駁》,卷同。今佚,輯録凡十二節。鄭氏訓義優洽,未易顛撲。自有此駁,而王基、孫毓、陳統之徒,反覆辨難。門户召爭,則景侯爲之倡也。"

毛詩奏事一卷

《隋志》:《毛詩奏事》一卷,王肅撰。

本書提要云:"《毛詩奏事》一卷,魏王肅撰。肅有《毛詩義駁》,專攻鄭氏。此則取鄭氏之違失,條奏於朝,故題'奏事'也。《隋志》以一卷著録,《唐志》不載,佚已久矣。今從《正義》採得四節。夫康成大儒,先通魯、韓二家,後箋《毛詩》,其與毛不盡同者,意在兩存其是。肅必欲盡廢鄭説,駁之不已,復陳諸奏,何見疾之深乎。"

毛詩駁一卷

《隋志》:《毛詩駁》一卷,魏司空王基撰。殘缺,梁五卷。

本書提要云:"《毛詩駁》一卷,魏王基撰。基字伯輿,東萊曲城人。官至征南將軍,都督荆州軍事,封關内侯,贈司空。《魏志》有傳。基以策敵立功,掌統方任,而善爲撰述。傳稱:'王肅著諸經傳解及論定,朝議改易鄭玄舊説,而基據持玄議,常與抗衡。'《隋志》載有《毛詩駁》一卷,殘缺。今佚,從《正義》、《釋文》輯録十五節。其説依鄭駁王,具有根柢。斯編先列兩家,次及駁語,既資循覽,亦本書體例應如是也。"

毛詩草木鳥獸蟲魚疏二卷

《隋志》:《毛詩草木蟲魚疏》二卷,烏程令吴郡陸璣撰。

本書提要云:"《毛詩草木鳥獸蟲魚疏》二卷,吴陸璣撰。明北監本《詩正義》全部所引,皆作陸機。考《隋志注》云烏程令吴郡陸璣撰。陸德明《經典釋文·序録》注云:'字元恪,吴郡人,吴太子中庶子,烏程令。'《資暇集》亦辨璣字從玉,則監本爲誤。又毛晋《津逮祕書》所刻,援陳振孫之言,謂其書引《爾雅》郭璞注,當在郭後,未必吴人,因而題曰'唐陸璣'。夫唐代之書,《隋志》烏能著録,且書中所引《爾雅注》,僅及漢犍爲文學樊光,實無一字涉郭璞,不知陳氏何以云然。姚士粦跋已辨之,或晋未見士粦跋歟?原本久佚,此本不知何人所輯,大抵從《詩正義》中録出。然《正義·衛風·淇澳》篇引陸璣疏,今本乃無此條。知由採摭未周,故有所漏,非璣之舊帙。又諸家傳寫,有所竄亂,非盡原文。然勘驗諸書所引,一一符合,要非依託之本也。末附四家《詩》源流四篇。而《毛詩》特詳。蟲魚草木,今昔異名,年代迢遥,傳疑彌甚。璣去古未遠,所言猶不甚失真,《詩正義》全用其説。陳啓源作《毛詩稽古編》,其駁正諸家,亦多以璣説爲據。講多識之學者,固當以此爲最古焉。”

毛詩異同評三卷

《隋志》:《毛詩異同評》十卷,晋長沙太守孫毓撰。

本書提要云:“《毛詩異同評》三卷,晋孫毓撰。陸德明《經典釋文·序録》云:‘毓字休朗,北海平昌人。’此書評毛、鄭、王肅之異同,於《箋》義不没其長,而朋於王者亦復不少,所以有陳統之難也。《隋》、《唐志》並著録十卷,今佚,從《正義》、《釋文》采輯,釐爲三卷。”

難孫氏毛詩評一卷

《隋志》:《難孫氏毛詩評》四卷,晋徐州從事陳統撰。

毛詩拾遺一卷

《隋志》:《毛詩拾遺》一卷,郭璞撰。

本書提要云:“《毛詩拾遺》一卷,晋郭璞撰。璞字景純,河東聞喜人,官至宏農太守、著作郎,事蹟具《晋書》本傳。《隋志》載其《毛詩拾遺》一卷,《唐志》不著録,佚已久。《北堂書鈔》、《初學記》、《藝文類聚》各引一節,《釋文》引三節,《正義》引一節。或稱郭璞,或止稱郭,亦是此書之佚文,並據輯補。至《釋文》、《正義》引郭璞爲《爾雅音注》者,皆不敢闌入也。”

毛詩序義疏一卷

《隋志》:《毛詩序義疏》一卷,劉瓛等撰。殘缺,梁三卷。

本書提要云:“《毛詩序義疏》一卷,齊劉瓛撰。《隋志》載《詩序義疏》一卷,殘缺。《唐志》有《劉氏序義》一卷,即《隋志》之《序義疏》也。今本從《釋文》、《正義》所引得二節。《正義》引《序義》前有《鄭志》一段,《序義》似爲此而言,亦原書之所引也,並取録之。”

集注毛詩一卷

《隋志》:《集注毛詩》二十四卷,梁桂州刺史崔靈恩注。

本書提要云:"《集注毛詩》一卷,梁崔靈恩撰。靈恩,清河人,官至桂州刺史,事蹟具《梁書》本傳。於《毛詩》題集注,蓋集合先儒之説《毛詩》者,甄覈存之也。《隋》、《唐志》並二十四卷,今佚,裒輯爲卷。其引鄭《箋》,多與今本不同,而往往勝於今本。則知由俗儒訛傳,猶賴此以存其舊。又其書雖以毛爲主,閒取三家,蓋其時《韓詩》尚在,齊、魯之義則從古籍之引述得之,尤足資學者之考訂云。"

毛詩箋音義證一卷

《隋志》:《毛詩箋音證》十卷,後魏太常卿劉芳撰。

本書提要云:"《毛詩箋音義證》一卷,後魏劉芳撰。芳字伯文,彭城人,官至太常卿侍中,《後魏書》有傳。《隋志》載其《毛詩箋音義證》十卷,《唐志》不著録,佚已久。攷《文選注》引一節,標題'義證'。《太平御覽》引六節,或題劉芳《詩義疏》,或題劉芳《詩義筌》,意劉氏書本名'音義證',别有'義疏'、'義筌'之稱。如陸德明《經典釋文》亦題'音義'之類,故引者隨意舉之耳。茲並輯録,其説轡非馬勒,筆意與《顏氏家訓》相伯仲云。"

毛詩沈氏義疏二卷

《隋志》:《毛詩義疏》二十八卷,蕭歸散騎常侍沈重撰。

本書提要云:"《毛詩義疏》二卷,北周沈重撰。重字子厚,吴興人,《北史》有傳。本傳載其著《毛詩音》二卷,《隋志》不載,而别有《毛詩義疏》二十八卷。似二卷之音,亦併入《義疏》二十八卷之内。《唐志》《義疏》不著録,而有鄭玄等諸家音十五卷,似沈音亦在中,故陸氏《釋文》及引之。今佚,採音、釋合訂二卷,依《隋志》題《義疏》。"

毛詩述義一卷

《隋志》:《毛詩述義》四十卷,國子助教劉炫撰。

本書提要云："《毛詩述義》一卷，隋劉炫撰，《北史》稱《述議》。《隋》、《唐志》並作《述義》。《隋》四十卷，《唐》三十卷。今佚。《正義》引二節，二劉並稱，蓋與兄焯《説義》同也。鄭樵《六經奥論》引一節，並據録之。《正義·序》謂'焯、炫並聰明特達，文而又儒，諸儒所揖讓，日下之無雙，於其所作疏内，特爲殊絶，今奉敕删定，故據以爲本'云云。然則劉氏之説，其醇者固皆具於《正義》，特晦其名，末由區别，存此梗概，庶可循求焉。"

毛詩舒氏義疏一卷

《隋志》：《毛詩義疏》二十卷，舒援撰。

本書提要云："《毛詩義疏》一卷，舒援撰。援不詳何人。《隋志》有《毛詩義疏》二十卷，僅題舒援，不著時代，而序次在吴陸璣、後魏元廷明之閒，當爲晋宋間人。《唐志》不著録，佚已久。惟《正義》及《禮正義》引凡三節，一作舒瑗，一作舒援，一作舒緩，疑不能定。姑就《隋志》題舒援，采輯佚説，存六朝之文筆云。"

詩緯推度災一卷

《隋志》：《詩緯》十八卷，魏博士宋均注，梁十卷。

本書提要云："《推度災》一卷，魏宋均注。孫瑴《古微書》云：'漢儒窮經，多主災異，故《尚書》則有《五行傳》，董仲舒、劉向、京房部而繫之。及劉歆作《三統歷》，以《易》與《春秋》究天人之道。而獨無及于《詩》者，逮翼奉受《齊诗》，始得五際六情之説，以推災異，而其術竟無傳。《漢志》藝文亦不存其目。緯書所列《推度災》，則或《齊詩》授受之遺，惜其不著耳。'"

詩緯氾曆樞一卷

本書提要云："《氾歷樞》一卷，魏宋均注。孫瑴《古微書》云：

'凡曆生於律,律生於聲,聲生於《詩》,則《詩》之爲律曆根樞,固矣。作曆者,三統四分,皆知取諸《易》,取諸《春秋》,而了不及《詩》。豈知《詩》之有四始五際、泰否升沈、皇王籙運、動必關焉。則其謂之'氾曆樞',非爽也。'"

詩緯含神霧一卷

本书提要云:"《含神霧》一卷,魏宋均注。孫㲄《古微書》云:'書既神矣,奠之以霧,又組之以含,固有玄裔茫昧不可解者。濛濛漠漠而倚乎神,其可想乎。'"

禮一　周禮

周禮鄭氏注　唐賈公彦疏凡四十二卷。

《漢志》:《周官經》六篇。王莽時劉歆置傅士。師古曰:"即今之《周官禮》也。亡其《冬官》,以《考工記》充之。"

《隋志》:《周官禮》十二卷,鄭玄注。

本書提要云:"《周禮》四十二卷,漢鄭玄注。《周禮》一書,上自河閒獻王,於諸經之中,其出最晚,其眞僞亦紛如聚訟,不可縷舉。惟《横渠語録》曰:'《周禮》是的當之書,然其閒必有末世增入者。'鄭樵《通志》引孫處之言曰:'周公居攝六年之後,書成歸豐,而實未嘗行。葢周公之爲《周禮》,亦猶唐之《顯慶》、《開元禮》,預爲之以待他日之用,其實未嘗行也。惟其未經行,故僅述其大略,俟其臨事而損益之。'其説差爲近之,然亦未盡也。夫《周禮》作於周初,而周事之可考者,不過春秋以後。其東遷以前三百餘年,官制之沿革,政典之損益,除舊布新,不知凡幾。其初去成、康未遠,不過因其舊章,稍爲改易。而改易之人不皆周公也。於是以後世之法竄入之,其書遂雜。其後去之愈遠,時移勢變,不可行者漸多,其書遂廢。此亦如後世之律令條格，率數十年而一脩，脩則必有所附益。特世近者可考，年遠者無徵，其增删之迹，遂靡所稽，統以爲周公之舊耳。迨乎法制既更，簡編猶在，好古者留爲文獻，故其書閲久而仍存。此又如《開元六典》、《政和五禮》，在當代已不行用，而今日尚有傳本，不足異也。使其作僞，何不全僞六官，而必闕其一，至以千金購之不得哉。其作僞者必剽取舊文，借眞者以實其贋，《古文尚書》是也。劉歆果贋託周公爲此書，又何難牽就其文，使與經傳相合，以相證驗，而必留異同，以啟後人之攻擊。然則《周禮》一書，不盡原文，而非依託，可概睹矣。《考工記》非周公之典，其爲秦以前書，灼然可知，雖不足以當《冬官》，然百工爲九經之一，共工爲九官之一，先王原以制器爲大事，存之尚稍見古制。俞庭椿以下，紛紛割裂五官，均無知妄作耳。鄭注，《隋志》作十二卷，賈疏文繁，乃析爲五十卷。《新》、《舊唐志》並同。今本四十二卷，不知何人所併。玄於三禮之學，本爲專門，故所釋特精。惟好引緯書，是其一短。歐陽脩請校正五經，欲删削其書。然緯書不盡可據，亦非盡不可據，在審别其是非而已，不必竄易古書也。又好改經字，亦其一失。然所注但曰'當作某耳'，尚不似北宋以後，連篇累牘，動稱錯簡，則亦不必苛責於玄矣。"

附輯佚本

周官傳一卷

《隋志》：《周官禮》十二卷，馬融注。

本書提要云："《周官傳》一卷，後漢馬融撰。融《自序》云：'著《易》、《尚書》、《詩》、《禮》傳皆訖，唯念前業未畢者，惟《周官》。年六十有六,目瞑意倦,自力補之,謂之'周官傳'。'又云:'欲省學者兩讀,故具載本文,而就經爲注。'《隋志》:《周官禮》十二卷,馬融注。《唐志》:馬融《周官傳》十二卷。今佚,輯録一帙。融爲鄭康成之師,而康成注用鄭大夫父子及杜子春三家,疏引融説,又往往爲鄭君所不取。則馬《傳》未能精醇,而鄭之不阿所好,均可見已。"

周官禮干氏注一卷

《隋志》:《周官禮》十二卷,干寶注。

本書提要云:"《周官禮注》一卷,晋干寶撰。《隋》、《唐志》並十二卷。今佚,茲據《釋文》、《後漢書補志注》等書輯録。注本字與鄭本異,蓋參用賈馬之本。後周平蜀,得錞于,斛斯徵依干《注》,以繩懸去地,芒筒捋之,其聲遂振。史載其事,誰謂儒生訓詁,無裨於先聖制作哉。"

周官禮異同評一卷

《隋志》:《周官禮異同評》十二卷,晋司空長史陳劭撰。

本書提要云:"《周官禮異同評》一卷,晋陳劭撰。劭字節良,東海襄賁人。《晋書·儒林》有傳,傳稱'撰《周禮評》,甚有條貫'。《隋志》十二卷,《唐志》傳元《周官論評》十二卷,陳劭駁,蓋一書也。今佚,惟陸德明《經典釋文·序録》載序一首。考董逌跋賈公彦疏云:'公彦此疏據陳劭《異同評》及沈重《義》爲之。'按疏於康成引杜子春二鄭之説,必明其從違之義,當是採取評語。由此參觀,猶可得陳書之大凡也。"

周官禮義疏一卷

《隋志》:《周官禮義疏》四十卷,沈重撰。

本書提要云:"《周官禮義疏》一卷,北周沈重撰。此書《隋》、《唐志》並四十卷。今佚,從陸德明、參《集韻》輯爲一帙。書以義疏名,而僅詳字音,與《毛詩義疏》同,意其書以音附疏,引者略取爾。董逌謂賈公彦疏據陳劭《異同評》及沈重《義》爲之，則其疏義固散見於賈《疏》，惜無從區别，爲可憾也。”

周禮劉氏音二卷

《隋志》：《禮音》三卷，劉昌宗撰。

本書提要云：“《周禮音》二卷，劉昌宗撰。昌宗不詳何人，顔之推《家訓》稱之，當是齊、梁閒儒者。《隋志》載《禮音》三卷，《唐志》不著録，而陸德明《釋文》引述獨多。知唐有其書，志偶失載也。今佚，從《釋文》、《集韻》輯爲二卷。書固博採兼收，而不諧時用者亦不少。”

禮二 儀禮

儀禮鄭氏注 唐賈公彦疏凡十七卷。

《漢志》：《禮古經》五十六卷，《經》七十篇。后氏、戴氏。漢興，魯高堂生傳《士禮》十七篇。訖孝、宣世，后蒼最明。戴德、戴聖、慶普皆其弟子，三家立於學官。《禮古經》者出於魯淹中。及孔氏學七十篇，文相似，多三十九篇。

《隋志》：《儀禮》十七卷，鄭玄注。

本書提要云：“《儀禮》十七卷，漢鄭玄注。《儀禮》出殘闕之餘，漢代所傳，凡有三本。一曰戴德本，一曰戴聖本，一曰劉向《别録》本，即鄭氏所注。賈公彦《疏》謂《别録》尊卑吉凶，次第倫序，故鄭用之。二戴尊卑吉凶雜亂，故鄭不從之也。其經文亦有二本。高堂生所傳者，謂之今文。魯恭王壞孔子宅，得《古儀禮》五十六篇，其字皆以篆書之，謂之古文。玄注參用二本。其從今文而不從古文者，則今文大書，古文附注；從古文而不從今文者，則古文大書，今文附注。其書自玄以前，絶無注本，玄後有王肅《注》，見於《隋志》。然賈公彦序稱‘周禮注’者，則有多門。《儀禮》所注，後鄭而已。則唐初肅書已佚也。今本自明以來,刻本舛譌殊甚,葢由《儀禮》文古義奥,傳習者少,注釋者亦代不數人,寫刻有譌,猝不能校。今參考諸本一一釐正,著於録焉。”

附輯佚本

喪服經傳馬氏注一卷

《隋志》:《喪服經傳》一卷,馬融注。

本書提要云:“《喪服經傳注》一卷,後漢馬融撰。此《注》《隋》、《唐志》皆以一卷著目,今佚。賈公彦《儀禮疏》引數節,杜佑《通典》所引最多,缺者葢無幾矣,兹據輯録。《注》大旨與康成略同,其涉異者,鄭皆以舊説爲非,賈疏悉引融義而駁斥之。統觀《通典》所取融説,知與鄭合者,疏皆不須引證。然《通典》引馬融,而經文次第,多與注疏本不同。或融本復有殊異也。今依録之,以備參稽云爾。”

鄭氏喪服變除一卷

《隋志》:《喪服譜》一卷,鄭玄注。

本書提要云:“《喪服變除》一卷,後漢鄭玄撰。《隋志》有《喪服譜》一卷,《唐志》無,而有《喪服變除》一卷。《隋志》之《譜》,疑即《唐志》之《變除》。或其書中衍爲圖譜,故《隋志》取以標目歟?今佚。唯杜佑《通典》引之,作鄭玄《變除》,兹據采録。又《禮記·檀弓》《雜記》《閒傳》注中亟引《變除》禮文而説其義,孔穎達《正義》亦每於《變除》引鄭以爲依用,此亦佚説可以參攷者也。並輯録之,以貽世之嗜鄭學者。”

新定禮一卷

《隋志》:漢荆州刺史劉表《新定禮》一卷。

本書提要云:“《新定禮》一卷,後漢劉表撰。《後漢書》表本傳云：'博求儒術，撰立五經章句，謂之後定。'《隋志》有表《新定禮》一卷，'新定'即'後定'，題小異耳。《唐志》不著，佚已久。杜佑《通典》引六節，或僅題劉表，或稱《後定喪服》。案《隋志》列此於《喪服儀》下《喪服要略》上，中叙梁有亡書，亦皆《喪服》，知此書渾以'禮'名，其實專明喪服也。據輯録之，仍《隋志》舊題焉。"

喪服經傳王氏注一卷

《隋志》：《喪服經傳》一卷，王肅注。

本書提要云："《喪服經傳注》一卷，魏王肅撰。肅有《儀禮注》，《隋志》别出《喪服》一卷注，《唐志》題《注喪服記》。當是《喪服》於十七篇外，單行於前代，故馬、鄭諸人，均有《喪服經傳》注也。此《注》久佚，從賈公彦《疏》、陸德明《釋文》、杜佑《通典》所引輯録。賈《疏》於馬鄭所不言者，依王義以釋經。然則王氏之學，雖好攻擊康成，不免違失，而其入理之言，要未可舉廢之也。"

王氏喪服要記一卷

《隋志》：《喪服要記》一卷，王肅注。

本書提要云："《喪服要記》一卷，魏王肅撰。肅注《喪服經傳》，又引伸《喪服》之義，作《要記》。《隋》、《唐志》並以一卷著録，其論喪服變除，頗爲近理。"

喪服要集一卷

《隋志》：《喪服要集》二卷，晋征南將軍杜預撰。

本書提要云："《喪服要集》一卷，晋杜預撰。預字元凱，京兆杜陵人，贈征南大將軍，事蹟具《晋書》本傳。泰始十年，武元楊皇后崩，朝議皇太子釋服日月。預主二十五月除服，於時外内怪其違禮以合時。預使博士段暢採典籍爲之證據。此《喪服要集》之所由作乎。《隋志》二卷，《唐志》作《喪服要集議》三卷。今佚,從《北堂書鈔》、《初學記》、《通典》輯得《宗譜》一篇,佚文十二節,合録爲帙。史臣於短喪之議,謂之徇以苟合,不求其正,又微詞以譏之。循覽遺編,輒不禁掩卷太息也。"

喪服經傳袁氏注一卷

《隋志》:《喪服經傳》一卷,晋給事中袁準注。

本書提要云:"《喪服經傳注》一卷,晋袁準撰。準或作准,字孝尼,官至給事中,陳郡陽夏人也。傳言以儒學知名,注《喪服經》。《隋志》題《喪服經傳》,《唐志》題《儀禮注》,並著一卷之目。《禮記·檀弓》正義、杜佑《通典》引其説,皆此注之佚文。又引六事,或稱袁准正論,或稱袁准論。準别著《袁子正論》,列儒家,雖並非本《注》之文,而發明《喪服》義,實出一人之手,而自成一家之言。並據輯録。其説不免勇於臆斷,開後人改經之漸,所謂賢智之過非耶。"

集注喪服經傳一卷

《隋志》:《集注喪服經傳》一卷,晋廬陵太守孔倫撰。

本書提要云:"《集注喪服經傳》一卷,晋孔倫注。倫字敬序,會稽人,東晋廬陵太守。《集注》,《隋》、《唐志》並著録一卷,今佚。杜佑《通典》引四事,《釋文》引一事而已。'緦麻'章説:'簡當不支,深得古聖人委典曆折之精心,惜不得全注而玩索之也。'"

蔡氏喪服譜一卷

《隋志》:《喪服譜》一卷,晋開府儀同三司蔡謨撰。

本書提要云:"《喪服譜》一卷,晋蔡謨撰。謨字道明,陳留考城人,事蹟具《晋書》本傳。所著《喪服譜》,《隋》、《唐志》並以一卷著録,今佚。《晋書·禮志》引其説,《通典》亦載之。又引説《喪服》凡十二節,皆問難禮中疑義,書以譜名,宜有圖格，今不可見。佚説皆引經斷制，閒有駁斥鄭義者，亦言之成理云。”

賀氏喪服譜一卷

《隋志》：《喪服譜》一卷，賀循撰。

本書提要云：“《喪服譜》一卷，晋賀循撰。循字彦先，會稽山陰人。其先慶普，漢世傳禮，世所謂慶氏學。族高祖純，漢安帝時避帝父諱，改爲賀氏。循所撰《喪服譜》，《隋》、《唐志》皆以一卷著目，今佚。杜佑《通典》引循《宗義》二節，《祫祭圖》一節，服必以宗起例，以圖表明，均爲《譜》之佚文，據以輯録。漢代禮宗之後，微言古義，必有所承受也。”

賀氏喪服要記一卷

《隋志》：《喪服要記》十卷，賀循撰。

本書提要云：“《喪服要記》一卷，晋賀循撰。鄭康成作《喪服譜》，循亦作《譜》；王肅作《喪服要記》，循亦作《要記》，似參用鄭、王而酌其中。《隋志》十卷，《唐志》五卷，今佚。從《禮記正義》、《通典》、《太平御覽》所引輯録。史稱朝廷疑滯，皆諮之於循，循輒依經禮而對，爲當世儒宗。觀庾蔚之、謝徽於《要記》皆有注，史册言禮者多引之，則當日皆奉爲圭臬矣。”

葛氏喪服變除一卷

《隋志》：《喪服變除》一卷，晋散騎常侍葛洪撰。

本書提要云：“《喪服變除》一卷，晋葛洪撰。洪字稚川，丹陽句容人，事蹟詳《晋书》本傳。此書《隋志》載一卷，今佚。陸德明《儀禮・釋文》引一事，杜佑《通典》引二節而已。洪以博雅著名典午，引述古法，必有依據也。”

孔氏凶禮一卷

《隋志》：《凶禮》一卷，晋廣陵相孔衍撰。

本書提要云：“《凶禮》一卷，晋孔衍撰。衍字元舒，魯國人，孔子二十一世孫,官至廣陵相,《晋書》有傳。《隋志》載其《凶禮》一卷,《唐志》不著録,佚已久。杜佑《通典》引論三篇,皆言喪葬事,《凶禮》之遺文也。據而録之。史稱衍博覽過於賀循,此足補《要記》之所未逮已。"

集注喪服經傳一卷

《隋志》:《集注喪服經傳》一卷,宋太中大夫裴松之撰。

本書提要云:"《集注喪服經傳》一卷,宋裴松之撰。松之字士期,河東人,宋太中大夫。此書《隋志》一卷,《唐志》不著録,佚已久。杜佑《通典》引二節,一爲《答宋江氏問》,一爲《答何承天書》,皆言喪服。其《答江氏問》,並載入何承天《禮論》。而答江氏大功嫁娶,引宗濤説,與書稱'集注'合,故别輯入《喪服經傳》大功章注,備一家説云。"

略注喪服經傳一卷

《隋志》:《略注喪服經傳》一卷,雷次宗注。

本書提要云:"《略注喪服經傳》一卷,宋雷次宗撰。次宗字仲倫,豫章人。《隋志》載此《注》一卷,《新》、《舊唐書》志皆不著録,佚已久。賈公彦《疏》、杜佑《通典》引之,兹據輯録。《注》於經傳書法以及名義,極多發明,文筆亦雋逸。釋慧皎《高僧傳》云:'慧遠講《喪服經》,雷次宗、宗炳等並執卷承旨,次宗後别著《義疏》,首稱雷氏,宗炳因寄書嘲之。'若然,則次宗此《注》,適類郭象注《莊》,全襲向秀。而遠法師以象教之徒,能研窮乎儒經之義,不涉玄虚,力抉微奥,宜乎名高蓮社,而爲淵明所欽企也。"

喪服古今集記一卷

《隋志》:《喪服古今集記》三卷,齊太尉王儉撰。

本書提要云:"《喪服古今集記》一卷,南齊王儉撰。儉字仲寶,琅琊臨沂人。仕齊,官至侍中中書令,贈太尉,事蹟具《南齊書》本傳。儉長禮學，講究朝儀，每博議證引，先儒罕有其例，八座丞郎，無能異者。又言撰《古今喪服集記》行於世。《隋》、《唐志》並作《喪服古今集記》三卷，今佚。《南齊書・禮志》引儉議喪服七篇，《文惠太子傳》載一篇，《隋書》引二節，《春秋・釋文》亦引儉説苫塊一事，皆《集記》之遺文，並據輯補。”

喪服世行要記一卷

《隋志》：《喪服世行要記》十卷，齊光禄大夫王逸撰。

本書提要云：“《喪服世行要記》一卷，南齊王逡之撰。逡之字宣約，琅琊臨沂人，官至光禄大夫，加侍中，事蹟具《南齊書・文學列傳》。傳稱王儉撰《古今喪服集記》，逡之難儉十一條，更著《世行》五卷。《隋志》有十卷，王逸撰。《舊唐書》‘逸’作‘逡之’，與《南齊書》合，則作‘逸’者，傳寫誤也。其書佚。《南齊書》載其與王儉問答一篇，稱‘王逡’，脱‘之’字，誤‘逡’爲‘逸’，有由然矣。”

喪服經傳陳氏注一卷

《隋志》：《喪服經傳》一卷，陳銓注。

本書提要云：“《喪服經傳注》一卷，陳銓撰。陳銓不詳何人，《隋志》亦僅題銓名。觀序次在晋孔倫《集注》下，宋裴松之《集注》上，當爲晋宋閒人也。《唐志》與《隋志》並著録一卷，今佚。從杜佑《通典》所引輯録。《注》喜攻康成，其人大抵爲王學之徒。然立論亦有理據，存備考覈可矣。”

禮三上 禮記

禮記鄭氏注 唐孔穎達疏，凡六十三卷。

《漢志》：《禮記》百三十一篇，《明堂陰陽》三十三篇，《王史氏》

二十一篇,《樂記》二十三篇,《孔子三朝》七篇。

《隋志》:《禮記》二十卷,漢九江太守戴聖撰,鄭玄注。

本書提要云:"《禮記》六十三卷,漢鄭玄注。《隋書·經籍志》曰:'漢初,河閒獻王得仲尼弟子及後學者所記一百三十一篇獻之,時無傳之者。至劉向考校經籍,檢得一百三十篇,第而叙之。又得《明堂陰陽記》三十三篇,《孔子三朝記》七篇,《王史氏記》二十一篇,《樂記》二十三篇,凡五種,合二百十四篇。戴德删其繁重,合而記之,爲八十五篇,謂之《大戴記》。而戴聖又删大戴之書,爲四十六篇,謂之《小戴記》。漢末,馬融遂傳小戴之學。融又益《月令》一篇、《明堂位》一篇、《樂記》一篇,合四十九篇。'云云。其説不知所本。今考《後漢書·橋玄傳》云:'七世祖仁,著《禮記章句》四十九篇,號曰橋君學。'仁即班固所謂小戴授梁人橋季卿者,成帝時嘗官大鴻臚,其時已稱四十九篇,無四十六篇之説。孔《疏》稱《别録》《禮記》四十九篇,《樂記》第十九。四十九篇之首,《疏》皆引鄭《目録》。鄭《目録》之末,必云此於劉向《别録》屬某門。《月令目録》云:'此於《别録》屬《明堂陰陽記》。'《明堂位目録》云:'此於《别録》屬《明堂陰陽記》。'《樂記目録》云:'此於《别録》屬《樂記》。'蓋十一篇,今爲一篇。則三篇皆劉向《别録》所有,安得以爲馬融所增。《疏》又引玄《六藝論》曰:'戴德傳記八十五篇,則《大戴禮》是也。戴聖傳禮四十九篇,則此《禮記》是也。'玄爲馬融弟子,使三篇果融所增,玄不容不知,豈有以四十九篇屬於戴聖之理。况融所傳者乃《周禮》,若小戴之學,一授橋仁,一授楊榮。後傳其學者,有劉佑、高誘、鄭玄、盧植。融絶不預其授受,又何從而增三篇乎?知今四十九篇,實戴聖之原書,《隋志》誤也。元延祐中,行科舉法,定《禮記》用鄭玄注。故元儒説禮率有根據。自明永樂中敕修

《禮記大全》，始廢鄭注，改用陳澔集說，禮學遂荒。然研思古義之士，好之者終不絕也。”

附輯佚本

禮記盧氏注一卷

《隋志》：《禮記》十卷，漢北中郎將盧植注。

本書提要云：“《禮記注》一卷，後漢盧植撰。植字子幹，涿人，官至北中郎將，事具《後漢書》本傳。鄭玄與植同事馬融，後玄又從植學。孔穎達《禮記正義》謂鄭亦附盧、馬之本而爲之注，則植爲鄭學之宗矣。植所自爲禮注，推本師説，訂改紕繆，當必獨成善本，故鄭氏用之。《隋》、《唐志》並載植《注》二十卷，《東漢會要》作《禮記解詁》。唐人表章鄭學，而未及盧氏，其書遂亡。今就羣書所引，輯録一卷，其説與鄭氏不無異同，存其佚論，要足互相發明也。”

月令章句一卷

《隋志》：《月令章句》十二卷，漢左中郎將蔡邕撰。

本書提要云：“《月令章句》一卷，後漢蔡邕撰。邕字伯喈，陳留人，官至左中郎將，事蹟具《後漢書》本傳。此編《隋志》著録十二卷，今佚。蒐採遺説爲卷。案邕《月令問答》云：‘旁貫五注，參互羣書。’觀其於天文律曆加詳，優洽不在康成下，雖閒有同異，未可執彼以繩此也。”

禮記王氏注二卷

《隋志》：《禮記》三十卷，王肅注。

本書提要云：“《禮記注》三卷，魏王肅撰。《隋》、《唐志》並三十卷，今佚。輯爲二卷。肅説《詩》好與鄭異，注禮亦然。而《注》所用之禮本，又往往與鄭本不同，不知所據何本。然鄭注亦每云'某或作某',則亦非肅所臆改也。"

禮記孫氏注一卷

《隋志》:《禮記》三十卷,魏祕書監孫炎注。

本書提要云:"《禮記注》一卷,魏孫炎撰。炎字叔然,樂安人。其注《禮記》,《隋志》三十卷,陸德明《經典釋文》云二十九卷,今佚。輯録一卷。《詩·采薇》正義以炎即是鄭玄之徒,其注應皆發明鄭義,而亦有不純從鄭氏者。佚説寥寥,僅採得三十餘節。内有《正義》引孫炎而爲《爾雅》注者凡七事。《正義》取彼明此,亦以一手所成,兩注不異,故據而補録。"

禮記略解一卷

《隋志》:《禮記略解》十卷,庾氏撰。

本書提要云:"《禮記略解》一卷,宋庾蔚之撰。蔚之字季隨,其注《禮記》名'略解'。《隋志》題庾氏,《唐志》題庾蔚之,並十卷。孔氏《正義·序》云:'爲義疏,又稱庾蔚,並是一人,言者互異耳。'今佚,輯録爲卷。《正義》於所解《喪禮》引取獨多,蓋蔚之嘗注《喪服要記》。又撰《禮論鈔》、《禮答問》。究心於禮服,此其所長也。"

禮記新義疏一卷

《隋志》:《禮記新義疏》二十卷,賀瑒撰。

本書提要云:"《禮記新義疏》一卷,梁賀瑒撰。瑒字德璉,會稽山陰人,《梁書·儒林》有傳。《隋志》有《禮記新義疏》二十卷,《唐志》無,則佚已久矣。從《正義》、《釋文》所引輯爲一卷。"

禮記皇氏義疏四卷

《隋志》:《禮記義疏》九十九卷,皇侃撰。

本書提要云:"《禮記義疏》四卷,梁皇侃撰。侃吴郡人,官至國子助教,《梁書》、《南史》皆有傳。孔氏《正義·序》稱'皇甫侃,南北諸儒傳聞各異,因以致誤也。'本傳云:'撰《禮記講疏》五十卷,奏上。詔付祕閣。'又云:'撰《論語義》、《禮記義》,見重於世。'《隋志》載《義疏》九十九卷,《講疏》四十八卷,《唐志》《講疏》一百卷,《義疏》五十卷,今並佚。《正義》多引之,據孔氏《序》,則《義疏》之佚文也。孔氏於章句詳正之中,病其微涉繁廣,又謂通鄭時乖鄭義。然以熊比皇,皇氏爲勝。故《正義》據以爲本。今就所引,輯録四卷,皇氏師事賀瑒,盡通其業,並存佚説,可以互考云。"

禮記義證一卷

《隋志》:《禮記義證》十卷,劉芳撰。

本書提要云:"《禮記義證》一卷,後魏劉芳撰。《隋志》載十卷,《唐志》不著録,佚已久。《正義》引凡六節,止稱劉氏,而不顯其名。觀其多引證以明義,與命書之旨合,據而録之。"

禮記沈氏義疏一卷

《隋志》:《禮記義疏》四十卷,沈重撰。

本書提要云:"《禮記義疏》一卷,北周沈重撰。《周書·儒林傳》稱其作《禮記音》二卷,《隋》、《唐志》並有《義疏》四十卷,而無《禮記音》之目,蓋二卷之《音》即在《義疏》中,與所爲《毛詩義疏》同也。今佚,從《釋文》、《正義》採輯音釋,合一卷録之。《正義·序》作沈重宣者,傳寫之訛也。"

禮記音義隱一卷

《隋志》:《禮記音義隱》一卷,謝氏撰。

本書提要云:"《禮記音義隱》一卷,謝氏撰。謝氏不詳何人。《隋志》兩載此書,一題一卷,謝氏撰;一題七卷,不著姓名。意謝氏所著本一卷,後又有推廣而補之者,故有七卷也。《唐志》不著録,而别有射慈《小戴記音》二卷。考'射'即'謝'字之改,見《廣韻》四十禡'射'字注。《隋志》又列梁有鄭玄、王肅、射慈、射貞、孫毓、繆炳《音》各一卷,皆以爲亡。而《唐志》復有《射慈音》二卷,則唐時射《音》尚在,故《正義》及引之。然引稱謝茲,'謝茲'即'射慈',其所説音兼乎義,此又一證也。意者,《唐志》二卷之《音》,即《隋志》之《音義隱》。《唐志》標題書目,多與《隋志》不合,幸存射慈之名,猶可尋繹而參考之。今其書佚,從《釋文》、《正義》所引,輯得八節。仍依《隋志》題謝氏者,闕疑也。"

禮三下　大戴禮

大戴禮記十三卷

《隋志》:《大戴禮記》十三卷,漢信都王太傅戴德撰。

本書提要云:"《禮記》十三卷,漢戴德撰。《隋志》曰:'《大戴禮記》十三卷。'《中興書目》云:'今所存四十篇。'後人於《盛德》第六十六別出《明堂》一篇。鄭康成《六藝論》曰:'戴德傳記八十五篇。'司馬貞曰:'其四十七篇亡,存三十八篇。'蓋《夏小正》一篇多別行。隋唐閒録《大戴禮》者,或闕其篇,是以司馬貞云然。原書不別出《夏小正》篇,實闕四十六篇,存者宜爲三十九篇。《中興書目》乃言存四十篇,則竄入《明堂》篇題,自宋人始矣。書中《夏小正》篇最古,其《諸侯遷廟》、《諸侯釁廟》、《投壺》、《公冠》皆古禮經遺文。又《藝文志》《曾子》十八篇久佚。是書猶存其十篇,自《立事》至《天圓》篇,題上悉冠以曾子者是也。書有注者八卷,餘五卷無注,疑闕佚,非完本。朱子引《明堂》篇鄭氏注,始以注歸之康成。考注内徵引,有康成、譙周、孫炎、宋均、王肅、范甯、郭象諸人,下逮魏晋之儒。王應麟《困學紀聞》指爲盧辯注。據《周書》,辯以《大戴禮》未有解詁,乃注之。其兄景裕謂曰:'昔侍中注《小戴》，今爾注《大戴》，庶纘前修矣。'王氏之言，信而有徵。是書正文併注，譌舛幾不可讀，而《永樂大典》内散見僅十六篇。今以各本及古籍中摭引《大戴禮記》之文，參互校訂，附案語於下方。史繩祖《學齋佔畢》言《大戴記》列之十四經中，其説今不可考。然先王舊制，時有徵焉，固亦禮經之羽翼爾。"

夏小正戴氏傳四卷

《隋志》：《夏小正》一卷，戴德撰。

本書提要云："《夏小正》戴氏傳四卷，宋傅崧卿撰。《夏小正》本《大戴禮記》之一篇。《隋志》始於《大戴禮記》外，别出《夏小正》一卷，注云戴德撰。崧卿序謂：'隋重賞以求逸書，進書者遂多，以邀賞帛，故離析篇目而爲此。有司受此，又不加辨，而作志者亦不復考。'是於理亦或然。然考吴陸璣《詩草木鳥獸蟲魚疏》曰：'《大戴禮·夏小正傳》。'則三國時已有傳名。疑《大戴禮記》舊本，但有《夏小正》之文，而無其傳。戴德爲之作傳别行，遂自爲一卷，故《隋志》分著於録。後盧辯作《大戴禮記注》，始采其傳編入書中，故《唐志》遂不著録。《隋志》根據《七録》，最爲精核，不容不知《夏小正》爲三代之書，漫題德撰。疑《夏小正》下當有'傳'字，或'戴德撰'當作'戴德傳'，今本譌脱一字，亦未可定。崧卿以爲隋代誤分，似不然也。惟是書屢經傳寫，傳與本文混淆爲一。崧卿始仿杜預編次《左氏春秋》之例，列正文於前，而列傳於下。每月各爲一篇，而附以注釋。蓋是書之分經、傳，自崧卿始。朱子作《儀禮經傳通解》，以《夏小正》分析經傳，實沿其例。其詮釋之詳，亦自崧卿始，於是書可謂有功。《大戴》之學，治之者稀，《小正》文句簡奥，尤不易讀。崧卿獨稽核舊文，得其端緒，俾讀者有徑之可循，固考古者之所必資矣。"

禮四　禮總義

輯佚本

石渠禮論一卷

《漢志》:《議奏》三十八篇。石渠。

《隋志》:《石渠禮論》四卷,戴聖撰。

本書提要云:"《石渠禮論》一卷,漢戴聖撰。聖字次君,與聞人通漢、戴德、慶普同受禮於后蒼。德號大戴,聖號小戴。以博士論石渠,事具《漢書·儒林傳》。案,《宣帝紀》:甘露三年,詔諸儒講五經同異,蕭望之等平奏其議,上親稱制臨決焉。《施讐傳》:甘露中,與五經諸儒雜論同異於石渠閣。石渠閣在未央殿北,以藏祕書也。《漢志》《禮》十三家,有《議奏》三十八篇,注石渠。《隋志》戴《石渠禮論》四卷,即《漢志》之《議奏》也。論石渠者,《易》有施讐、梁邱賀,《書》有歐陽地餘、林尊、周堪、假倉。《詩》有韋玄成、張生、薛廣德。《禮》有戴聖、聞人通漢,《春秋公羊》有嚴彭祖、申輓、伊推、宋顯,《穀梁》有尹更始、刘向、周慶、丁姓。《隋志》題戴聖撰者,葢論出諸儒,而次君一人所手定也。《唐志》不著録,時已散佚。《詩》、《禮》正義及《後漢書補志》注引之,多系節文。杜佑《通典》引十九節,差具本末,排次於前,其他逸句附後。"

三禮圖一卷

《隋志》:《三禮圖》九卷,鄭玄及後漢侍中阮諶等撰。

本書提要云:"《三禮圖》一卷,後漢鄭玄、阮諶撰。裴松之引《阮氏譜》:'諶字士信,造《三禮圖》傳於世。'《隋志》:《三禮圖》九卷,鄭玄及諶等撰。蓋鄭注三禮,遂爲之圖。阮復因鄭《圖》而修之,故世只稱阮諶《三禮圖》,而《隋志》推本而題之也。今佚。考聶崇義《三禮圖》引'鄭氏圖'、'阮氏圖',又引'舊圖',皆一書之文。復從他書搜採,輯爲一卷。即就聶圖次第編之。聶於舊圖,往往有所駁義,而要其去古未遠,見聞非後人可及,惜其圖盡亡。觀者就文考之,猶如覩三代法物云。"

問禮俗一卷

《隋志》:《問禮俗》十卷,董勛撰。

本書提要云:"《問禮俗》一卷,魏董勛撰。"下闕。

禮雜問一卷

《隋志》:《禮雜問》十卷,范甯撰。

本書提要云:"《禮雜問》一卷,晋范甯撰。禮以'雜問'名,編記其與當代名流問答禮制之語也。《隋志》十卷,《唐志》云九卷,今佚。從《通典》輯録九節。論皆稟經協理,不愧儒宗。"

禮論答問一卷

《隋志》:《禮論答問》八卷,宋中散大夫徐廣撰。《禮論答問》十三卷,徐廣撰。《禮答問》二卷,徐廣撰,殘缺。梁十卷。

本書提要云:"《禮論答問》一卷,宋徐廣撰。廣字野民,東莞姑幕人,邈之之弟,官至中散大夫。《南史》云:'答《禮問》百餘條。'《隋志》《禮論答問》八卷、十三卷,並題徐廣撰,又《禮答問》二卷。《唐志》云《禮論問答》九卷。傳本不同,標題或異,實一書也。今佚。杜佑《通典》引八節,輯録爲卷。廣别撰《車服儀制》,則在當日博通典禮。史稱家世好學,至廣尤精,非虚美也。"

禮論一卷

《隋志》:《禮論》三百卷,宋御史中丞何承天撰。

本書提要云:"《禮論》一卷,宋何承天撰。承天,東海郯人,官至御史中丞,《宋書》、《南史》並有傳。《南史》云:'先是《禮論》有八百卷,承天删減并合,以類相從,凡爲三百卷。'《隋志》著録亦三百卷。今佚。《禮記》疏及《初學記》、《御覽》等書,顯引《禮論》者十節。《通典》引何承天《駁難問答》五篇,文皆完具,雖不標書名,亦《禮論》之佚篇也。合録一卷。承天母爲徐廣之姊,聰明博學,史謂承天幼漸訓義。則此與廣所著《禮論答問》,固一家之學云。"

禮論條牒一卷

《隋志》:《禮論條牒》十卷,宋太尉參軍任預撰。

本書提要云:"《禮論條牒》一卷,宋任預撰,《隋》、《唐志》並十卷,今佚,禮疏引兩節,一論帝王之改樂,一論稷壇,粗備一家之説。"

禮義答問一卷

《隋志》:《禮答問》三卷,王儉撰。《禮義答問》八卷,王儉撰。

本書提要云:"《禮義答問》一卷,南齊王儉撰,《隋志》載《禮答問》三卷,《禮義答問》八卷,今並佚。考《南齊書·禮志》云:'永明二年,伏曼容奏定禮樂。於是詔王儉制定新禮。事有變革,宜録時事者,備今志。其與往代同異者,更立别篇。'當時有司奏下,通關八座,答問之義取此。輯綴此篇,以補缺遺。隋牛宏奏言江南王儉偏隅一臣,私禮儀注,多違古法。意甚菲薄其書,而又奏言撰《儀禮》百卷。亦微録王儉《禮》。則亦以會通典禮。因時制義者,固不可没滅也。"

禮疑義一卷

《隋志》:《禮疑義》五十二卷,梁護军周捨撰。

本書提要云:"《禮疑義》一卷,梁周捨撰。捨字昇逸,汝南安成人,贈侍中護軍將軍。《梁書》、《南史》皆有傳。此書記禮之疑義。《北史》引或作疑議,亦禮論之類也。《隋志》五十二卷,今佚。輯録四條,其《南史·司馬筠傳》所載《皇子慈母服義》一篇,本末完具。他非足文,僅存大略。史稱武帝禮儀損益多自捨出。則其説之隱於《梁書·禮志》者,固不少也。”

三禮義宗四卷

《隋志》:《三禮義宗》三十卷,崔靈恩撰。

本書提要云:“《三禮義宗》四卷,梁崔靈恩撰。《南史·儒林》本傳云:‘徧習五經,尤精三禮三傳。’又載其注《周禮》四十卷,《三禮義宗》三十卷。《隋》《唐志》《義宗》卷數,並同本傳。今佚。《禮記》正義多引其説,《周禮》、《儀禮》二疏不見徵引。兹就羣書採輯,釐爲《周禮》一卷、《儀禮》一卷、《禮記》二卷。杜佑《通典》於五載巡守義,譏其不達古今豐約之别,復不詳《周官》之文,輒肆臆度之説,則訓解間有可議。然其宏通博洽,自不能掩也。”

樂

輯佚本

樂記一卷

《漢志》:《樂記》二十三篇。

本書提要云:“《樂記》一卷,漢劉向校定。按《漢志》,《樂》六家,有《樂記》二十三篇。孔氏《正義》云:‘劉向校書,得《樂記》二十三篇,著於《别録》。’鄭氏注禮,存其十一篇,序次復先後不同,而《樂記》殘缺,遂非《漢志》之舊。兹據《正義》所引《别録》十一篇之次,依舊録之。其缺者十二篇,録存其名,有見引徵者,補輯各篇中,俟博雅君子榷定焉。”

樂社大義一卷

《隋志》:《樂社大義》十卷,梁武帝撰。

本書提要云:"《樂社大義》一卷,梁武皇帝撰。此書名'樂社'者,按《周禮·夏官》大司馬先凱樂于社,帝以武功得天下,功成作樂,觀其樂舞,先武後文。'樂社'之義,或取諸此也。《隋》、《唐志》並十卷。今佚。考《梁書·樂志》云:'帝素善音律,遂自制四器,名之爲通,以定雅樂。'備載所定郊禋宗廟三朝之樂,二舞十二雅,各著沿革,及取名之義。又《隋書·音樂志》沈約奏言帝所作四通十二笛,尺寸詳悉,皆引述本書之文也。據以補録。"

古今樂録一卷

《隋志》:《古今樂録》十二卷,陳沙門智匠撰。

本書提要云:"《古今樂録》一卷,陳沙門智匠撰。《隋志》十二卷,今佚。採輯遺説,以類排次爲卷。信都芳候氣及隋文帝問律氣於牛宏二節,《隋書·律曆志》取之。記都曇答臘諸鼓,大周正樂本之。則其書見重於當時,從可知矣。"

樂書一卷

《隋志》:《樂書》七卷,後魏丞相士曹行參軍信都芳撰。

本書提要云:"《樂書》一卷,後魏信都芳撰。都芳,字玉琳,河間人。《北史·藝術》有傳,稱其少明算術,兼有巧思。又謂著《樂書》、《遁甲經四術》、《周髀宗》。《隋志》載其《樂書》七卷,今佚。從《太平御覽》輯得十節,説古樂器形製甚詳。"

樂律義一卷

《隋志》:《樂律義》四卷,沈重撰。

本書提要云:"《樂律義》一卷,北周沈重撰。宋錢樂之衍京房六十律,更增爲三百六十。重爲梁博士時,述其名數。《隋·經籍志》《樂律義》四卷。原書久佚,《律曆志》載其《鐘律議》一篇及三百六十律名目,踵增蔓衍,亦無深意。然重自謂日律依《淮南》本數,則固非無所據也。"

樂部一卷

《隋志》:《樂部》一卷。

本書提要云:"《樂部》一卷,撰人闕。《隋志》以一卷著録,《唐志》不載。佚已久,惟《太平御覽》引之。記龜茲、天竺、康國、疏勒、安國、高麗等樂甚詳,書中或言唐制。案《隋志》載此書於何妥《樂要》之下,當是隋季人所作。其人及見唐初制作,故能言之。惜書隱其名,故不能悉考也。"

樂緯動聲儀一卷

《隋志》:《樂緯》三卷,宋均注。

本書提要云:"《動聲儀》一卷,魏宋均注。孫瑴《古微書》云:'凡姦聲感人,而逆氣應之;正聲感人,而順氣應之;能動物者,莫如樂也。其翼在儀。儀動,則人心之爲動矣。'"

樂緯稽耀嘉一卷

本書提要云:"《稽耀嘉》一卷,魏宋均注。孫瑴《古微書》云:'不必專述樂事,但于天地人物,各挹其光大而微淑者,以爲禮義立標,故其稱如是。然以視諸緯,葢竄匿矣。'"

樂緯叶圖徵一卷

本書提要云:"《叶圖徵》一卷,魏宋均注。孫瑴《古微書》云:'樂不叶,則不可以徵。不可以徵,則不可以圖也。此論其諧而傳者以成篇。'"

春秋一 左氏

春秋左傳杜氏注 唐孔穎達疏,凡六十卷。

《漢志》:《春秋古經》十二篇,《左氏傳》三十卷。左邱明魯太史

《隋志》:《春秋左氏經傳集解》三十卷,杜預撰。

本書提要云:"《春秋左傳》六十卷,晋杜預注。自劉向、劉歆、

桓譚、班固皆以《春秋傳》出左邱明。左邱明受經於孔子，魏晋以來儒者更無異議。至唐趙匡始謂'左氏'非'邱明'。葢欲攻傳之不合經，必先攻作傳之人非受經於孔子也。宋元諸儒，相繼並起。其辨論惟朱子謂'虞不臘矣'爲秦人之語。葉夢得謂記事終於智伯，爲六國時人，似爲近理。然考《史記》，秦惠文君十二年始臘，張守節《正義》稱秦始效中國爲之，明古有臘祭，秦至是始用，非至是始創。則臘爲秦禮之説，未可據也。《左傳》載預斷禍福，無不徵驗，葢不免從後傳合之。惟哀公九年稱趙氏其世有亂，後竟不然，是未見後事之證也。經止獲麟，而弟子續至孔子卒。傳載智伯之亡，殆亦後人所續。《史記・司馬相如傳》中有揚雄之語，不能執是一事，指司馬遷爲後漢人。則載及智伯之説，不足疑也。今仍定爲左邱明，以袪衆惑。至其作傳之由，則劉知幾躬爲國史之言，最爲確論。疏稱大事書於策者，經之所書；小事書於簡者，傳之所載。經、傳同因國史而修。知説經去傳，爲捨近而求諸遠矣。《漢志》載《春秋古經》十二篇，經十一卷，注曰公羊、穀梁二家，則左氏經文不著於録。然杜預《集解・序》稱分經之年與傳之年相附比，其義類各隨而解之。陸德明《經典釋文》曰：'舊夫子之經，與邱明之傳各異，杜氏合而釋之，'則《左傳》又自有經。考《漢志》之文，既曰《古經》十二篇，不應復云經十一卷。觀《公》、《穀》二傳皆十一卷，與經十一卷相配，知十一卷爲二傳之經，故有是注。徐彦《公羊傳疏》曰：'左氏先著竹帛，故漢儒謂之古學。則所謂《古經》十二篇，皆《左傳》之經，故謂之古。刻《漢書》者誤連二條爲一耳。'今以《左傳》經文與二傳校勘，皆左氏義長，知手録之本確於口授之本也。言《左傳》者，今世所傳，以杜《注》、孔《疏》爲最古。杜《注》多強經以就傳，孔《疏》亦多左杜而右劉，隋劉炫作《規過》以攻杜解。是皆篤信專門之過，不能不謂之一失。然有注、疏，而後《左氏》之義明。《左氏》之義明，而後二百四十二年内善惡之跡，一一有徵。後儒妄作聰明，以私臆談褒貶者，猶得據傳文以知其謬。則漢、晋以來藉《左氏》以知經義，宋元以後更藉《左氏》以杜異説矣。傳與注疏，均謂有大功於《春秋》可也。”

附輯佚本

春秋左氏長經章句一卷

《隋志》：《春秋左氏長經》二十卷，漢侍中賈逵章句。

本書提要云：“《春秋左氏長經章句》一卷，後漢賈逵撰。案，《後漢書・逵本傳》云：‘建初元年，詔逵入講北宫白虎觀、南宫雲臺。帝善逵説，使發出《左氏》大義長於二傳者。逵於是具條奏之。’又其奏云摘出《左氏》三十事。《隋志》：《春秋左氏長經》二十卷。今佚。本傳載奏一篇，章懷太子《注》引説九節，《公羊》疏亦引二節。以《左氏》義深君父，《公羊》多任權變。卓識不磨，唯好用圖讖，明劉氏爲堯後，史論譏其附會文致。然《左氏》之學傳於後世，逵之力也。世稱通儒，蓋無愧焉。”

春秋左氏傳解詁二卷

《隋志》：《春秋左氏解詁》三十卷，賈逵撰。

本書提要云：“《春秋左氏傳解詁》二卷，後漢賈逵撰。逵既奉詔作《左氏長經章句》，書奏，帝嘉之，賜布五百疋，衣一襲。令逵自選公羊、嚴顔學生高才者二十人，教以《左氏》。與簡紙經傳各一通。此《解詁》之所由作也。本傳云：‘尤明《左氏傳》、《國語》，爲之解詁五十一篇’。章懷太子云《左氏》三十篇，《國語》二十一篇也。《隋》、《唐志》並三十卷。其書散佚，宋王應麟輯《古文春秋左傳》十二卷,中載賈逵佚説,而疏漏者尚三之一。兹更補綴,合舊輯爲二卷。《正義》病其雜取《公羊》、《穀梁》以釋《左氏》,然《長經》固别標殊旨。兹取三傳之同者通釋之,亦何有鑿枘之不相入耶。"

春秋左氏傳解誼四卷　附《春秋成長説》、《左氏膏肓釋痾》

《隋志》:《春秋左氏傳解誼》三十一卷,漢九江太守服虔撰。《春秋左氏膏肓釋痾》十卷,服虔撰。《春秋成長説》九卷,服虔撰。

本書提要云:"《春秋左氏傳解誼》四卷,後漢服虔撰。虔字子慎,河南滎陽人,官至九江太守。《後漢書·儒林》有傳。傳稱作《春秋左氏傳解》,行之至今。又以《左傳》駁何休之所議漢事十六條。張瑩《漢南記》云:'尤明《春秋左氏傳》,爲作訓解。'劉義慶《世説新語》云:'鄭玄欲注《春秋傳》,尚未成時,行與服子慎遇。先未相識,服在車上與人説己注傳意。玄聽之良久,多與己同。玄就車與語曰:吾久欲注尚未了,聽君言多與吾同,今當盡以所注與君。遂爲服氏注。'然則服氏解中,有康成手稿,服、鄭固一家之學也。《隋志》載三十一卷,今佚。從王應麟所輯《古文春秋左傳》所引服説,更補缺漏,釐爲四卷。又考服有《春秋左氏膏肓釋痾》,《隋志》十卷;《春秋成長説》,《隋志》九卷。今並散亡,唯於《後漢·續志》注得《釋痾》一條,於《正義》得《成長説》一條,附著《解誼》後。孔《疏》每駁服申杜,疏家體式宜然。《北史》謂江左《左傳》則杜元凱,河洛《左傳》則服子慎,要其會歸,殊方同致,此爲持平之論已。"

春秋釋例一卷

《隋志》:《春秋釋例》十卷,漢公車徵士潁容撰。

本書提要云:"《春秋釋例》一卷,後漢潁容撰。容字子嚴,陳國長平人，善《左氏春秋》，師事大尉楊賜，州辟公車徵，皆不就。《後漢書・儒林》有傳。傳稱著《左氏春秋條例》五萬餘言。《隋志》云《春秋釋例》十卷。今佚，輯録二十七節。杜氏《集解・序》云：'末有潁子嚴者，雖淺近，亦復名家，其全書體例，不能詳考。'杜氏亦著《釋例》，書名與潁氏同，或因其例而增修之歟。"

春秋左氏經傳章句一卷

《隋志》：《春秋左氏傳》三十卷，董遇章句。

本書提要云："《春秋左氏經傳章句》一卷，魏董遇撰。《隋志》作《春秋左氏傳》，《唐志》作《左氏經傳》，並三十卷。今佚，輯得十節爲帙。其本字多與杜異，而同於賈、服、王肅。漢魏時古本，足取正俗本之誤，未可執後行之本以疑前儒也。"

春秋左傳王氏注一卷

《隋志》：《春秋左氏傳》三十卷，王肅注。

本書提要云："《春秋左傳注》一卷，魏王肅撰。肅於《易》、《書》、《詩》、禮皆有注。其注《春秋左氏傳》，《隋》、《唐志》並三十卷。今佚，輯録一帙。肅父朗有傳注十二卷，《隋志》別載之。似肅因父書增多十八卷，故兩《注》並行於世。其本字往往與杜氏殊異。杜《集解》非一家，則其字或由杜而改。哀六年引《夏書》'惟彼陶唐'六句，以爲太康時，與孔《傳》合，《正義》疑肅見古文，匿之而不言，良是也。"

春秋左傳嵇氏音一卷

《隋志》：《春秋左氏傳音》三卷，魏中散大夫嵇康撰。

本書提要云："《春秋左氏傳音》一卷，魏嵇康撰。康字叔夜，譙國銍人，拜中散大夫，事蹟具《晋書》本傳。《隋志》有《左氏傳音》三卷，《唐志》不著録，佚已久。陸德明《釋文》引五節，《史記索隱》引一節，並據採輯。"

春秋釋例十五卷

《隋志》:《春秋釋例》十五卷,杜預撰。

本書提要云:"《春秋釋例》十五卷,晋杜預撰。是書以經之條貫,必出於傳,傳之義例,歸總於凡。《左傳》稱'凡'者五十,其别四十有九,皆周公之垂法,史書之舊章。仲尼因而修之,以成一經之通體。諸稱書、不書、先書、故書、不言、不稱、書曰之類,皆所以起新緒,發大義,謂之變例。亦有舊史所不書,適合仲尼之意者,仲尼即以爲義。非互相比較,則褒貶不明。故别集諸例,及地名、譜第、曆數相與爲部。先列經傳數條,以包通其餘,而傳所述之凡繫焉。更以己意申之,名曰《釋例》。地名本之《泰始郡國圖》,世族譜本之劉向《世本》,與《集解》一經一緯,相爲表裏。《晋書》稱預自平吴後,從容無事,乃著《集解》,又參考衆家譜第,謂之《釋例》,又作《盟會圖》、《春秋長曆》,備成一家之學,比老乃成。今考《土地名》篇,稱孫氏僭號於吴,故江表所記特略,則其屬藁實在平吴以前,故所列多兩漢、三國之郡縣,與晋時不盡合。至《盟會圖》《長曆》,則皆書中之一篇,非别爲一書。觀預所作《集解序》,可見史所言者未詳。《晋書》又稱當時論者謂預文義質直,時人未之重,惟祕書監摯虞賞之。考嵇含《南方草木狀》,稱晋武帝賜杜預蜜香紙萬番,寫《春秋釋例》及《經傳集解》,則當時固重其書,史所言者,亦未盡確也。其書自《隋志》而後,並著於録,均十五卷。自明以來,是書久佚,惟《永樂大典》中尚存三十篇。其六篇有釋例而無經傳,餘亦多有脱文。謹隨篇掇拾,取孔穎達《正義》及諸書所引《釋例》之文補之,校其譌謬,釐爲四十七篇,仍分十五卷,以還其舊。案,預《集解序》云:'《釋例》凡四十部。'《崇文總目》云:'凡五十三例。'而孔穎達《正義》則云:'《釋例》事同則爲部,小異則附出。孤經不及例者，聚於終篇。四十部次第，從隱即位爲首，先有其事則次之，世旅土地，事既非例，故退之終篇之前。'今是書原目不可考，故因孔氏所述之大旨。"

春秋土地名一卷

《隋志》：《春秋土地名》三卷，晋裴秀客、京相璠等撰。

本書提要云："《春秋土地名》一卷，晋京相璠撰。酈道元《水經注》云：'京相璠與裴司空彦季修晋輿地圖，作《春秋地名》。'《隋志》：'《春秋土地名》三卷，晋裴秀客、京相璠等撰。'云'璠等'，則非出璠一人之手，以之爲主，故《唐志》直題京相璠。今佚。《水經注》引百餘條，《初學記》亦引之，裒録爲帙。如前城柏舉焦瑕窮養，杜氏所闕，此能確切指言之，則博洽足稱也。"

春秋左傳徐氏音一卷

《隋志》：《春秋左氏傳音》三卷，徐邈撰。

本書提要云："《春秋左傳音》一卷，晋徐邈撰。《隋志》三卷，《唐志》一卷，今佚。從陸德明《釋文》、參《集韻》輯爲一帙。《釋文》所引宣、成、襄、昭四公較多，隱、莊、僖、文、定五公閒引一二，桓、閔、哀三公全缺。則唐時所存，較隋已非完本。得此殘編，聊當《唐志》一卷之目焉。"

春秋左氏函傳義一卷

《隋志》：《春秋左氏函傳義》十五卷，干寳撰。

本書提要云："《春秋左氏函傳義》一卷，晋干寳撰。《隋志》載十五卷，今佚。孔氏《正義》引一節，杜氏《通典》引一節，輯以存典午遺墨。《晋書·禮志》謂寳留心京房、夏侯勝等傳。其説伐鼓于社，以爲厭勝，葢二子之緒論也。"

春秋左氏經傳義略一卷

《隋志》：《春秋左氏經傳義略》二十五卷，陳國子博士沈文阿撰。

本書提要云:"《春秋左氏經傳義略》一卷,陳沈文阿撰。文阿,字國衡,吴興武康人,國子博士。《南史》、《陳書·儒林》並有傳。史稱所撰《儀禮》八十餘條,《春秋》、《禮記》、《孝經》、《論語義》七十餘卷,《經典大義》十八卷,並行於時。陸德明《釋文·序録》云:'文阿撰《春秋義疏》,闕下帙,王元規續成之。'《隋志》載《春秋左氏經傳義略》二十五卷,今佚,唯《正義》及《釋文》、《集韻》引之,輯録六十一節,至襄公而止,説義引禮爲多。魯禘用樂,以康成説非左氏意,蓋又旁參王肅之學者也。"

續春秋左氏經傳義略一卷

《隋志》:王元規《續沈文阿春秋左氏傳義略》十卷。

本書提要云:"《續春秋左氏經傳義略》一卷,陳王元規撰。元規字正範,太原晋陽人,《南史》及《陳書》皆有傳。本傳云:'少從吴興沈文阿受業,通《春秋》、《孝經》、《論語》、《喪服》。'又云:'自梁代諸儒,相傳爲左氏學者,皆以賈逵、服虔之義,難駁杜預,凡一百八十條,元規引證通析,無復疑滯,著《春秋發題辭》及《義記》十一卷,《續經典大義》十四卷,《孝經義記》兩卷。《左傳音》三卷,《禮記音》兩卷。'《隋志》載《續沈文阿左氏傳義略》十卷,則《釋文·序録》所謂'《春秋義疏》闕下帙,王元規續成之'者也。《義疏》即《義略》,其《發題辭》及《義記》十一篇,似《發題》一卷,在《義記》十卷前。《義記》亦即《義略》也。《隋志》《音》不著録,意《音》附《義略》中乎。今佚,《釋文》引三節,合輯一帙,依《隋志》標題。"

春秋左傳述義二卷

《隋志》:《春秋左氏傳述義》四十卷,東京太學博士劉炫撰。

本書提要云:"《春秋左氏傳述義》二卷,隋劉炫撰。《北史·

儒林》本傳載《春秋述義》四十卷。《隋志》作《春秋左氏傳述義》，卷同。今佚。從孔氏《正義》採録，分爲二卷。《正義·序》謂炫聰慧辨博，固亦罕儔，而探賾鉤深，未能致遠。其經注易者，必具飾以文辭；其理致難者，乃不入其根節，洵爲定論。然《正義》奉敕删定，據以爲本，則無所駁斥，固所謂比諸義疏，猶有可觀者已。"

春秋二　公羊

春秋公羊傳何氏注　唐徐彦疏，凡二十八卷。

《漢志》：《春秋經》十一卷，《公羊》、《穀梁》二家，《公羊傳》十一卷。公羊，子齊人，師古曰：'名高'。

《隋志》：《春秋公羊解詁》十一卷，漢諫議大夫何休注。

本書提要云："《春秋公羊傳》，漢何休解詁。案《漢志》注曰：'公羊子，齊人，名高。'徐彦疏引戴宏《序》曰：'子夏傳與公羊高，高傳與其子平，平傳與其子地，地傳與其子敢，敢傳與其子壽。至漢景帝時，壽乃與齊人胡毋子都，著於竹帛，何休之注亦同。今觀傳中有子沈子曰、子司馬子曰、子女子曰、子北宫子曰，又有高子曰、魯子曰，蓋皆傳授之經師，不盡出於公羊子。且併有公羊子曰，尤不出於高之明證。知傳確爲壽撰，而胡毋子都助成之，舊本首署高名，蓋未審也。又羅璧識遺，稱公羊、穀梁，自高赤作傳外，更不見有此姓。萬見春謂皆姜字切韻腳，疑爲姜姓假託。案記載音譌，經典原有是事，至弟子記其先師，子孫述其祖父，必不至盡迷本字，别用合聲。璧之所言，殊爲好異。至程端學《春秋大義》，竟指高爲漢初人，則講學家臆斷之詞，更不足與辨矣。三傳與經文，《漢志》皆各爲卷帙，以《左傳》附經，始於杜預，《公羊傳》附經,則不知始自何人。觀何休《解詁》,但釋傳而不釋經,與杜異例,知漢末猶自别行。今所傳蔡邕殘字《公羊傳》亦無經文,足以互證。今本以傳附經,或徐彦作疏之時所合併歟?彦《疏》、《文獻通考》作三十卷,今本乃止二十八卷。或彦本以經文併爲二卷,别冠於前,後人又散入傳中,故少此二卷,亦未可知也。'"

春秋繁露十七卷

《隋志》:《春秋繁露》十七卷,漢膠西相董仲舒撰。

本書提要云:"《春秋繁露》十七卷,漢董仲舒撰。'繁'或作'蕃',葢古字相通。其立名之義不可解。《中興館閣書目》謂'繁露,冕之所垂,有聯貫之象,《春秋》比事屬辭,立名或取諸此',亦以意爲説也。其書發揮《春秋》之旨,多主《公羊》,而往往及陰陽五行。考仲舒本傳,《蕃露》、《玉杯》、《竹林》皆所著書名。而今本《玉杯》、《竹林》乃在此書之中,故《崇文總目》頗疑之,而程大昌攻之尤力。今觀其文,雖未必全出仲舒,然中多根極理要之言,非後人所能依託也。是書宋代已有四本,多寡不同,至樓鑰所校,乃爲定本。鑰本原闕三篇,明人重刻,譌脱不可勝舉。今以《永樂大典》所存樓鑰本,詳爲勘訂,神明焕然,頓還舊笈。雖曰習見之書,實則絶無僅有之本也。"

附輯佚本

春秋決事一卷

《漢志》:《公羊董仲舒治獄》十六篇。

《隋志》:《春秋決事》十卷,董仲舒撰。

本書提要云:"《春秋決事》一卷,漢董仲舒撰。董氏傳《春秋公羊》學，既撰《繁露》，悉究天人之奥，復爲此書，引經斷獄，當代取式焉。《漢志》《公羊治獄》十六篇，《隋志》《春秋決事》十卷，今佚。從《禮記正義》、《通典》、《白帖》、《藝文類聚》、《御覽》等書輯得八節，其論衡情準理，頗持其平。妻甲見夫乙毆母而殺乙，比於武王誅紂，雖康成議其過，大誼要自可通也。”

公羊嚴氏春秋一卷

《隋志》：《春秋公羊傳》十二卷，嚴彭祖撰。

本書提要云："《公羊嚴氏春秋》一卷，漢嚴彭祖撰。彭祖字公子，東海下邳人，與颜安樂俱事眭孟，傳公羊《春秋》之學。《隋志》《春秋公羊傳》十二卷，今佚。孔穎達《春秋正義》、徐彦《公羊疏》各引一節，杜佑《通典》兼引馮君、嚴氏《春秋章句》合輯爲卷。諸引者稱《嚴氏春秋》，據標題焉。案，嚴、颜並以《公羊》教授，颜有冷、任、筦、冥之學，而嚴氏流派未詳。見於傳者，山陽丁恭、北海周澤、汝陽鍾興、北海甄宇、陳留樓望、豫章陳曾、南陽樊儵、蜀郡張霸、張楷、穎川李脩、九江夏勤，又侍郎申輓、伊推、宋顯、許廣皆同嚴氏大議殿中，大抵皆爲嚴氏學者。又下邳嚴訴治《嚴氏春秋》、《馮君章句》，見洪适《隸釋》云。”

春秋公羊顔氏記一卷

《隋志》：《公羊顔氏記》十一卷。

本書提要云："《春秋公羊記》一篇，漢颜安樂撰。安樂字公孫，魯國薛人。《漢書・儒林傳》稱安樂事眭孟，授淮南冷豐、淄川任公，由是颜家有冷、任之學。又稱琅琊筦路、泰山冥都，皆事安樂，颜氏復有筦、冥之學。路授孫寶，豐授馬宫、左咸。《六藝論》又言安樂弟子有陰豐、劉向、王彦。一時學徒衆盛，與嚴彭祖齊名而過之。《漢志》《公羊颜氏記》十一篇，

《隋》、《唐志》不著録,佚已久。從徐彦《疏》及洪适《隸續》載石經《公羊》,裒輯七節。何休《序》謂説者疑惑,至有倍經任意,反傳違戾者,又言時加譏嘲辭,自是指斥世之俗儒。而徐《疏》引顏氏以實之,反覆辯難,不道餘力,至其精理醇義,皆湮没而不稱述,良堪喟也。"

春秋公羊文謚例一卷

《隋志》:《春秋公羊謚例》一卷,何休撰。

本書提要云:"《春秋公羊謚例》一卷,漢何休撰。此書翼《公羊解詁》而作。《隋志》一卷,《唐志》不載,佚已久。徐彦《疏》引其略,兹據録補。晁説之謂何休特負於《公羊》之學,五始、三科、九旨、七等、六輔、二類、七缺之設,何其紛紛耶。案,休《公羊傳·序》云:'胡毋生條例,多得其正。'然則何氏之例,亦自有所受之也。"

春秋三　穀梁

春秋穀梁傳范氏注　唐楊士勛疏,凡二十卷。

《漢志》:《春秋經》十一卷,《穀梁傳》十一卷。穀梁子,魯人,師古曰名"喜"。

《隋志》:《春秋穀梁傳》十二卷,范甯集解。

本書提要云:"《春秋穀梁傳》,晋范甯集解。楊士勛疏稱'穀梁子名俶,字元始,一名赤,受經於子夏,爲經作傳',則當爲穀梁子所自作。徐彦《公羊傳疏》稱《公羊》至胡毋生乃著竹帛,題其親師,故曰《公羊傳》。《穀梁》亦是著竹帛者題其親師,故曰《穀梁傳》。則當爲傳其學者所作。案《公羊傳》引'子沈子曰',何休《解詁》以爲後師,此傳亦稱'沈子曰',公羊、穀梁既同師子夏,不應及見後師。又稱'穀梁子曰',傳既穀梁自作,不應自引己說。且引'尸子曰',尸佼爲商鞅之師,其人亦在穀梁後,不應預爲引據。疑徐彦之言爲得其實。但誰著於竹帛,則不可考耳。《漢志》載《公羊》、《穀梁》二家經十一卷,傳亦各十一卷,則經、傳初亦别編。范甯《集解》,乃併經注之,疑即甯之所合。至'公觀魚於棠'一條,'葬桓王'一條,'杞伯來逆叔姬之喪以歸'一條,'曹伯盧卒於師'一條,'天王殺其弟佞夫'一條,皆冠以'傳曰'字,不知所引何傳,疑甯以傳附經之時,每條皆冠以'傳曰',如鄭玄、王弼之《易》有'彖曰'、'象曰'之例,後傳寫者删之。此五條,其削除未盡者也。甯注本十二卷,以兼載門生故吏子弟之說,各列其名,故曰《集解》。《晋書》本傳稱'甯此書爲世所重。既而徐邈復爲之注,世亦稱之'。今考書中乃多引邈注,未詳其故。又《自序》有'商略名例'之句,《疏》稱甯别有《略例》百餘條,此本不載。然注中時有'傳例曰'字,或士勛割裂其文,散入注疏中歟?"

附輯佚本

春秋穀梁傳尹氏章句一卷

《漢志》:《穀梁章句》三十三篇。

本書提要云:"《春秋穀梁傳章句》一卷,漢尹更始撰。更始字君翁,汝南人,事具《漢書·儒林傳》。傳稱更始從蔡千秋受《穀梁》,又受《左氏傳》,取其理合者以爲《章句》,傳子咸及翟方進、琅邪房鳳。更始《章句》今佚,楊士勛《疏》引一節,《禮記正義》、《周禮疏》、《文選注》各引一節,又注疏引《穀梁》説五節。舊説五節《大戴禮注》引《春秋穀梁》説一節。案《漢書》傳《穀梁》學者,惟尹及劉向有書。范注於劉佚説皆明標劉向。尹在漢爲《穀梁》博士,名在周慶、丁姓之上,又獨有著書，則凡引《穀梁》説及舊説者，皆尹氏《章句》無疑也。兹據合輯。漢《穀梁》學自榮廣皓星公開之，尹得其宗，鳴於當代。存此殘帙，少而彌珍已。”

春秋穀梁傳麋氏注一卷

《隋志》：《春秋穀梁傳》十二卷，魏平樂太守麋信注。

本書提要云：“《春秋穀梁傳注》一卷，魏麋信撰。信字南山，東海人。楊士勛《疏》引或作‘麇信’，《禮記正義》引其説又作《縻信》，當依《隋志》作麋。其注《春秋穀梁傳》，《隋》、《唐志》並十二卷，今佚。從楊《疏》、《釋文》及《御覽》輯録爲卷。本多異字，皆必有所承受，惜不可考已。”

春秋穀梁傳徐氏注義一卷

《隋志》：《春秋穀梁傳》十二卷，徐邈撰。當作注。《春秋穀梁傳義》十卷，徐邈撰。徐邈《答春秋穀梁義》三卷。

本書提要云：“《公羊穀梁傳注義》一卷，晋徐邈撰。《隋志》有《穀梁傳注》十二卷，《穀梁傳義》十卷，並題徐邈，又别有《答穀梁義》三卷。今並佚。注疏引九十一節，《北堂書鈔》引二節，《初學記》引一節，並據輯録。注、義二書，不能區分，總以‘注義’題之。傳稱所注《穀梁傳》，見重於時，范爲《集解》，引述獨多。則以其書辭理典據，實有可觀。乃楊《疏》於范氏所譏近十家膚淺末學，列徐仙民名於七，失於深考矣。”

答薄叔玄問穀梁義一卷

《隋志》：《薄叔玄問穀梁義》二卷，范甯撰。

本書提要云：“《答薄叔玄問穀梁義》一卷，晋范甯撰。范作《集解》，叔玄有所駁問，范隨問逐條答之。仿鄭氏《釋廢疾》之體例也。《隋志》二卷，《唐志》不著録，佚已久。楊士勛《疏》引十二節，皆載‘范答薄氏語’，論辨義例。叔玄，未詳何人，與范同時治《穀梁》之學者也。”

春秋四　三傳總

輯佚本

箴膏肓一卷起廢疾一卷發墨守一卷

《隋志》:《春秋左氏膏肓》十卷,何休撰。《春秋穀梁廢疾》三卷,何休撰。《春秋公羊墨守》十四卷,何休撰。《春秋穀梁廢疾》三卷,何休撰,鄭玄釋,張靖箋。

本書提要云:"《箴膏肓》一卷,《起廢疾》一卷,《發墨守》一卷,漢鄭玄撰。《後漢書》玄本傳稱何休好《公羊》學,遂著《公羊墨守》、《左氏膏肓》、《穀梁廢疾》。玄乃《發墨守》、《鍼膏肓》、《起廢疾》。休見而歎曰:'康成入吾室,操吾矛,以伐我乎。'其卷目之見《隋志》者,有《左氏膏肓》十卷,《穀梁廢疾》三卷,《公羊墨守》十四卷,又别出《穀梁廢疾》三卷,注云鄭玄釋。《舊唐書·志》所載《膏肓》、《廢疾》二書,卷數並同,特《墨守》作二卷,爲稍異。其下並注'鄭玄箴'、'鄭玄發'、'鄭玄釋',則與休書合而爲一。迨於宋世,漸以散佚,惟《崇文總目》有《左氏膏肓》九卷。而陳振孫所見本復闕宣、定、哀三公。振孫謂其錯誤不可讀,疑爲後人所録,已非《隋》、《唐志》之舊。其後漢學益微,即振孫所云'不全之《左氏膏肓》亦遂不可復見'。此本凡《箴膏肓》二十餘條,《起廢疾》四十餘條,《發墨守》四條,並從諸書所引,掇拾成編,不知出自誰氏。或題爲宋王應麟輯,亦别無顯據。殆以應麟嘗輯鄭氏《周易注》、齊、魯、韓三家《詩》考,而以類推之歟。今以諸書校勘,惟詩《大明》篇疏所引一條,尚未收入,其餘並已蒐采無遺。雖不出自應麟手,要亦究心古義者之所爲矣。謹爲掇拾補綴,著之於録。雖視原書不及什之一二,而排比薈萃,略存梗概,爲鄭氏之學者,或亦有所考焉。"

春秋公羊穀梁傳解詁一卷

《隋志》:《春秋公羊穀梁傳》十二卷,晋博士劉兆撰。

本書提要云:"《春秋公羊穀梁傳解詁》一卷,晋劉兆撰。兆字延世,濟南東平人,博學洽聞,溫篤善誘,武帝時三徵博士皆不就。《晋書・儒林》有傳。楊士勛《穀梁傳序疏》數注《穀梁》者十餘家,有劉堪,盧抱經以爲即劉兆也。傳載其著述,有《春秋調人》七萬餘言。又爲《春秋左氏解》,名曰'全綜',《公羊》、《穀梁》解詁皆納經傳中,朱書以别之。《隋志》惟以《春秋公羊穀梁》十二卷著録,《唐志》作《春秋三傳集解》十一卷,蓋合《全綜》爲一書,而復少一卷也。今佚。輯録十節,皆訓《公》、《穀》之義,與今本文異者,足資參考。其《解左》及《調人》,泯絶不可復覩,令人悵悵爾。"

春秋公羊穀梁二傳評一卷

《隋志》:《春秋公羊穀梁二傳評》三卷。

本書提要云:"《春秋公羊穀梁二傳評》一卷,晋江熙撰。熙字太和。《隋志》此書三卷,不著名氏,《唐志》題江熙。今佚。范甯《注》引十九節,據輯。按范序云:'先君北蕃迴軫,頓駕於吴,乃帥門生故吏我兄弟子姪,研講六籍,次及三傳。'又云:'釋《穀梁》者近十家,皆膚淺末學,不經師匠。'楊士勛疏'故吏',謂江徐之屬,又解十家有江熙。熙評二傳,非專釋《穀梁》,且范解亟取其説,而無所斥駁,當不在十家之内也。"

孝經

古文孝經孔氏傳一卷

《漢志》:《孝經古孔氏》一篇。二十二章

《隋志》:《古文孝經》一卷,孔安國傳。

本書提要云:"《古文孝經》一卷,舊本題漢孔安國傳。歙縣鮑廷博稱其友汪翼滄附市舶至日本,得於彼國之長崎澳。序稱古書亡於中夏,存於日本者頗多。昔僧奝然適宋,獻鄭注《孝經》一本。今去其世七百餘年,古書之散逸者亦不少,而孔傳《古文孝經》,全然尚存。惟其經文與宋人所謂古文者不全同。傳中間有不成語,雖疑其有誤,然諸本皆同,無所取正,姑傳疑,以俟君子考。世傳海外之本,别有所謂《七經孟子考文》者,亦日本人所刊,中有《古文孝經》一卷,亦云《古文孔傳》,中華所不傳,而其邦獨存。又云'其真僞不可辨。末學微淺,不敢輒議'。則日本相傳原有是書,其傳文雖證以《論衡》、《經典釋文》、《唐會要》所引,亦頗相合。然淺陋冗漫,不類漢儒釋經之體,並不類唐、宋、元以前人語。殆市舶流通,頗得中國書籍,有桀黠知文義者摭諸書所引孔傳,影附爲之,以自誇圖籍之富歟?使果有之,何以奝然不與鄭《注》並獻,至今日乃出?足徵彼國之本,出自宋元以後矣。特以海外祕文,人所樂觀。使不實見其書,終不知所謂《古文孝經》孔傳,不過如此,轉爲好古者之所惜,故録存之,而具列其始末。"

通行本今文孝經 唐玄宗御注,宋邢昺疏,凡三卷。

《漢志》:《孝經》一篇,十八章。

本書提要云:"《孝經》有今文、古文二本。今文稱鄭玄注,其説傳自荀昶,而鄭志不載其名。古文稱孔安國注,其書出自劉炫,而《隋書》已言其僞。至唐開元七年三月,詔令羣儒質定。劉知幾主古文以駁鄭,司馬貞主今文以駁孔,厥後今文行而古文廢。迨時閲三年,乃有御注大學刻石。御注既行,孔、鄭兩家遂並廢。詳考源流,今文之立,自玄宗始。玄宗注之立,自宋詔邢昺等修疏始。衆説喧呶,置之不論可矣。"

附輯佚本

孝經長孫氏説一卷

《漢志》:《長孫氏説》二篇。

本書提要云:"《孝經説》一卷,漢長孫氏撰。名字爵里俱無考,漢興傳《孝經》。《漢志》《孝經説》二篇,隋、唐不著録,佚已久。攷《隋志》謂長孫有《閨門》一章,據孔安國《古文孝經》傳本,録出爲卷,表漢初大師傳經之首功。惜其説義,不可得而覩矣。"

孝經后氏説一卷

《漢志》:《后氏説》一篇。

本書提要云:"《孝經説》一卷,漢后蒼撰。《漢志》有《説》一篇,《隋》、《唐志》不著目,佚已久。考《漢書·匡衡傳》引《孝經》。蒼傳云:'授翼奉、蕭望之、匡衡。'則衡爲蒼之弟子。漢人説經,皆本師法,則所稱述,信爲后氏遺説,採列一家。其引經字句,與今本不同,足資參考。訓辭莊雅,尤可誦云。"

孝經安昌侯説一卷

《漢志》:《安昌侯説》一篇。

本書提要云:"《孝經安昌侯説》一卷,漢張禹撰。禹字子文,河内軹人,官至丞相,封安昌侯,事蹟詳《漢書》本傳。《漢志》《孝經》有《安昌侯説》一篇,《隋》、《唐志》皆不著目,佚已久。邢昺《正義》引劉瓛述張禹之義,則佚説六朝時尚存。《正義》取裁齊梁,故得據而述之。合輯六節,古學已絶,聊存一綫云爾。"

孝經王氏解一卷

《隋志》:《孝經》一卷,王肅解。

本書提要云："《孝經解》一卷，魏王肅撰。《隋志》載一卷，今佚。從注疏、《釋文》、《史記集解》、《通鑑注》輯録二十二節。子雍好攻鄭學，此《解》不見有駁難之語，蓋唐明皇帝作注時，悉汰去之。至其説'孝無終始而患不及'者，引《蒼頡篇》，謂患爲禍，與孔、鄭義同。則切理愜心之訓，亦有不能斥改者矣。"

孝經解讚一卷

《隋志》：《孝經解讚》一卷，韋昭解。

本書提要云："《孝經解讚》一卷，吴韋昭撰。《隋》、《唐志》皆以一卷著目，今佚。從注疏所引得十節。又《儀禮經傳通解》引一節，並據輯録。訓義切實，與鄭康成箋《詩》相似，至'郊祀后稷以配天'，全用鄭義，然則書名《解讚》，或讚鄭解也歟？"

集解孝經一卷

《隋志》：《集解孝經》一卷，謝萬集。

本書提要云："《集解孝經》一卷，晋謝萬撰。萬字萬石，陳國陽夏人，事蹟見《晋書》本傳。《隋志》載其《集解孝經》一卷，今佚。從邢昺《正義》輯録四節。史載萬與蔡系爭言，至落牀壞面，又言受任北征，矜豪傲物，則其人亦任誕之流，殊無足取。然書以'集解'名，寥落佚文，古説存焉矣。"

孝經義疏一卷

《隋志》：《孝經義疏》十八卷，梁武帝撰。

本書提要云："《孝經義疏》一卷，梁武皇帝撰。《梁書·武帝紀》大同四年三月，'蕭子顯上表置制旨《孝經》助教一人，生十人，專通高祖所釋《孝經》義'。《隋》、《唐志》並載《義疏》十八卷，今佚。邢昺《正義》引三節，又從武帝集得《説明堂》一節，合輯爲帙。其説天子士二章之義，辨化辨情，固自入理。"

孝經皇氏義疏一卷

《隋志》:《孝經義疏》三卷,皇侃撰。

本書提要云:"《孝經義疏》一卷,梁皇侃撰。《隋》、《唐書》並三卷,今佚。從邢昺《正義》輯録一十八節。孫奭序譏其《義疏》辭多紕繆,理昧精研,然就邢氏所引,固皆摭拾菁華矣。"

古文孝經述義一卷

《隋志》:《古文孝經述義》五卷,劉炫撰。

本書提要云:"《古文孝經述義》一卷,隋劉炫撰。《隋志》云:'梁代,安國及鄭氏二家並立國學。而安國之本,亡於梁亂,陳及周齊,惟傳鄭氏。至隋,王劭於京師訪得孔《傳》。劉炫因序其得喪,述其義疏,講於人閒,漸聞朝廷,遂著令與鄭氏並立。'炫又著《古文孝經稽疑》一篇。《隋》、《唐志》並載《述義》五卷,今佚。邢昺《正義》引之。其《稽疑》一篇,附著《孝經·序》正義,據輯爲卷。劉以《古孝經·庶人》章分爲二,《曾子敢問》章分爲三,又多《閨門》一章,凡二十二章,兹仍以爲據。《閨門》一章,世儒或疑炫僞作,然漢初長孫氏傳今文即有之,豈後人所僞爲耶?"

孝經緯鉤命訣一卷

《隋志》:《孝經勾命決》六卷,宋均注。

本書提要云:"《鉤命決》一卷,魏宋均注。孫瑴《古微書》云:'緯書以命言者,莫如《元命苞》;以鉤言者,莫如《春秋》之《文耀鉤》、《河圖》之《稽耀鉤》。兹《孝經》緯則直言訣,殆即元命鉤耀之意,而參其奥以示人也,故以訣名。'"

孝經緯援神契二卷

《隋志》:《孝經援神契》七卷,宋均注。

本書提要云:"《援神契》二卷,魏宋均注。孫瑴《古微書》云:'此言孝道之至,行乎陰陽,通乎鬼神,上下古今,若執符契也。'"

論語

論語何氏集解 宋邢昺《疏》,凡二十卷。

《漢志》:《論語魯》二十篇。

《隋志》:《集解論語》十卷,何晏集。

本書提要云:"《論語》,魏何晏注。書前有《奏進論語集解序》,題孫邕、鄭沖、曹羲、荀顗、何晏五人之名。《晋書》載鄭沖與孫邕、何晏、羲、荀顗共集《論語》諸家訓詁之善者,義有不安,輒改易之,名'集解',亦兼稱五人。今本乃獨稱何晏。考陸德明《經典釋文·序録》曰:'何晏集孔安國、包咸、周氏、馬融、鄭玄、陳羣、王肅、周生烈之説,并下己意爲《集解》。正始中上之,盛行於世,今以爲主。'是獨題晏名,其來久矣。殆晏以親貴總領其事歟?"

論語義疏十卷

《隋志》:《論語義疏》十卷,皇侃撰。

本書提要云:"《論語》十卷,梁皇侃撰。《梁書·儒林傳》稱所撰《論語義》十卷。此書宋尚著録,《國史志》稱侃《疏》雖時有鄙近,然博極羣言,補諸書之未至,爲後學所宗。蓋是時講學之風尚未甚熾,儒者説經亦尚未盡廢古義,故史臣之論云爾。迨乾、淳以後,講學家門户日堅,羽翼日衆,剷除異己,惟恐有一字之遺,遂無復稱引之者,知其佚在南宋時矣。惟唐時舊本流傳,存於海外。日本國山井鼎等作《七經孟子考文》,自稱其國有是書。今乃藉海舶而登祕閣,殆若有神物撝訶,存漢、晋經學之一綫,信有非偶然者矣。據《中興書目》稱,侃以何晏《集解》去取爲《疏》十卷,又列晋衛瓘、繆播、欒肇、郭象、蔡謨、袁宏、江厚、蔡溪、李充、孫綽、周懷、范甯、王珉等十三人爵里於前,云此十三家是江熙所集。其解釋與何無妨者,亦引取爲説,以廣異聞。此本之前列十三人爵里,數與《中興書目》合。惟其經文與今本亦多有異同,而大旨悉合。知其確爲古本,不出依託。至彼國遞相傳寫,偶然譌舛,亦未嘗有所竄易。雖其中不可據者有之,而亦可以旁資考證也。"

附輯佚本

齊論語一卷

《漢志》:《論語齊》二十二篇。多《問王》、《知道》。如淳曰:"問王、知道皆篇名也。"

本書提要云:"案,《漢志》《論語》十二家,《齊》二十二篇,多《問玉》、《知道》。又云傳《齊論》者,王吉、宋畸、貢禹、五鹿充宗、膠東庸生,唯王陽名家。《隋》、《唐志》不著録,佚已久。考《漢書·王吉傳》用《論語》二事,《貢禹傳》引一事,此齊學之底本。又陸德明《經典釋文·叙録》云:'《齊論語》齊人所傳。董仲舒,廣川人,地屬齊,《漢書》本傳對策及所著《春秋繁露》。多引《論語》,與《魯》、《古》不同,而與王吉所引有合,確爲《齊論語》。'又《釋文》云:'按鄭校周之本,以《齊》、《古》讀正,凡五十事。陸氏載鄭從《古》者十餘條,他引鄭本,不言所從。鄭以《齊》、《古》注《魯》,其與《古》不同者爲《魯》,而與《魯》不同者,皆《齊》同於《古》也。又《説文》、《初學記》等書引《逸論語》詳言玉事,王應麟謂《問王》疑即《問玉》,朱氏《經義考》定爲《問玉》篇,亦爲《齊論》之佚,並據輯補。與《魯》、《古》二論比次,參觀同異,庶漢師門户,見梗概焉。"

論語孔氏訓解十一卷

《漢志》:《論語古》二十一篇。出孔子壁中,兩《子張》。如淳曰:"分《堯曰》篇後子張問何如可以從政以下爲篇名，曰《從政》。"

本書提要云："《論語訓解》十一卷，漢孔安國撰。案《孔子家語・後序》，安國字子國，孔子十二世孫。天漢後，魯恭王壞夫子故宅，得壁中《詩》、《書》，悉以歸子國，子國乃考論古今文字，撰衆師之義，爲《古文論語訓解》十一篇。何晏《集解》云：'《古論》惟孔安國爲之訓解，而世不傳。'《隋》、《唐志》皆不著録，僅見《集解》所引，輯其散佚，參定以復其舊。《史記》、《説文》引稱皆古文，亦據採入。仍其篇目爲十一卷，庶幾古文之學亡而不亡也。"

論語鄭氏注十卷

《隋志》：《論語》十卷，鄭玄注。

本書提要云："《論語注》十卷，後漢鄭玄撰。何晏《集解》云：'就《魯論》篇章，考之《齊》、《古》爲之注。'《隋》、《唐志》並云十卷，今佚。海寧陳氏鱣《論語古訓》搜採詳備，兹據録之，仍其十卷之舊。考梁、陳之代，鄭與何同立國學，而鄭氏甚微，周、齊鄭學獨立，至隋何、鄭並行，而鄭氏特盛，故唐人諸書多引之，宋人不尚鄭學，遂至湮亡。得此殘缺，猶足存漢代大師之矩焉。"

論語孔子弟子目録一卷

《隋志》：《論語孔子弟子目録》一卷，鄭玄撰。

本書提要云："《論語孔子弟子目録》一卷，後漢鄭玄撰。此書見《隋志》，久佚。海甯陳氏鱣從《史記・弟子傳》《集解》輯出，附刊古訓後。凡弟子四十人，颜淵、曾參、子路、子貢、子游、公冶長、南容、子賤、澹臺滅明，諸見《論語》之賢者，書中自宜詳記。而裴駰引不之及，意其與史傳不殊也。兹依陳録。稽古者合《史記》、《家語》，參證七十子之名數，灼然可考，固無煩於補綴也。"

論語釋疑一卷

《隋志》:《論語釋疑》三卷,王弼撰。

本書提要云:"《論語釋疑》一卷,魏王弼撰。《隋志》載三卷,今佚。閒見引於《釋文》、《正義》。茲更從皇侃《義疏》採輯,共得四十節,合爲一卷。其説浮虚惝怳,老莊緒言。觀前人論弼《易》,何劭云'不識物情',孫盛云'妙頤無聞',程子云'元不見道',朱子云'巧而不明',此之釋《論》,毋亦與注《易》等乎。然如釋老彭、廏焚、賜不受命、作者七人,皆與諸家殊别,雖非確訓,頗廣異聞,考古之儒,或所不廢也。"

論語衛氏集注一卷

《隋志》:《集注論語》六卷,晉八卷。晉太保衛瓘注。

本書提要云:"《論語集注》一卷,晉衛瓘撰。瓘字伯玉,河東人。官至太保,《晋書》有傳。《隋志》有《集注論語》六卷,云晋八卷,梁有《論語補闕》二卷,宋明帝補衛瓘闕。陸德明《釋文・序録》云,'晋八卷,少二卷,宋明帝補闕。'隋唐之代,已非全帙,今則佚無傳者。《釋文》、《正義》閒引一二,茲採皇侃《義疏》及裴駰《史記集解》共得十五節,合爲一卷。其説爲義頗長,宋明補綴遺編,蓋必有心折於其論説者。惜乎全豹之無從得窺也。"

論語旨序一卷

《隋志》:《論語旨序》三卷,晋衛尉繆播撰。

本書提要云:"《論語旨序》一卷,晋繆播撰。播字宣則,蘭陵人,《晋書》有傳。此編載《隋志》云三卷,佚亡已久。陸德明《經典釋文・序録》引一則,皇侃《義疏》引尚有一十四節,合訂一卷。其於'子見南子'、於'子路三軍之問'、於'宰我三年之問',立説具有卓見,他解皆清暢可誦。"

論語體略一卷

《隋志》:《論語體略》二卷,晋太傅主簿郭象撰。

本書提要云:"《論語體略》一卷,晋郭象撰。象字子元,河内人,官至太傅主簿,《晋書》有傳。此編《隋》、《唐志》並云二卷,今則散佚。皇侃《義疏》引凡九節,輯爲一卷。考象嘗注《莊子》,襲取向秀之言,頗爲世所詬病。解説經義,度亦未必盡有心得。然江熙《集解》列《論語》十三家有郭象,其言與衛瓘、范甯諸人同採,蓋亦有表見於當時者。今玩其佚説,不離玄宗,而尚自暢達。晋人經解,取備一家云爾。"

論語樂氏釋疑一卷

《隋志》:《論語釋疑》十卷,晋尚書郎欒肇撰。

本書提要云:"《論語釋疑》一卷,晋欒肇撰。肇字永初,太山人,晋太保掾尚書郎。皇侃《義疏》列江熙所集十三家有欒肇。《隋志》載《論語釋疑》十卷,又云梁有《論語駁序》二卷,亡。今就皇《疏》及裴駰《史記集解》所引,尚輯得一十六節。其三條辯論鋒起,似《駁序》之文,然書無明證,不能區分。兹統就《隋志》存目題曰《釋疑》,加欒氏者,以别於王弼云。"

論語虞氏讚注一卷

《隋志》:《論語》九卷,鄭玄注。晋散騎常侍虞喜讚。

本書提要云:"《論語讚注》一卷,晋虞喜撰。喜字仲甯,餘姚人,《晋書》有傳。説《毛詩略》,注《孝經》,撰《周官駁難》,又著《論語讚》九卷、《新書對張論》十卷。《隋志》:《論語》九卷,鄭玄注,虞喜讚,書佚。皇侃《義疏》載其二節。考鄭注子桑怕子爲秦大夫,兹取《説苑》孔子見伯子事,隱規鄭失。使得覩其全書,當必有蒐羅古今,而折衷微妙者。乃顧使高文典册,湮而不傳,能不使人慨惜哉。"

論語李氏集注二卷

《隋志》:《論語》十卷,晋著作郎李充注。

本書提要云:"《論語集注》二卷,晋李充撰。充字宏度,江夏人,官著作郎,《晋書·文苑》有傳。《隋志》《論語》十卷,李充注,全書已佚。皇侃《義疏》引有五十節,裴駰《史記集解》引一節,輯爲二卷,可以辨同異,廣見聞。考據之家,不無攸助云。"

論語孫氏集解一卷

《隋志》:《集解論語》十卷,晋廷尉孫綽解。

本書提要云:"《論語集解》一卷,晋孫綽撰。綽字興公,太原人,官至廷尉卿,《晋書》有傳。是編《隋志》稱十卷,今佚。《釋文》引一事,茲採皇侃《義疏》,尚得三十一節,合爲一卷。考綽嘗著書,卓然名家,蓋以文章鳴於典午者。此注蘊味宏深,而詞饒清麗,晋客吐屬,别有一種風韻。若概以宋儒語録律之,則失之狹矣。"

論語江氏集解一卷

《隋志》:《集解論語》十卷,晋兖州别駕江熙解。

本書提要云:"《論語集解》一卷,晋江熙撰。熙字太和,爲兖州别駕。皇侃《義疏·序》列《論語》十三家,云爲熙所集。取衆説以成書,故以'集解'名也。侃序稱熙所集,世謂其引事雖時詭異,而援證精博,爲後學所宗。今則佚不可求矣。邢昺《疏》引二節,皇《疏》所引頗多,其明標江熙者,尚得九十餘節。雖殘缺不完,然合衛綴諸家以參觀之,有晋一代之説論者,得失同異,備於茲矣。"

論語張氏注一卷

《隋志》:《論語釋》一卷,張憑撰。梁有張憑《注論語》十卷,亡。

本書提要云："《論語注》一卷，晋張憑撰。憑字長宗，吴人，《晋書》有傳。此編《隋志》注梁有十卷，亡，而别有《論語釋》一卷，云張憑撰。或者裒輯散佚，十存其一歟。放失既久，諸籍不見徵稱，唯皇侃《義疏》引有十二節，輯爲一卷。其解'吾斯之未能信'、解'鄉原'，立説異而近鑿，殊無足取。然如説'民可使由之不可使知之'，則以經詁經，能得聖人言外之旨。其他粹義多類是。史稱憑爲理窟，即此斷簡殘編，猶想見研覃力索時也。"

論語褚氏義疏一卷

《隋志》：《論語義疏》十卷，褚仲都撰。

本書提要云："《論語義疏》一卷，梁褚仲都撰。《隋志》有十卷。考蕭梁之代，作《義疏》者，褚、皇二家。皇《疏》宋世猶存，故邢昺作《正義》本之。邢《疏》行而皇《疏》稍隱。今得日本人傳之，皇《疏》晦而復顯，而褚《疏》則湮絶無聞。猶幸皇《疏》引其一節，吉光片羽，益以罕而可珍矣。"

孟子

孟子趙氏注十四卷 舊本題宋孫奭疏。

《漢志》：《孟子》十一篇。

《隋志》：《孟子》十四卷，齊卿孟軻撰，趙岐注。

本書提要云："《孟子》十四卷，漢趙岐注。岐字邠卿，京兆長陵人。延熹元年，中常侍唐衡兄玹爲京兆尹，與岐夙隙，岐避禍逃避四方，後遇赦得出，又遭黨錮十餘歲，後遷太僕，終太常，事蹟具《後漢書》本傳。是《注》即岐避難北海時在孫賓家夾柱中所作。漢儒注經，多明訓詁名物，惟此注箋釋文句，乃似後世之口義，與古學稍殊。孔安國、馬融、鄭玄之注《論語》,今載於何晏《集解》者,體亦如是。葢《易》、《書》文皆最古,非通其訓詁則不明;《詩》、禮語皆徵實,非明其名物亦不解;《論語》、《孟子》詞旨顯明,惟闡其義理而止,所謂言各有當也。朱子作《孟子集註》、《或問》,於岐説不甚掊擊,亦多取之。蓋其説雖不及後來之精密,而開闢荒蕪,俾後來得循途而深造,其功要不可泯也。"

《孟子章指》二卷,馬國翰補輯。提要云:"趙岐著《孟子章句》十四卷,宋孫奭作《正義》宗之,題辭謂章句,具載本文,章別其指,分爲上下,凡十四卷。唐陸善經注合爲七卷,並刪去章指,孫氏不別標識,混入疏中,零落大半。毛扆曾見章邱李氏所藏北宋蜀大字《章句》本趙氏篇叙,從此校出。惠氏棟亦從盱郡重刊廖氏本校録。余蕭客作《古經解鉤沈》,從兩家所校補入,大有功於趙氏。兹據録之,依題辭分爲上、下卷。阮芸臺相國重雕注疏本,各卷後附章指,可稱完帙。此以單行補遺,取便觀覽云爾。"

附輯佚本

孟子鄭氏注一卷

《隋志》:《孟子》七卷,鄭玄注。

本書提要云:"《孟子注》一卷,漢鄭玄撰。玄於《易》、《書》、三禮、《論語》、《孝經》皆注,《毛詩》有箋。《後漢書》本傳詳列所著書,不言《孟子》。而《隋志》有《孟子》七卷注,未知何據,或爲鄭學者依託其説而成此書歟?今佚,傳記絶無徵引。兹取玄注諸書中所引《孟子》,輯録以補缺遺,文字與今本異者,可準鄭箋《詩》改字及注《魯論》以《齊》、《古》讀正之例。而訓釋之得諸他經注者,轉確然見康成之手澤矣。"

孟子劉氏注一卷

《隋志》:《孟子》七卷,劉熙注。

本書提要云:"《孟子注》一卷,漢劉熙撰。熙於《後漢書》無傳,附見《三國·吴志》程秉、薛綜二傳中。晋李石《續博物志》云'漢博士劉熙'。陳振孫《書録解題》、馬端臨《文獻通考》並云'漢徵士北海劉熙成國',皆可互考。其注《孟子》,《隋》、《唐志》並云七卷,今佚。《史記》、《漢書》、《文選》等注尚有徵引,而注上所列經文,往往與今本不同,蓋所據之本,劉與趙異,如《書》分古今,《詩》判齊、魯、韓、毛。即佚説之僅存,頗資考覈之助已。"

爾雅

爾雅郭氏注

《漢志》:《爾雅》三卷,二十篇。

《隋志》:《爾雅》五卷,郭璞注。

本書提要云:"《爾雅》,晋郭璞注。案《大戴禮·孔子三朝記》,稱孔子教魯哀公學《爾雅》,則《爾雅》之來遠矣。然不云《爾雅》爲誰作。據張揖進《廣雅》表稱周公著《爾雅》一篇。今俗所傳三篇,或言仲尼所增,或言子夏所益,或言叔孫通所補,或言沛郡梁文所考,皆解家所説,疑莫能明也。於作書之人,亦無確指。其餘諸家所説,小異大同。今參互考之,大抵小學家綴輯舊文,遞相增益,周公、孔子,皆依託之詞。又有同文複出,知非纂自一手。歐陽修以爲學《詩》者纂集博士解詁,然釋《詩》者不及什之一,非專爲《詩》作。王充亦以爲五經之訓故,然釋五經者不及什之三四,更非專爲五經作。今觀其文,大抵採諸家訓詁名物之同異,以廣見聞,自爲一書,不附經義。葢亦《方言》、《急就》之流。特説經之家,多資以證古義。故從其所重,列之經部耳。璞時去漢未遠,所見尚多古本,故所注多可據。後人雖迭爲補正,然宏綱大旨,終不出其範圍矣。”

附輯佚本

爾雅樊氏注一卷

《隋志》:《爾雅》三卷,漢中散大夫樊光注。

本書提要云:“《爾雅注》一卷,後漢樊光撰。光京兆人,官中散大夫。其注《爾雅》,《隋志》三卷,今佚。孔氏《正義》、《釋文》、邢《疏》所引樊光,又或引作某氏。臧庸《拜經日記》云:‘唐人義疏引某氏《爾雅注》,即樊光也。’兹據合輯爲卷,其引《詩》與毛、韓不同,葢本《魯詩》,此亦考古者所宜會通也。”

爾雅孫氏注三卷

《隋志》:《爾雅》七卷,孫炎注。

本書提要云:“《爾雅注》三卷,魏孫炎撰。《隋志》七卷,今佚,輯爲上、中、下卷。叔然受學鄭玄之門人,稱東州大儒,則訓義之優洽可知。郭景純注,多用孫氏,其改舊説者,往往遜之,亦以所取法者上也。”

集注爾雅一卷

《隋志》:《集注爾雅》十卷,梁黄門郎沈旋注。

本書提要云:“《集注爾雅》一卷,梁沈旋撰。旋字士規,武康人,官至給事黄門侍郎、撫軍長史,《梁書》有傳。陸德明《經典釋文・序録》云梁有沈旋集衆家之注。《隋》、《唐志》並十卷,今佚。從《釋文》及邢《疏》、《集韻》、《一切經音義》所引輯録。注不多見,惟略存字音。其字與邢《疏》本異,未審據用何家,要非無所自也。"

諸經總義

輯佚本

五經通義一卷

《隋志》:《五經通義》八卷,梁九卷。

本書提要云:"《五經通義》一卷,漢劉向撰。《隋志》八卷,不著撰人姓名。《唐志》有劉向《通義》九卷,今佚,輯録一卷。考《後漢・曹褒傳》,褒作《通義》十二篇,《隋》、《唐志》皆不著録。《唐志》題劉向,必有所據,姑依題之。"

駁五經異義一卷補遺一卷

《隋志》:《五經異義》十卷,後漢太尉祭酒許慎撰。《唐志》:《五經異義》十卷,許慎撰,鄭玄駁。

本書提要云:"《駁五經異義》,漢鄭玄所駁許慎之文也。考《後漢書・許慎傳》,稱慎以五經傳説臧否不同,於是撰爲《五經異義》,傳於世。《鄭玄傳》載玄所著百餘萬言,亦有駁許慎《五經異義》之名。《隋志》有十卷,許慎撰,而不及鄭玄之駁議。《舊唐書志》:十卷,許慎撰,鄭玄駁,《新唐書志》並同。蓋鄭氏所駁之文即附見於許氏原本之内,非别有一書,故史志所載,亦互有詳略。至《宋史・藝文志》遂無此書之名,則自唐以來,失傳久矣。學者所見《異義》,僅出於《初學記》、《通典》、《太平御覽》諸書所引。而鄭氏《駁義》,則自三禮《正義》而外所存亦復寥寥。此本從諸書採綴而成,或題宋王應麟編,然無確據。原本錯雜相參,頗失條理,今詳加釐正。以朱彝尊、長洲惠氏二家所採互考,除其重複,定著五十七條,别爲《補遺》一卷,附之於後。其閒有《異義》而鄭無駁者,則鄭與許同者也。兩漢經學號爲極盛,若許若鄭,尤皆一代通儒,大敵相當,輸攻墨守,非後來一知半解所可望其津涯。此編雖散佚之餘,十不存一,而引經據古,猶見典型;殘章斷簡,固遠勝於累牘連篇矣。"

六藝論一卷

《隋志》:《六藝論》一卷,鄭玄撰。

本書提要云:"《六藝論》一卷,後漢鄭玄撰。案《漢書・藝文志》,六藝謂《易》、《書》、《詩》、禮、樂、《春秋》六經也。其書論次六經,故稱六藝。《隋》、《唐志》並以一卷著録,今佚。從諸疏及《北堂書鈔》、《御覽》、《路史》等書輯得二十餘節。多用緯候説,宋儒以是詬議。而叙述經學源流,則非唐以後人,所能望其項背也。"

鄭志三卷補遺一卷

《隋志》:《鄭志》十一卷,魏侍中鄭小同撰。《鄭記》六卷,鄭玄弟子撰。

本書提要云:"案《隋書・經籍志》:《鄭志》,鄭小同撰;《鄭記》,鄭玄弟子撰。《鄭志》皆玄與門人問答之詞。《鄭記》皆其門人互相問答之詞。《志》之與《記》,其别在此。《後漢書・鄭玄本傳》則稱門生相與撰玄答弟子,依《論語》作《鄭志》八篇。范蔚宗去漢未遠,其説當必有徵。《隋志》根據《七録》,亦阮孝緒等所考定,非唐、宋諸志動輒疏舛者比,斷無移甲入乙之事。疑追録之者諸弟子,編次成帙者則小同。《後漢書》原其始,《隋書》要其終。觀八篇分爲十一卷,知非諸弟子之舊本也。此書至《崇文總目》始不著録,則全佚於北宋初。此本三卷,莫考其出自誰氏,知爲好鄭氏之學者,惜其散佚,於諸經《正義》裒輯而成。

然亦博採諸書，有今日所不盡見者，非僅剽剟《正義》，足證爲舊人所輯，非近時所新編也。閒有蒐採未盡者，諸經《正義》及《魏書・禮志》、《南齊書・禮志》、《續漢書・郡國志》注、《藝文類聚》諸書所引尚有三十六條。又《鄭記》一書亦久散佚，今可以考見者，尚有《初學記》、《通典》、《太平御覽》所引三條，併附録之，以存鄭學之梗概。併以見漢代經師專門授受，師弟子反覆研求而後筆之爲傳注，其既詳且慎至於如此。昔朱子與胡紘爭寧宗特禫之禮，反覆辨難，終無據以折之，後讀《禮記・喪服小記》疏所引《鄭志》一條，方得明白證驗。因自書於本議之後，記其始末，向使無鄭康成，則此事終未有斷決語。是朱子議禮未嘗不折服於玄矣。後之臆斷談經，而動輒排斥鄭學者，亦多見其不知量也。"

王氏聖證論一卷

《隋志》：《聖證論》十二卷，王肅撰。

本書提要云："《聖證論》一卷，魏王肅撰，晉馬昭駁，孔晁答，張融評。《魏志・王肅傳》謂肅善賈、馬之學，而不好鄭氏，集《聖證論》以譏短玄。孫叔然受學鄭玄之門人，駁而釋之。《舊唐書・元行沖傳》云：'子雍規玄數十百件，守鄭學者時有中郎馬昭，上書以爲肅謬。詔王學之輩占答以聞，又遣博士張融案經論詰，推處理之是非。'王學之輩，論多參孔晁説，則晁固王學輩之首選也。《隋志》十二卷，今佚。採輯四十餘條，編次爲卷。張融覈定鄭、王之臧否，稱鄭注淵深廣博，兩漢四百餘年，未有偉於玄者。然二郊之際，殊天之祀，此玄誤也。其如皇天祖所自出之帝，亦玄慮之失，可謂此編之定評已。"

五經然否論一卷

《隋志》：《五經然否論》五卷，晉散騎常侍譙周撰。

本書提要云:"《五經然否論》一卷,晋譙周撰。《隋》、《唐志》皆五卷,今佚。《穀梁傳疏》引一節,《通典》引二十餘節,内有明標《五經然否論》者三節,餘止標'蜀譙周'或'譙周',省文也。合輯一帙。周勸蜀主降魏,入晋爲膴仕,其人誠有可議,而經説長於禮服,宜陳壽以'潛識内敏'稱之也。"

五經鉤沈一卷

《隋志》:《五經拘沈》十卷,晋高涼太守楊方撰。

本書提要云:"《五經鉤沈》一卷,晋楊方撰。方字公回,會稽人,官至太守。《晋書》有傳,附《賀循傳》後。傳載在郡積年,著《五經鉤沈》、撰《吴越春秋》并雜文行於世。《隋志》作《五經拘沈》、《唐志》作《鉤沈》,並十卷,今佚。從《初學記》、《太平御覽》所引輯得五節。其説生知玄照稍步道家談,而文筆議論與葛洪《抱朴子》相近。賀彦先《報虞預書》稱之曰'不圖偉才如此。其人甚有奇分,若出其胸臆,乃是一國所推',蓋亦欣賞之至矣。"

五經大義一卷

《隋志》:《五經大義》三卷,戴逵撰。

本書提要云:"《五經大義》一卷,晋戴逵撰。逵字安道,譙國人,性不樂當世,常以琴書自娱,事蹟具《晋書·隱逸傳》。所撰《五經大義》,《隋志》三卷,《唐志》不著録,佚已久。《通典》引其説《喪服》二篇,《北堂書鈔》引《雜義》一條,並據輯録。伸馬難鄭而彌覺其蹟,庾蔚之論之審矣。"

七經義綱一卷

《隋志》:《七經義綱》二十九卷,樊文深撰。

本書提要云:"《七經義綱》一卷,後周樊深撰。深字文深,河東猗氏人。《北史·儒林》有傳,傳稱撰《七經異同》三卷。《隋志》載有《七經義綱》二十九卷,《七經論》三卷。《七經論》

即《七經異同》。本傳云:‘子義綱與書名正同。’或書成而子適生,因以其書命之,抑以子名命書,寓以經遺子之意也。今其書佚,輯録三節,賸馥無多,具徵通贍。”

五經要義一卷

《隋志》:《五經要義》五卷,梁十七卷,雷氏撰。

本書提要云:“《五經要義》一卷,雷氏撰。雷氏,不詳何人。《隋志》五卷。今其書佚,採輯二十餘節。説‘裼襲’、‘彤管’皆詳晰有古致,葢承漢人遺説也。”

小學一 訓詁

方言十三卷

《隋志》:《方言》十三卷,漢揚雄撰,郭璞注。

本書提要云:“《方言》十三卷,舊本題‘漢揚雄撰,晋郭璞注’。考《晋書·郭璞傳》有注《方言》之文,而《漢書·揚雄傳》備列所著之書,不及《方言》一字。《藝文志》亦無《方言》。東漢一百九十年中亦無稱雄作《方言》者。至漢末應劭《風俗通義·序》始稱之。又劭注《漢書》亦引揚雄《方言》一條,是稱雄作《方言》,實自劭始。魏晋以後,諸儒轉相沿述,皆無異詞。惟宋洪邁《容齋隨筆》始考證《漢書》,斷非雄作。惟邁所摘未深中其要領,不足斷是書之僞。後漢許慎《説文解字》多引雄説,而其文皆不見於《方言》。又慎所注字義,與今《方言》相同者,不一而足,而皆不標揚雄《方言》字。知當慎之時,此書尚不名《方言》,亦尚不以《方言》爲雄作,故馬、鄭諸儒,未嘗稱述。至東漢之末,應劭始有是説。魏孫炎注《爾雅》,晋杜預注《左傳》,始遞相徵引。沿及東晋,郭璞遂注其書。後儒稱揚雄《方言》,蓋由於是。然劭序稱《方言》九千字,而今本乃一萬一千九百餘字,則字數較原本幾溢三千。雄與劉歆往返書,皆稱《方言》十五卷,郭璞序亦稱三五之篇。而《隋志》、《唐志》乃並載《方言》十三卷,與今本同,則卷數較原本闕其二。均爲牴牾不合。考歆答雄書稱'語言或交錯相反,方復論思,詳悉集之。如可寬假延期,必不敢有愛'云云。疑雄本有此未成之書,歆借觀而未得,故《七略》不載,《漢志》亦不著録。後或侯芭之流收其殘藁,私相傳述。閲時既久,不免於輾轉附益,如徐鉉之增《説文》,故字多於前。厥後傳其學者以《漢志》無《方言》之名,恐滋疑竇。而《小家》有《别字》十三篇,不著撰人名氏,可以假借影附,證其實出於雄。遂併爲一十三卷,以就其數,故卷減於昔歟。反覆推求,其眞僞皆無顯據。姑從舊本,仍題雄名,亦疑以傳疑之義也。其書世有刊本,題曰《輶軒使者絶代語釋别國方言》,其文冗贅,故諸家援引及史志著録,皆省文,謂之《方言》。《舊唐書·志》則謂之《别國方言》,實即一書。又《容齋隨筆》稱此書爲《輶軒使者絶域語釋别國方言》,以'代'爲'域',其文獨異。然諸本並作'絶代',書中所載亦無'絶域重譯'之語。洪邁所云,葢偶然誤記,今不取其説焉。"

釋名八卷

《隋志》:《釋名》八卷,劉熙撰。

本書提要云:"《釋名》八卷,漢劉熙撰。熙字成國,北海人。其書二十篇。以同聲相諧推論稱名辨物之意,中閒頗傷於穿鑿,然可因以考見古音。又去古未遠,所釋器物,亦可因以推求古人制度之遺。其有資考證,不一而足。别本或題曰《逸雅》,葢明郎奎金取是書與《爾雅》、《小爾雅》、《廣雅》、《埤雅》合刻,名曰'五雅'。以四書皆有'雅'名,遂改題《逸雅》以從類。非其本目,今不從之。又《後漢書·劉珍傳》稱珍撰《釋名》五十篇，以辨萬物之稱號。其書名相同，姓又相同。鄭明選頗以爲疑。然歷代相傳，無引劉珍《釋名》者，則珍書久佚，不得以此書當之也。"

廣雅十卷

《隋志》：《廣雅》三卷，魏博士張揖撰。《廣雅音》四卷，祕書學士曹憲撰。

本書提要云："《廣雅》魏張揖撰，揖字稚讓，清河人，太和中官博士。後魏江式《論書表》云：'魏張揖著《埤蒼》、《廣雅》、《古今字詁》。究諸《埤》、《廣》，增長事類，抑亦於文爲益者也。然其《字詁》，方之許篇，或得或失矣。'是式謂《埤蒼》、《廣雅》勝於《字詁》。今惟《廣雅》存。其書因《爾雅》舊目，博採漢儒箋註及《三蒼》、《説文》諸書以增廣之，於揚雄《方言》亦備載無遺。隋祕書學士曹憲爲之音釋，避煬帝諱，改名《博雅》。故至今二名並稱，實一書也。前有揖《進表》，稱分爲上、中、下。《隋志》作三卷，與《表》所言合。憲所注本，《隋志》作四卷，《唐志》則作十卷，卷數參錯不同。葢揖書本三卷，由後來傳寫，析其篇目，卷數異而書不異。唐元度稱音字改反爲切，實始於唐開成閒。憲雖自隋入唐，至貞觀時尚在。然遠在開成以前，今本乃往往云某字某切，頗爲疑竇。殆傳刻臆改，又非憲本之舊歟？"

小爾雅一卷

《漢志》：《小爾雅》一篇。

《隋志》：《小爾雅》一卷，李軌略解。

本書提要云："《漢書·藝文志》有《小爾雅》一篇，無撰人名氏。《隋》、《唐志》並載李軌注《小爾雅》一卷。其書久佚，今所傳本，則《孔叢子》第十一篇鈔出别行者也。分《廣詁》、《廣言》、《廣訓》、《廣義》、《廣名》、《廣服》、《廣器》、《廣物》、《廣鳥》、《廣獸》十章,而益以度、量、衡爲十三章。頗可以資考據,然亦時有乖迕。漢儒説經,皆不援及。迨杜預注《左傳》,始稍見徵引。明是書漢末晚出,至晋始行,非《漢志》所稱之舊本,相傳已久,姑存其目焉。"

附輯佚本

辨釋名一卷

《隋志》:《辨釋名》一卷,韋昭撰。

本書提要云:"《辨釋名》一卷,吴韋昭撰。昭以漢劉熙《釋名》解有不合者,辨而正之。《隋》、《唐志》皆一卷,今佚。輯録二十五節。其二十三節皆論辨官制,先列《釋名》原文,後加'辨曰'以别之。今《釋名》内無《釋官》篇,當是後人緣昭辨而删之,而熙説亦借此以存其缺佚。内有'師稱先生'及'謚法'二條,無與官制,或以事類附著歟?"

顔氏纂要一卷

《隋志》:《纂要》一卷,戴安道撰,亦云颜延之撰。

本書提要云:"《纂要》一卷,宋颜延之撰。此書雜採訓詁,倣《爾雅》爲之。《隋志》一卷,戴安道撰,亦云延之撰。《唐志》颜延之《纂要》六卷,今佚。裒輯爲帙。"

小學二　文字

急就章四卷

《漢志》:《急就》一篇,元帝時黄門令史游作。

《隋志》:《急就章》一卷,漢黄門令史游撰。

本書提要云:"《急就章》四卷,漢史游撰。《漢志》稱游爲元帝時黄門令,蓋宦官也。《志》但作《急就》一篇,而《叙録》則稱史游作《急就篇》。晋夏侯湛稱'鄉曲之徒,一介之士,曾諷《急就》,通甲子',《北齊書》稱李鉉'九歲入學,書《急就篇》。'或有'篇'字,或無'篇'字,初無一定。《隋志》作《急就章》一卷,《魏書・崔浩傳》亦稱人多託寫《急就章》。是改'篇'爲'章',在魏以後。然考張懷瓘《書斷》云:'章草者,漢黄門令史游所作也。王愔云:漢元帝時史游作《急就章》,解散隸體。漢俗簡惰,漸以行之是也。'然則所謂'章'者,正因游作是書,以所變草法書之。後人以其出於《急就章》,遂名'章草'耳。今本每節之首俱有'章第幾'字,知《急就章》乃其本名,或稱《急就篇》,或但稱《急就》,乃偶然異文也。其書自始至終,無一複字。文詞雅奥,非蒙求諸書所可及。遺文瑣事,亦頗賴以有徵,不僅爲童蒙識字之用。舊有曹壽、崔浩、劉芳、颜之推註,今皆不傳,惟颜師古《註》一卷存。王應麟又補註之,釐爲四卷。考證典核,足補師古之闕。"

說文解字三十卷

《隋志》:《説文》十五卷,許慎撰。

本書提要云:"《説文解字》,漢許慎撰。慎字叔重,汝南人,官至太尉南閤祭酒。是書成於和帝永元十二年。凡十四篇,合目録一篇爲十五篇。分五百四十部,爲文九千三百五十三,重文一千一百六十三,注十三萬三千四百四十字。推究六書之義,分部類從,至爲精密。而訓詁簡質,猝不易通。又音韻改移,古今異讀,諧聲諸字,亦每難明。故傳本往往譌異。宋雍熙三年,詔徐鉉、葛湍、王惟恭、句中正等重加刊定。凡字爲《説文》注義序例所載而諸部不見者,悉爲補録。又有經典相承、時俗要用而《説文》不載者,亦皆增加,别題之曰'新附字'。其本有正體而俗書譌變者,則辨於註中。其違戾六書者,則別列卷末。或注義未備,更爲補釋之。音切則一以孫愐《唐韻》爲定。以篇帙繁重,每卷各分上、下,即今所行本是也。書中古文、籀文,李燾據唐林罕之説,以爲晋幍令吕忱所增。考慎自序云'今序篆文,合以古籀',其語甚明。所記重文之數,亦復相應。又忱書並不用古籀,如罕之所云'吕忱《字林》,多補許慎遺闕者,特廣《説文》未收字耳'。燾以《説文》古籀爲忱所增,誤之甚矣。自魏晋以來。言小學者皆祖慎。至李陽冰始曲相排斥,未協至公。慎書以小篆爲宗,至於隸書、行書、草書,則各爲一體,孳生轉變,時有異同,不悉以小篆相律。故颜元孫《干禄字書》曰:'自改篆行隸,漸失其眞。若總據《説文》,便下筆多礙。當去泰去甚,使輕重合宜。'徐鉉《進説文表》亦曰:'高文大册,則宜以篆籀著之金石。至於常行簡牘,則草隸足矣。'二人皆精通小學,而持論如是。明黄諫作《從古正文》,一切以篆改隸,豈識六書之旨哉?至其所引五經文字,與今本多不相同,或往往自相違異。葢雖一家之學,而文派既別,亦各不相合。好奇者或據之以改經,則謬戾殊甚。能通其意而又能不泥其迹,庶乎爲善讀《説文》矣。"

玉篇三十卷

《隋志》:《玉篇》三十一卷,陳左將軍顧野王撰。

本書提要云:"《玉篇》三十卷,梁大同九年,顧野王撰。唐上元元年,孫強增字。宋大中祥符六年,陳彭年、吴鋭、邱雍等重修。凡五百四十二部。所列字數,彭年等大有增删,已非孫強之舊。卷末所附沙門神珙《五音聲論》及《四聲五音九弄反紐圖》,爲言等韻者所祖。近時休寧戴氏作《聲韻考》,力辯反切始魏孫炎,不始神珙,其説良是。至謂唐以前無字母之説,神珙字母乃剽竊儒書,而託詞出於西域,則殊不然。考

《隋書・經籍志》稱：'婆羅門書以十四音貫一切字，漢明帝時與佛法同入中國。'則遠在孫炎前。又釋藏譯經字母，自晋僧伽婆羅以下，可考者尚十二家，亦遠在神珙前。蓋反切生於雙聲，雙聲生於字母。此同出喉吻之自然，華不異梵，梵不異華者也。中國以雙聲取反切，西域以字母統雙聲，此各得於聰明之自悟，華不襲梵，梵不襲華者也。稽其源流，具有端緒。特神珙以前，自行於彼教。神珙以後，始流入中國之韻書。亦如利瑪竇後，推步測驗參用西法耳，豈可謂歐羅巴書全剽竊洛下、鮮于之舊術哉？戴氏不究其本，徒知神珙在唐開元以後，遂據其末而與之爭，欲以求勝於彼教。不知聲音之學，西域實爲專門。儒之勝於釋者，别自有在，不必爭之於此也。"

附輯佚本

史籀篇一卷

《漢志》：《史籀》十五篇，周宣王太史作。

本書提要云："《史籀篇》一卷，周宣王太史籀撰。籀姓佚，史蓋官號。《漢志》小學十家，首載《史籀》十五篇。云《史籀篇》者，周時史官教學童也。與孔氏壁中古文異體。《隋》、《唐志》皆不著録，佚已久。許慎《説文》每引之，以與古篆相參。又《玉篇》所引籀文，皆本許書，閒有《説文》所遺者，凡十三字。共輯得二百三十二字，録爲一卷。考石鼓文亦史籀作，互相參證，庶幾存《周官》保氏教六書之遺意焉。"

蒼頡篇一卷

《漢志》：《蒼頡》一篇。上七章，秦丞相李斯作。《爰歷》六章，車府令趙高作。《博學》七章，太史令胡毋敬作。

本書提要云:"《漢書·藝文志》云:'《蒼頡》七章,李斯所作。《爰歷》六章,趙高所作。《博學》七章,胡毋敬所作。'文字多取《史籀篇》,面傳體復頗異,所謂秦篆者也。漢興,閭里書師合《蒼頡》、《爰歷》、《博學》三篇,斷六十字以爲一章,凡五十五章,并爲《蒼頡篇》。又云'揚雄取其有用者以作《訓纂》,順續《蒼頡》,又易《蒼頡》中重復之字,凡八十九章。臣復續揚雄作十三章,凡一百二章,無復字。'韋昭曰:臣班固自謂也。今佚。諸書多引《蒼頡篇》。吾邱衍謂《蒼頡》十五篇,即是《説文》目録五百四十字。許氏分爲每部之首,並據編録。即以諸書所引字,屬各部首字下,以便省覽。小學書自《史籀篇》外,此最近古,且爲許氏《説文》所取,藉溯字源,當不迷於嚮往也。"

凡將篇一卷

《漢志》:《凡將》一篇,司馬相如作。

本書提要云:"《凡將篇》,漢司馬相如撰。相如字長卿,蜀郡人,事蹟具《漢書》本傳。是書本《蒼頡》、《爰歷》、《博學》而作。顔師古《急就篇·序》云:'司馬相如作《凡將篇》。俾效書寫,多所載述,務通時要,史游景慕擬之。'然則《凡將》體例與《急就》同,必首有'凡將'二字,如《急就》首句,因以名篇也。《漢志》一篇,《隋志》以爲亡,《唐志》復以一卷著録,今佚。王應麟云:'《凡將》見《文選注》、《藝文類聚》。'考陸羽《茶經》、段公路《北户録》皆引之。許氏《説文》每引其説,兹據輯録,詳載《説文》及《集韻》於各字下,以備參攷,且代訓釋焉。"

訓纂篇一卷

《漢志》:《訓纂》一篇,揚雄作。

本書提要云:"《訓纂篇》一卷,漢揚雄撰。是書亦因《蒼頡篇》而作。《漢志》一篇,今佚。王應麟謂《訓纂》見《史記正義》唯

‘户扈鄠’三字，葢視《凡將》尤爲僅見。考唐釋玄應《一切經音義》亦引‘鮀蛇魚’句。許慎《説文》引揚雄説十二條，亦《訓纂》逸文也。據慎序論雄作《訓纂》云，凡《蒼頡》以下十四篇，凡五千三百四十字，羣書所載，略存之矣。然則《説文》中明提雄説者，特存異解。然如‘拜從兩手下，曡訓三日宜’，皆深得制字本意云。”

蒼頡訓詁一卷

《漢志》：杜林《蒼頡訓纂》一篇，杜林《蒼頡故》一篇。

本書提要云：“《蒼頡訓詁》一卷，後漢杜林撰。林字伯山，扶風茂陵人。父鄴，成、哀閒爲涼州刺史。林從張竦受學，博學多聞，事蹟具《後漢書》本傳。《漢志》載其《蒼頡訓纂》一篇，《蒼頡故》一篇。《隋志》云：梁有二卷，亡。《唐志》復有《蒼頡訓詁》二卷，當是合《訓纂》與《故》爲一書，今佚。許氏《説文》引杜林説，他書亦有引《蒼頡訓詁》者，合輯爲帙。《漢書·鄴傳》稱其正文字過於鄴、竦，葢亦心折之至矣。玆編題用《唐志》者，以訓即訓纂，詁即故也。”

三蒼一卷

《隋志》：《三蒼》三卷，郭璞注。秦相李斯作《蒼頡篇》，漢揚雄作《訓纂篇》，後漢郎中賈魴作《滂喜篇》，故曰《三蒼》。

本書提要云：“案《隋志》以《蒼頡篇》、《訓纂篇》、《滂喜篇》爲《三蒼》，《後漢書注》引或作‘五蒼’。以《爰歷》、《博學》併合於《蒼頡篇》，統而數之，故云‘五蒼’也。《隋志》有郭璞《解詁》，《唐志》有張揖《解詁》，並三卷，今佚。據諸書渾引《三蒼》而不能區分者，別輯爲卷。注亦不能區分，故總題張揖、郭璞於前。張、郭小學之書皆爲專門，許叔重《説文》之後，二家其最著也。”

古文官書一卷

《隋志》:《古文官書》一卷,後漢議郎衛敬仲撰。

本書提要云:"《古文官書》一卷,後漢衛宏撰。此書辨定古文,以爲官式。《隋志》一卷。今佚。許氏《説文》引三節,《集韻》引一節,《書正義》、《史記正義》、《漢書注》、《太平御覽》引其序,互有同異。唐釋玄應《一切經音義》引三節,而引《古文》者二百餘節,與所引《古文官書》體例不異,知皆引自一書,省字稱'古文'也。並據合録。每字下反音甚詳,則東漢初已有切字,鄭氏經音所本,世謂始於孫炎,非篤論也。"

雜字指一卷

《隋志》:《雜字指》一卷,後漢太子中庶子郭顯卿撰。

本書提要云:"《雜字指》一卷,後漢郭顯卿撰。《唐志》題'郭訓',知本名訓,而以字行也。《隋志》《雜字指》以一卷著目,今佚。郭忠恕《汗簡》引二十九條,《廣韻》引一條,並據輯録。郭生東漢,未知在許叔重先後,要其研究六書,亦《蒼頡》之功臣也。"

通俗文一卷

《隋志》:《通俗文》一卷,服虔撰。

本書提要云:"《通俗文》一卷,服虔撰。按顔之推《家訓》云:'《通俗文》世間題云河南服虔字子慎造。虔既是漢人,其書乃引蘇林、張揖。蘇、張皆是魏人。'阮孝緒又云:'李虔所造,其文義允愜,實是高才。殷仲堪常用字訓,亦引俗説。未知即是《通俗文》乎?不能明也。'之推,北齊人,其時古籍尚多,已不能定爲誰氏所作。《隋志》:《通俗文》一卷,題服虔撰。《唐書志》無服書,有李虔《續通俗文》二卷。《初學記》亦引李虔《通俗》。則阮氏所言信有徵矣。然唐人書多引作'服虔',當是子慎作此書一卷,李虔續之爲二卷。蘇林、張揖皆出李氏所引,不足爲異。考《晋書·孝友傳》,李密一名虔,字令伯,則李虔即李密。服爲漢之名儒,李爲晋之高士,書經兩賢而成,宜颜黄門贊其允愜也。今原書散佚,掇拾成帙,仍依《隋志》題服虔。"

埤蒼一卷

《隋志》:《埤蒼》三卷,張揖撰。

本書提要云:"《埤蒼》一卷,魏張揖撰。江式云:'張揖著《埤蒼》。綴拾遺漏,增長事類,抑亦於文爲益者。'《隋》、《唐志》並三卷,今佚。從諸書所引,蒐採成帙。不能考原書體例,隱依許氏《説文》部居編次焉。"

古今字詁一卷

《隋志》:《古今字詁》三卷,張揖撰。

本書提要云:"《古今字詁》一卷,魏張揖撰。揖既作《廣雅》以綴《爾雅》之遺,作《埤蒼》以補《三蒼》之闕,復以古今字體不同,因取而詁之。《隋志》三卷。今佚,輯録爲卷。後魏江式謂其字詁方之許篇,古今體用,或得或失。似其全書有與許氏《説文》相戾者。要其勤於小學,叔重後當首屈一指也。"

雜字解詁一卷

《隋志》:《雜字解詁》四卷,魏掖庭右丞周氏撰。

本書提要云:"《雜字解詁》四卷,魏周成撰。《隋志》載《雜字解詁》四卷,魏掖庭右丞周氏撰。梁有《解文字》七卷,周成撰。爵繫周氏,而略於周成,似有闕疑之意。然《藝文類聚》、《太平御覽》諸書並題周成《雜字解詁》,或作《周成雜字》,則周氏即周成明矣。此編今佚,輯二十餘條。唐釋玄應《一切經音義》引作《周成難字》。'難'字或'雜'字之誤歟。抑或篇中有'難'字之目歟。今仍依《隋志》標題,凡引作'難'字者,詳註於下,以俟參稽云。"

字指一卷

《隋志》:《字指》二卷,晋朝議大夫李彤撰。

本書提要云:"《字指》一卷,晋李彤撰。《隋志》載二卷,《唐志》不著録,佚已久。《文選注》引《字指》四條,又引《李彤字説》及《字説》者數條。《汗簡》引三條,或作《李彤集字》,或作《李彤字略》。他書引有止稱'李彤'者,並此書之佚文。引者意爲標題,故不同也,合輯一帙,依《隋志》統題'字指'。"

字林考逸八卷

《隋志》:《字林》七卷,晋弦令吕忱撰。

《字林》,晋吕忱撰,任大椿考逸。本書自序云:《唐六典》載《書》學博士以《石經》、《説文》、《字林》教士。《字林》之學,至唐極盛,故張懷瓘以爲《説文》之亞。今字書傳世者,莫古於《説文》、《玉篇》,而《字林》實承《説文》之緒,開《玉篇》之先。《字林》不傳,則自許氏以後、顧氏以前,六書相傳之脈,中闕弗續。余於《字林》參覈典墳兼及二藏意義,鉤沈起滯,積累歲年,遂成八卷。昔人謂《字林》補《説文》之闕,實亦多襲《説文》,乃其補闕,又非一端。有《説文》本無而增之者,《説文》本有而文各異體者。至《説文》載古文、籀文,李燾疑爲吕氏增益,後人因而附入。豈知叔重原書,本合古籀,不待增益。封演謂吕氏更按羣典搜求奥字,撰爲《字林》。然則忱所補者,書非一體,後人未必專取古籀,收系許氏,此其説未精究者也。余爲是編蒐羅散佚,忱書體例,具見於兹矣。

文字集略一卷

《隋志》:《文字集略》六卷,梁文貞處士阮孝緒撰。

本書提要云:"《文字集略》一卷,梁阮孝緒撰。孝緒字士宗,陳留尉氏人,隱居不仕,門人謚文貞處士。事蹟具《梁書·處士傳》及《南史·隱逸傳》。所著《文字集略》,《隋志》六卷,今佚。輯録四十餘條，引者或省文作《字略》。釋玄應謂其書甚淺俗，並無所據。蓋所集字有出《蒼雅》之外者，故用貶詞。猶昌黎推尊石鼓，遂以羲之爲俗書也。”

字統一卷

《隋志》：《字統》二十一卷，楊承慶撰。

本書提要云：“《字統》一卷，楊承慶撰。承慶，不詳何人。《隋志》叙次在宋吴恭《字林音義》、陳顧野王《玉篇》之間。顧氏《玉篇》亦引之，當是齊梁時人。《唐志》視隋少一卷，今佚。輯得三十七節。不知原書體例，姑依《説文》部居編次。其詮解字義，新而不詭於理。王荊公《字説》藍本於此，然不及其確當也。”

小學三　音韻

韻經五卷　按舊以此爲沈約《四聲》舊本。《韻經》之名，殆由後人增修而改題。

《隋志》：《四聲》一卷，梁太子少傅沈約撰。

本書提要云：“《韻經》五卷，舊本題梁沈約撰，明郭正域校。前有正域《自序》。其凡例稱家藏有《四聲韻》及約故本。案《梁書》、《南史·沈約傳》並載約撰《四聲譜》。《隋志》載其書一卷，而《唐志》已不著録。觀陸法言《切韻序》，歷述吕静、夏侯該、陽休之、周思言、李季節、杜臺卿六家之韻，獨不及約書，是隋開皇時其書已不顯。唐李涪作《刊誤》，但詬陸《韻》而不及沈書，則僖宗時已佚矣。正域何由於數百年後得其故本？其爲贋託，殆不足辨。王宏乃指爲沈約眞本，不亦慎乎。朱彝尊《重刊廣韻》曰：‘近有嶺外妄男子，僞撰沈約之書，信而不疑者有焉。’考王士禎《居易録》，記廣東香山縣監生楊錫震自言得沈約《四聲譜》古本於盧山僧。彝尊所指，當即其人。今錫震之書,未知何如,疑即正域此本也。"

附輯佚本

聲類一卷

《隋志》:《聲類》十卷,魏左校令李登撰。

本書提要云:"《聲類》一卷,魏李登撰。登字里未詳,官左校令。其書發明聲韻,記合宫商,吕静《韻集》本之。《隋》、《唐志》並十卷,今佚。輯録二百餘條,隱依今韻排次。案音韻之學,萌芽漢代。鄭康成注六經,始有譬况、假借,以證音字。至魏孫炎爲鄭學之徒,注《爾雅》用反切,音益加詳而未有專書。登與炎同時,作爲此編,其韻書之權輿乎。"

韻集一卷

《隋志》:《韻集》六卷,晋安復令吕静撰。

本書提要云:"《韻集》一卷,晋吕静撰。静任城人,吕忱之弟,官安復令。江式《上古今文表》云:晋世吕忱表上《字林》,忱弟静别仿李登《聲類》之法作《韻集》五卷,使宫、商、龣、徵、羽各爲一篇,而文字與兄便是魯衛。《隋志》六卷,與江《表》言五卷者異,或併序目數之歟?今佚。輯得七十餘條,録爲一帙。案四聲分韻,始於沈約。吕在沈前,其韻以宫、商、龣、徵、羽,已萌四聲之漸,然其詳莫究。今隱依今韻編次,便省覽也。"

韻略一卷

《隋志》:《韻略》一卷,陽休之撰。

本書提要云:"《韻略》一卷,北齊陽休之撰。休之字子烈,北平無終人,好學,愛文藻,時人爲之語曰:能賦能詩陽休之。《北齊書》、《北史》皆有傳。所撰《韻略》,《隋》、《唐志》皆一卷,今佚。從《廣韻》、《文選注》、《一切經音義》輯録。"

史部

正史

史記一百三十卷

《漢志》：太史公百三十篇。十篇有録無書。

《隋志》：《史記》一百三十卷，《目録》一卷。漢中書令司馬遷撰。

本書提要云："《史記》一百三十卷，漢司馬遷撰，褚少孫補。遷事蹟具《漢書》本傳。少孫，據張守節《正義》引張晏之説，以爲潁川人，元、成閒博士。又引褚顗《家傳》，以爲梁相褚大弟之孫，宣帝時爲博士，寓居沛，事大儒王式，故號'先生'。二説不同。然宣帝末距成帝初不過十七八年，其相去亦未遠也。案遷《自序》凡十二本紀、十表、八書、三十世家、七十列傳，共爲百三十篇。《漢書》本傳稱其十篇闕，有録無書。張晏注以爲遷歿之後，亡《景帝紀》、《武帝紀》、《禮書》、《樂書》、《兵書》、《漢興以來將相年表》、《日者列傳》、《三王世家》、《龜策列傳》、《傅靳列傳》。劉知幾《史通》則以爲十篇未成，有録而已，駁張晏之説爲非。今考《日者》、《龜策》二傳，並有'太史公曰'，又有'褚先生曰'，是爲補綴殘藁之明證，當以知幾爲是也。然《漢志》載《史記》百三十篇，不云有闕，蓋是時官本已以少孫所續，合爲一編。觀其《日者》、《龜策》二傳並有'臣爲郎時'云云，是必嘗經奏進，故有是稱。其'褚先生曰'字，殆後人追題，以爲別識歟？周密摘《司馬相如傳》贊中有揚雄語，又摘《公孫弘傳》中有平帝元始中詔。焦竑摘《賈誼傳》中有'賈嘉至孝昭時列爲九卿'語,皆非遷所及見。王懋竑亦謂《史記》止紀年而無歲名,今《十二諸侯年表》上列一行載庚申、甲子等字,乃後人所增。則非惟有所散佚,且兼有所竄易。年祀緜邈,今亦不得而考矣。然字句竄亂或不能無,至其全書則仍遷原本。焦竑據《張湯傳》贊如淳注,以爲續之者有馮商、孟柳。又據《後漢書·楊經傳》,以爲嘗删遷書爲十餘萬言,指今《史記》非本書,則非其實也。注其書者,今惟裴駰、司馬貞、張守節三家尚存。其初各爲部帙,北宋始合爲一編。明代國子監刊版,頗有刊除點竄,殊失舊觀。然彙合羣説,檢尋較易焉。"

史記集解一百三十卷

《隋志》:《史記》八十卷,宋南中郎外兵參軍裴駰注。

本書提要云:"《史記集解》一百三十卷,宋裴駰撰。駰字龍駒,河東聞喜人,官至南中郎參軍。其事蹟附見於《宋書·裴松之傳》。駰以徐廣《史記音義》粗有發明,殊恨省略,乃採九經諸史並《漢書音義》及衆書之目,别撰此書。其所引證多先儒舊説,張守節《正義》嘗備述所引書目次。然如《國語》多引虞翻注,《孟子》多引劉熙注,《韓詩》多引薛君注,而守節未著於目,知當日援據浩博,守節不能徧數也。原本八十卷,《隋》、《唐志》著録並同。毛氏汲古閣所刊,析爲一百三十卷,原第遂不可考,然注文猶仍舊本。"

漢書一百二十卷

《隋志》:《漢書》一百一十五卷,漢護軍班固撰。

本書提要云:"《漢書》一百二十卷,漢班固撰,其妹班昭續成之。案,固自永平受詔修《漢書》,至建初中乃成。又《班昭傳》云:'八表并《天文志》未竟而卒,和帝詔昭就東觀藏書踵成之。'是此書次第續成,事隔兩朝,撰非一手也。固自言,紀、表、志、傳凡百篇，紀十二、表八、志十、列傳七十。《隋志》作一百十五卷，今本作一百二十卷，皆以卷帙太重，故析爲子卷。其述《外戚傳》第六十七、《元后傳》第六十八、《王莽傳》第六十九，明以王莽之勢成於元后，史家微意寓焉。固作是書，有受金之謗。劉知幾《史通》尚述之。然《文心雕龍・史傳》篇曰：‘徵賄鬻筆之愆，公理辨之究矣。’是無其事也。又有竊據父書之謗。然《韋賢》、《翟方進》、《元后》三傳俱稱‘司徒掾班彪曰’。颜師古《注》發例，於《韋賢傳》曰：‘《漢書》諸贊皆固所爲，其有叔皮先論述者，固亦顯以示後人。而或者謂固竊盜父名，觀此可以免矣。’是亦無其事也。”

後漢書一百二十卷

《隋志》：《後漢書》九十七卷，宋太子詹事范曄撰。《後漢書讚論》四卷，范曄撰。

本書提要云：“《後漢書》本紀十卷，列傳八十卷，宋范蔚宗撰，唐章懷太子賢注。考《隋志》載范書九十七卷，互有不同，然此書歷代相傳，無所亡佚。《舊唐志》載懷章太子注《後漢書》一百卷。今本九十卷，中分子卷者凡十。是章懷作注之時，始併爲九十卷，以就成數。《唐志》析其子卷數之，故云一百也。又《隋》、《唐志》均别有蔚宗《後漢書論贊》，《宋志》始不著録。疑唐以前《論贊》與本書别行，亦宋人散入書内。然《史通・論賛》篇曰：‘司馬遷自序傳後歷寫諸篇，各叙其意。既而班固變爲詩體，號之曰述。蔚宗改彼述名，呼之以贊。固之總述，合在一篇，使其條貫有序。蔚宗後書，乃各附本事，書於卷末，篇目相離，斷絶失序。夫每卷立論，其煩已多，而嗣論以贊，爲黷彌甚。亦猶文士製碑，序終而續以銘曰；釋氏演法，義盡而宣以偈言’云云。則唐代范書《論贊》，已綴卷末矣。史志别出一目，所未詳也。范撰是書，以志屬謝瞻。

范敗後,瞻悉蠟以覆車,遂無傳本。今本八志凡三十卷,别題梁剡令劉昭注。據陳振孫《書録解題》,乃宋乾興初判國子監孫奭建議校勘,以昭所注司馬彪《續漢書志》與范書合爲一編。案《隋志》載司馬彪《續漢書》八十三卷,《唐書》亦同。《宋志》惟載劉昭《補注後漢志》三十卷,而彪書不著録。是至宋僅存其志,故移以補《後漢書》之闕。其不曰'續漢志'而曰《後漢志》,是已併入范書之稱矣。自八志合併之後,諸書徵引,但題《後漢書》某志,儒者或不知爲司馬彪書。何焯《義門讀書記》曰:'八志,司馬紹統之作。紹統,彪字。本漢末諸儒所傳,而述於晋初。劉昭注補,别有總叙。諸本或失載劉叙。'今於此三十卷並題司馬彪名,庶以袪流俗之譌焉。"

三國志六十五卷

《隋志》:《三國志》六十五卷,《叙録》一卷,晋太子中庶子陳壽撰。宋太中大夫裴松之注。

本書提要云:"《三國志》六十五卷,晋陳壽撰,宋裴松之注。凡《魏志》三十卷、《蜀志》十五卷、《吴志》二十卷。其書以魏爲正統,至習鑿齒作《漢晋春秋》,始立異議。自朱子以來,無不是鑿齒而非壽。然以理而論,壽之謬萬萬無辭。以勢而論,則鑿齒帝漢順而易,壽欲帝漢逆而難。葢鑿齒時晋已南渡,其事有類乎蜀,爲偏安者爭正統,此孚於當代之論者也。壽則身爲晋武之臣,而晋武承魏之統,僞魏是僞晋矣,其能行於當代哉?此猶宋太祖篡立近於魏,而北漢、南唐跡近於蜀,故北宋諸儒皆有所避而不僞魏。高宗以後,偏安江左,近於蜀,而中原魏地全入於金,故南宋諸儒乃紛紛起而帝蜀。此皆當論其世,未可以一格繩也。惟其誤沿《史記》《周》、《秦本紀》之例,不託始於魏文,而託始曹操,實不及《魏書·叙記》之得體,是則誠可已不已耳。宋元嘉中,裴松之受詔爲注,所注雜引諸書,亦時下己意。綜其大致,約有六端:一曰引諸家之論以辨是非,一曰參諸書之説以核譌異,一曰傳所有之事詳其委曲,一曰傳所無之事補其闕佚,一曰傳所有之人詳其生平,一曰傳所無之人附以同類。其中往往嗜奇愛博,頗傷蕪雜。鑿空語怪,凡十餘處,悉與本事無關,而深於史法有礙,殊爲瑕累。又其初意似亦欲如應劭之注《漢書》,考究訓詁,引證故實。故於文字亦閒有所辨證。葢欲爲之而未竟,又惜所已成,不欲删棄,故或詳或略,或有或無,亦頗爲例不純。然網羅繁富,凡六朝舊籍今所不傳者,尚一一見其厓略。又多首尾完具,不似酈道元《水經注》、李善《文選注》皆翦裁割裂之文。故考證之家取材不竭,轉相引據者,反多於陳壽本書焉。"

宋書一百卷

《隋志》:《宋書》一百卷,梁尚書僕射沈約撰。

本書提要云:"《宋書》一百卷,梁沈約撰。約表上其書,謂紀、傳,合志、表七十卷。今此書有紀、志、傳而無表。劉知幾《史通》謂此書爲紀十、志三十、列傳六十,合百卷,不言其有表。《隋書·經籍志》亦作《宋書》一百卷,與今本卷數符合。或唐以前其表早佚,今本卷帙出於後人所編次歟?志序稱凡損益前史諸志爲八門,曰《律歷》、曰《禮》、曰《樂》、曰《天文》、曰《五行》、曰《符瑞》、曰《州郡》、曰《百官》。八志之中,惟《符瑞》實爲疣贅。《州郡》於僑置刱立,併省分析,多不詳其年月,亦爲疏略。至於《禮志》,合郊祀、祭祀、朝會、輿服總爲一門,以省支節。《樂志》詳述八音衆器及鼓吹鐃歌諸樂章,以存義訓。有聲而詞不可解者,每一句爲一斷,以存其節奏,義例尤善。若其追述前代,晁公武雖以失於限斷爲譏,然班固《漢書》增載《地理》,上叙九州;創設《五行》,演明洪範。推原溯本,事有前規。且魏、晋並皆短祚,宋承其後,歷時未久,多所因仍。約詳其沿革之由,未爲大失,亦未可遽用糾彈也。當時修史,約謂桓玄、盧循等身爲晋賊,非關後代;吴隱、謝混等義止前朝,不宜濫入;劉毅、何無忌等志在興復,情非造宋。並爲刊除,歸之晋籍。其申明史例,又何嘗不謹嚴乎?其書至宋初已闕一卷,後人雜取《高氏小史》及《南史》以補之,取盈卷帙。《張劭傳》後附見其兄子暢,直用《南史》之文,而不知此書已有《張暢傳》,忘其重出,則補綴者之疏矣。"

南齊書五十九卷

《隋志》:《齊書》六十卷。梁吏部尚書蕭子顯撰。

本書提要云:"《南齊書》五十九卷,梁蕭子顯撰。章俊卿引《館閣書目》云:'《南齊書》本六十卷,今存五十九卷,亡其一。'劉知幾《史通》、曾鞏《叙録》則皆云八紀、十一志、四十列傳,不言其有闕佚。然《梁書》及《南史》子顯本傳、實俱作六十卷,則《館閣書目》不爲無據。考《南史》載子顯《自序》,似是據其叙傳之詞。又晁公武《讀書志》載其《進書表》,疑原書六十卷爲子顯叙傳,末附以表,與李延壽《北史》例同。至唐已佚其叙傳,而其表至宋猶存。今又併其表佚之,故較本傳闕一卷也。又《史通·序例》篇謂'子顯雖文傷蹇躓,而義甚優長,爲序例之美者'。今考此書,《良政》、《高逸》、《孝義》、《倖臣》諸傳皆有叙,而《文學傳》獨無叙,殆亦宋以後所殘闕歟?齊高好用圖讖,梁武宗尚釋氏,故子顯附會緯書,推闡禪理。葢牽於時尚,未能釐正。又如《高帝紀》連綴瑣事,殊乖紀體。至列傳尤爲冗雜。然如紀建元創業諸事,直書無隱,尚不失是非之公。《高十二王傳》引陳思之《表》、曹冏之《論》,感懷宗國,有史家言外之意焉,未嘗無可節取也。"

姚察梁書　未成,其舊藁即在今《梁書》中。

《隋志》:《梁書帝紀》七卷,姚察撰。

《梁書》提要云:"《梁書》五十六卷,唐姚思廉奉敕撰。考劉知幾《史通》,謂'姚察有志撰勒,施功未周。其子思廉憑其舊藁,加以新録。'推父意以成書。每卷之後題"陳吏部尚書姚察"者二十五篇,題"史官陳吏部尚書姚察"者一篇,蓋仿《漢書》卷後題班彪之例。其專稱史官者,殆思廉所續纂歟?"

魏書一百十四卷

《隋志》:《後魏書》一百三十卷,後齊僕射魏收撰。

本書提要云:"《魏書》一百十四卷,北齊魏收奉敕撰。收表上其書,凡十二紀、九十二列傳,分爲一百三十卷。今所行本爲宋劉恕、范祖禹等所校定。恕等《序録》謂隋魏澹更撰《後魏書》九十二卷,唐又有張太素《後魏書》一百卷。今皆不傳。魏史惟以魏收書爲主,校其亡逸不完者二十九篇,各疏於逐篇之末。陳振孫《書録解題》引《中興書目》,謂收書闕《太宗紀》,以魏澹書補之。志闕《天象》二卷,以張太素書補之。今考此書卷十二《孝靜帝紀》亡,卷十三《皇后傳》亡,後人所補。當亦取澹書以足成之。蓋澹書至宋初尚僅存,故爲補綴者所取資。至澹書亦闕,始取《北史》以補之。故《崇文總目》謂魏澹《魏史》、李延壽《北史》與收史相亂,卷第殊舛,是宋初已不能辨定矣。收以是書爲世所詬厲,號爲'穢史'。蓋收恃才輕薄,其德望本不足以服衆。又魏、齊世近,著名史籍者並有子孫,孰不欲顯榮其祖父?既不能一一如志,遂譁然羣起而攻。平心而論,人非南董,豈信其一字無私?但互考諸書,證其所著,亦未甚遠於是非。'穢史'之説,無乃已甚之詞乎?李延壽修《北史》,多見館中墜簡,參核異同,每以收書爲據。其爲《收傳論》云:'勒成魏籍,婉而有章,繁而不蕪,志存實録。'其必有所見矣。今魏澹等之書俱佚,而收書終列於正史,殆亦恩怨併盡而後是非乃明歟？收叙事詳贍,而條例未密,多爲魏澹所駁正。《北史》不取澹書,而《澹傳》存其叙例,絶不爲掩其所短,則公論也。”

編年

竹書紀年二卷

《隋志》:《紀年》十二卷。

本書提要云:“案《晋書·束晳傳》:晋太康二年,汲縣人發魏襄王冢,得古書七十五篇。中有《竹書紀年》十三篇。今世所行題沈約注。顧炎武考證之學最爲精核,所作《日知録》中,往往引以爲據。然反覆推勘,似非汲冢原書。豈亦明人鈔合諸書以爲之,如《十六國春秋》類歟？觀其以《春秋》合夏正,斷斷爲胡傳盛行以後書也。注惟五帝三王最詳,他皆寥寥。而五帝三王皆全鈔《宋書·符瑞志》語。約不應既著於史,又不易一字移而爲此本之注。然則此注亦依託耳。自明以來,流傳已久,姑録之以備一説其僞則終不可掩也。”

漢紀三十卷

《隋志》:《漢紀》三十卷,魏祕書監荀悦撰。

本書提要云:“《漢紀》三十卷,漢荀悦撰。悦字仲豫,潁陰人,獻帝時官秘書監侍中。《後漢書》附見其祖《荀淑傳》,稱獻帝好典籍,以班固《漢書》文繁難省,乃令悦依《左氏傳》體爲《漢紀》三十篇。詞約事詳,論辨多美。張璠《漢紀》亦稱其‘因事以明臧否,致有典要,大行於世’。劉知幾《史通·六家篇》以悦書爲《左傳》家之首。其《二體篇》又稱其‘歷代寶之,有逾本傳。班、荀二體,角力爭先’。其推之甚至。故唐人試士,以悦《紀》與《史》、《漢》爲一科。宋李燾《跋》曰：'悦爲此《紀》，固不出班書，亦時有所删潤。'王銍作《兩漢紀後序》，亦稱'荀、袁二紀，於朝廷紀綱、禮樂刑政、治亂成敗、忠邪是非之際，指陳論著，每致意焉。反覆辨達，明白條暢，啓告當代，而垂訓無窮'。是宋人亦甚重其書也。其中資考證者亦不一。近時顧炎武乃病其叙事索然無意味，間或首尾不備，其小有不同，皆以班書爲長，未免抑揚過當。又曰：'紀王莽事而盡没其天鳳、地皇之號。'似反病其疏略者。不知班書莽自爲傳，自可載其僞號。荀書以漢系編年，豈可以莽紀元哉？是亦非確論，不足爲悦病也。"

後漢紀三十卷

《隋志》：《後漢紀》三十卷，袁彦伯撰。

本書提要云："《後漢紀》三十卷，晋袁宏撰。宏字彦伯，陽夏人，太元初官至東陽太守，事蹟具《晋書・文苑傳》。是書前有宏《自序》，稱'嘗讀《後漢書》，煩穢雜亂，聊以暇日，撰集爲《後漢紀》。其所綴會《漢紀》、謝承書、司馬彪書、華嶠書、謝沈書、《漢山陽公記》、《漢靈獻起居注》、《漢名臣奏》，旁及諸部《耆舊先賢傳》，凡數百卷。前史闕略，多不次序。錯綴同異，誰使正之。經營八年，疲而不能定，頗有傳者。始見張璠所撰書，其言漢末之事差詳，故復探而益之'云云。蓋大致以《漢紀》爲準也。案《隋志》載璠書三十卷，今已散佚。惟《三國志注》及《後漢書注》間引數條。今取與此書互勘，璠《記》所有，此書往往不載，其載者亦多所點竄，互有詳略。而核其文義，皆此書爲長。其體例雖仿荀悦書，而悦書因班固舊文，翦裁聯絡。此書則抉擇去取，自出鑒裁，抑又難於悦矣。劉知幾《史通・正史》篇稱：'世言漢中興，作史者惟袁、范二家，以配蔚宗。'要非溢美也。"

别史

逸周書十卷

《漢志》:《周書》七十一篇。《周史》記劉向云:"周時誥誓號令。蓋孔子所論百篇之餘也。"

《隋志》:《周書》十卷。汲冢書,似仲尼刪書之餘。

本書提要云:"《逸周書》舊本題曰《汲冢周書》。考《隋·經籍志》、《唐·藝文志》,俱稱此書以晋太康二年得於魏安釐王冢中,則汲冢之説其來已久。然《晋書·武帝紀》及《荀勖》、《束皙傳》,載汲郡人所得竹書七十五篇,具有篇名,無所謂《周書》。杜預《春秋解·後序》載汲冢諸書,亦不列《周書》之目。是《周書》不出汲冢也。攷《漢書·藝文志》,先有《周書》。司馬遷紀武王克商事,亦與此書相應。許慎作《説文》,引《周書》。馬融注《論語》,引《周書》。鄭玄注《周禮》、《儀禮》引《周書》。皆在汲冢前,知爲漢代相傳之舊。郭璞注《爾雅》,稱《逸周書》。李善注《文選》所引,亦稱《逸周書》。知晋至唐初舊本尚不題'汲冢'。其相沿稱汲冢者,殆以梁任昉得竹簡漆書,不能辨識,以示劉顯,顯識爲孔子刪書之餘,遂誤合汲冢、竹簡爲一事,而修《隋志》者誤採之耶?舊本載丁黼跋,反覆考證,確以爲不出汲冢。斯定論矣。其書載有太子晋事,則當成於靈王以後。所云文王受命稱王,武王、周公私計東伐,俘馘殷遺,暴殄原獸,輦括寶玉,動至億萬,三發下車,懸紂首太白,又用之南郊,皆古人必無之事。陳振孫以爲戰國後人所爲,似非無見。然《左傳》引《周志》,又稱'周作九刑'。其文皆在今《書》中,則春秋時已有之。特戰國以後又輾轉附益,故其言駁雜耳。究其本始,終爲三代之遺文,不可廢也。

近代所行之本，皆闕《程寤》、《秦陰》、《九政》、《九開》、《劉法》、《文開》、《保開》、《八繁》、《箕子》、《耆德》、《月令》十一篇。餘亦文多佚脱。觀李燾所跋，已有脱爛難讀之語，則宋本已然矣。”

附輯佚本

世本一卷　孫馮翼輯。

《漢志》：《世本》十五篇。古史官記黄帝以來訖春秋時諸侯大夫。

《隋志》：《世本王侯大夫譜》二卷。　《世本》二卷，劉向撰。

校輯世本二卷　雷學淇輯。

世本輯補十卷　秦嘉謨輯。

東觀漢記二十四卷

《隋志》：《東觀漢記》一百四十三卷。起光武，記注至靈帝。長水校尉劉珍等撰。

本書提要云：“《東觀漢記》，《隋志》稱長水校尉劉珍等撰。今考之范書，珍未嘗爲長水校尉。且此書剏始在明帝時，不可題珍等居首。案范書《班固傳》云：‘明帝始詔班固與陳宗、尹敏、孟異共成《世祖本紀》。固又撰功臣、平林、新市、公孫述事，作列傳、載記二十八篇。’此《漢記》之初創也。劉知幾《史通》云：‘安帝詔史官謁者僕射劉珍、諫議大夫李尤雜作紀、表、諸傳，起建武，訖永初。’范書《珍傳》，亦稱鄧太后詔珍與劉騊駼作《建武以來名臣傳》。此《漢記》之初續也。《史通》又云：‘珍、尤繼卒，復命伏無忌與黄景作《諸王子功臣恩澤侯表》與《單于西羌傳》、《地理志》。元嘉元年，復令邊韶、崔寔、朱穆、曹壽雜作孝穆崇二皇及順烈皇后傳。增《外戚》、《儒林傳》。寔、壽又與延篤雜作《百官表》、順帝功臣孫程等傳，凡百十有四篇，號曰《漢記》。'此《漢記》之再續也。蓋至是而史體粗備，乃肇有《漢記》之名。《史通》又云：'熹平中，馬日磾、蔡邕、楊彪、盧植著作東觀，接續紀傳之可成者。而邕别有《朝會》、《車服》二志。後坐事徙朔方，上書求還，續成十志。董卓作亂，舊文散逸。及在許都，楊彪頗存註紀。'此《漢記》之三續也。其稱'東觀'者，洛陽南宫有東觀。章和以後，圖籍盛於東觀，修史者皆在是焉，故以名書。《隋志》稱書凡一百四十三卷，而《新》、《舊唐書志》則云一百二十六卷，又録一卷。蓋唐時已有闕佚。《隋志》又稱是書起光武，訖靈帝。今考列傳之文，閒紀及獻帝時事，蓋楊彪所補也。晋時以此書與《史記》、《漢書》爲三史，人多習之。故六朝及初唐人隷事釋書，類多徵引。自唐章懷太子集諸儒注范書，盛行於代，此書遂微。北宋時尚有殘本四十三卷。南宋則止存列傳九篇。自元以來，此書已佚。姚之駰撰《後漢書補逸》，曾蒐集遺文，析爲八卷，然所採往往掇拾不盡。今據姚氏舊文，以《永樂大典》所載，參考諸書，補其闕逸，所增者幾十之六。分爲帝紀三卷年表一卷、志一卷、列傳十七卷、載記一卷。其篇第無可考者，别爲佚文一卷，而以《漢紀》與范書異同附録於末。雖殘珪斷璧，零落不完，而古澤斑斕，罔非瑰寶。書中所載，如一朝大典，范書不詳載其文。賴兹殘笈，讀史者尚有所稽。則其有資考證，良非淺鮮，尤不可不亟爲表章矣。"

後漢書補逸二十一卷　《東觀漢記》八卷。謝承《後漢書》四卷。薛瑩《後漢書》一卷。張璠《後漢記》一卷。華嶠《後漢書》一卷。謝沈《後漢書》一卷。袁山松《後漢書》一卷。司馬彪《續漢書》四卷。

《隋志》：《後漢書》一百三十卷。無帝紀吴武陵太守謝承撰。《後漢記》六十五卷，晋散騎常侍薛瑩撰。《續漢書》八十三卷，晋秘書監司馬彪撰。《後漢書》十七卷，晋少府卿華嶠撰。

《後漢書》八十五卷，晋祠部郎謝沈撰。《後漢書》九十五卷，晋秘書監袁山松撰。《後漢紀》三十卷，張璠撰。

本書提要云："《後漢書補逸》，姚之駰撰。是編蒐輯《後漢書》之不傳於今者八家。劉知幾《史通》稱范蔚宗所採，凡編年四族、紀傳五家。今袁宏書尚有傳本，故止於八也。其捃拾細瑣，用力頗勤。惟不著所出之書，使讀者無從考證，是其所短。至司馬彪書雖佚，而章懷太子嘗取其十志以補范書之遺，今《後漢書》内劉昭所注即彪之書。而之駰謂之范志，别採他書之引司馬志者録之。字句相同，曾莫之悟，其謬實爲最甚。然洪邁博極羣書，所作《容齊隨筆》亦以司馬志爲范志，則其誤有所承矣。至《東觀漢記》，核以《永樂大典》所載，較之駰所録尚多。葢秘府珍藏，非草茅之士所能睹，亦不能以疏漏咎之也。"

雜史

國語二十一卷

《漢志》：《國語》二十一篇，左邱明著。

《隋志》：《國語》二十二卷，韋昭注。

本書提要云："《國語》二十一卷，吴韋昭注。昭字宏嗣，雲陽人，官至中書僕射。《國語》出自何人，説者不一。然終以漢人所説爲近古，所記之事與《左傳》俱迄智伯之亡，時代亦復相合。中有與《左傳》未符者，猶《新序》、《説苑》同出劉向，而時復牴牾。蓋古人著書，各據所見之舊文，疑以傳疑，不似後人輕改也。昭所注本，《隋志》作二十二卷，而此本首尾完具，實二十一卷，諸家所傳南北宋版，無不相同。知《隋志》誤一字也。昭《自序》稱兼采鄭衆、賈逵、虞翻、唐固之注。今考所引鄭説、虞説寥寥數條,惟賈、唐二家援據駁正爲多。自鄭衆以下諸書並亡。《國語注》存於今者,惟昭爲最古。黄震《日鈔》嘗稱其簡潔,而先儒舊訓亦往往散見其中。朱子注《論語》'無所取材',訓'材'爲'裁',而《鄭語》'計億事,材兆物'句,昭注曰:'計,算也;材,裁也。'已有此訓。此亦見其多資考證也。"

戰國策注三十三卷

《漢志》:《戰國策》三十三篇。

《隋志》:《戰國策》三十二卷,劉向録《戰國策》二十一卷,高誘撰注。

本書提要云:"《戰國策》三十三卷,舊本題漢高誘注,實宋姚宏校本也。此書誘《注》存者十篇。姚宏重校之時,《自序》稱'題續注者,皆余所益'。知爲先載誘《注》,故以'續'爲别。且凡有誘《注》復加校正,其點勘頗爲精密。近時刊本仍題誘名,殊誤。今於原有注之卷題高誘,原注已佚之卷則惟題姚宏,庶幾各存其眞。宏嘗爲删定官,以伉直忤秦檜,瘐死大理獄中。葢亦志節之士,不但其書足重也。《戰國策》一書,編自劉向,注自高誘,向序稱'中書餘卷,錯亂相糅。又有國别者八,篇少不足。臣向因國别者,略以時次之,分别不以序者以相補。除重複,得三十三篇。'又稱中書本號,或曰《國策》,或曰《國事》,或曰《短長》,或曰《事語》,或曰《長書》,或曰《脩書》云云。則向編此書,本裒合諸國之記,删併重複,排比成帙。所謂三十三篇,實非其本來次第。高誘《注》殘闕疏略,殊不足觀。元吴師道以鮑彪注《戰國策》,雖云糾高誘之譌漏,然仍多未善,乃取姚宏《續注》與彪《注》參校,而雜引諸書考正之。隨文駁正,具有條理。古來注是書者,固當以師道爲最善矣。陸隴其謂《戰國策》一書,其文章之奇,足以悦人耳目；而其機變之巧，足以壞人心術。如厚味之中有大毒焉，故舉文士所共讀者，指示其得失，庶幾不中其毒。其持論甚正，然既以縱横爲術，安怪其但言縱横。況自漢以來，孔孟之道大明，如《戰國策》之類，不過史家或考其事蹟，詞人或取其文章，是以至今猶存。原無人奉爲典型，懸以立教。與釋氏之近理亂眞，異學之援儒入墨，必須辨别者，截然不同。是固不必懲羹而吹齏也。”

附輯佚本

楚漢春秋一卷　茆魯由輯。

《漢志》：《楚漢春秋》九篇。陸賈所記。

《隋志》：《楚漢春秋》九卷，陸賈撰。

古史考一卷　孫星衍輯。

《隋志》：《古史考》二十五卷，晋義陽亭侯譙周撰。

帝王世紀十卷　宋翔鳳輯。

《隋志》：《帝王世紀》十卷，皇甫謐撰。起三皇，盡漢魏。

傳記

晏子春秋八卷

《漢志》：《晏子》八篇。

《隋志》：《晏子春秋》七卷，齊大夫晏嬰撰。

本書提要云：“《晏子春秋》八卷，舊本題齊晏嬰撰。晁公武《讀書志》：嬰相景公，此書著其行事及諫諍之言。《崇文總目》謂後人採嬰行事爲之，非嬰所撰。然則是書所記，乃唐人《魏徵諫録》、《李絳論事集》之流，特失其編次者之姓名。題爲嬰者,依託也。其中妄人又有竄入,非原本矣。劉向、班固俱列之儒家中。惟柳宗元以爲墨子之徒有齊人者爲之,其旨多尚兼愛,非厚葬久喪者,又往往言墨子聞其道而稱之。薛季宣又以爲《孔叢子・詰墨》諸條今皆見《晏子》書中,則嬰之學實出於墨。蓋嬰雖略在墨翟前,而史角止魯,實在惠公之時,故嬰能先宗其説也。其書自《史記・管晏列傳》已稱爲《晏子春秋》,故劉知幾《史通》稱晏子、虞卿、吕氏、陸賈,其書篇第本無年月,而亦謂之《春秋》。然《漢志》惟作《晏子》,《隋志》乃名《春秋》,蓋二名兼行也。明李氏本内篇分《諫上》、《諫下》、《問上》、《問下》、《雜上》、《雜下》六篇,外篇分上、下二篇,與《漢志》八篇之數相合。今仍從此著録,庶幾猶近古焉。"

古列女傳七卷續列女傳一卷

《漢志》:劉向所序,六十七篇。《新序》、《説苑》,《世説》、《列女傳頌圖》也。

《隋志》:《列女傳》十五卷,劉向撰,曹大家注。

本書提要云:"《古列女傳》,漢劉向撰。《漢志》載向所序《列女傳頌圖》。《隋志》載十五卷,曹大家注。其書屢經傳寫,至宋代已非復古本。曾鞏《序録》稱'曹大家所注,離其七篇爲十四,與《頌義》凡十五篇,而益以陳嬰母及東漢以來凡十六事,非向本書然也。嘉祐中,集賢校理蘇頌始以《頌義》編次,復定其書爲八篇,與十五篇者並藏於館閣'。王回《序》曰:'此書有《母儀》、《賢明》、《仁智》、《貞順》、《節義》、《辨通》、《嬖孽》等目,而各頌其義,圖其狀,總爲卒篇。傳如太史公《記》,頌如《詩》之四言,而圖爲屏風。然世所行向書,乃分傳每篇上下,併頌爲十五卷。其十二傳無頌,三傳同時人,五傳其後人,通題曰向撰,其頌曰向子歆撰,與漢史不合。故《崇文總目》以陳嬰母等十六傳爲後人所附。予考凡無頌者宜皆非向所奏書，不特自陳嬰母爲斷，故以頌證之，删爲八篇，號《古列女傳》。餘十二傳，其文亦奥雅可喜，故又以時次之，别爲一篇，號《續列女傳》。'頌本向所作，曾鞏及回所言不誤。而晁公武《讀書志》乃執《隋志》之文，詆其誤信《漢志》舊註。考《颜氏家訓》，稱《列女傳》劉向所造，其子歆又作頌。是謁傳頌爲歆作，始於六朝。修《隋志》時，去之推僅四五十年，襲其誤耳，豈可遽以駁《漢書》乎。《續傳》一卷，曾鞏以爲班昭作，其説無證，特以意爲之。晁公武竟以爲項原作，則舛誤彌甚。今前七卷及頌題向名，《續傳》一卷則不署撰人，庶幾核其實而闕所疑焉。"

高士傳三卷

《隋志》：《高士傳》六卷，皇甫謐撰。

本書提要云："《高士傳》三卷，晋皇甫謐撰。謐字士安，自號元晏先生，安定朝那人，事蹟具《晋書》本傳。案南宋李石《續博物志》曰：'劉向傳列仙七十二人，皇甫謐傳高士亦七十二人。'知謐書本數僅七十二人。此本所載乃多至九十六人。然《太平御覽》五百六卷至五百九卷全收此書，凡七十一人。其七十人與此本相同，又一人此本無而《御覽》有。合之得七十一人，與李石所言之數僅佚其一耳。此外十人，皆《御覽》所引嵇康《高士傳》之文。十人，則《御覽》所引《後漢書》之文。惟六人爲《御覽》所未載。當由後人雜取《御覽》，又稍摭他書附益之耳。考《讀書志》亦作九十六人，而《書録解題》稱八十七人，是宋時已有二本，竄亂非其舊矣。流傳既久，未敢輕爲删削。然其非七十二人之舊，則不可以不知也。"

襄陽耆舊記三卷

《隋志》：《襄陽耆舊記》五卷，習鑿齒撰。

附輯佚本

漢末英雄記一卷

《隋志》:《漢末英雄記》八卷,王粲撰,殘缺,梁有十卷。

本書提要云:"《漢末英雄記》一卷,舊本題魏王粲撰。粲字仲宣,高平人,事蹟具《三國志》本傳。案粲卒於建安中,其時黄星雖兆,玉步未更,不應名書以'漢末',似後人之所追題。然考粲《從軍詩》,中已稱曹操爲聖君,則儼以魏爲新朝,此名不足怪矣。《隋志》作八卷,注云殘缺。其本久佚,此本乃王世貞雜鈔諸書成之。凡四十四人,大抵取於裴松之《三國志注》爲多。如《水經注》載白狼山曹操事,本習見之書,乃漏而不載。又如築易京本公孫瓚事,乃别出一張瓚,以此事屬之,不知據何誤本,尤疏舛之甚矣。"

載記

吴越春秋十卷

《隋志》:《吴越春秋》十二卷,趙曄撰。

本書提要云:"《吴越春秋》十卷,漢趙曄撰。曄,山陰人,見《後漢書·儒林傳》。是書前有舊《序》,稱《隋》、《唐志》皆云十二卷,今存者十卷,殆非全書。又云:'楊方撰《吴越春秋削繁》五卷,皇甫遵撰《吴越春秋傳》十卷。此二書今人罕見,獨曄書行於世。《史記注》有徐廣所引《吴越春秋》語,而《索隱》以爲今無此語。他如《文選注》、《吴地記》及《水經注》嘗載數條,類皆援據《吴越春秋》。今曄本咸無其文云云。'考證頗爲詳悉。注中稱'徐天祜曰'者,即注者之自名,非援引他書之語。曄所述雖傷曼衍,而詞頗豐蔚。其中如卜筮之法,未免多所附會。至於處女試劍,老人化猿,公孫聖三呼三應之語,尤近小説家言。然自是漢、晋間稗官雜記之體,徐天祜以爲不類漢文,是以馬、班史法求之,非其倫也。天祜注於事蹟異同頗有考證,其中雖猶有未及詳辨者,而原書失實之處,能糾正者爲多。其旁核衆説,不徇本書,猶有劉孝標注《世説新語》之遺意焉。"

越絶書十五卷

《隋志》:《越絶記》十六卷,子貢撰。按此誤題,説詳提要。

本書提要云:"《越絶書》十五卷,後漢初人會稽袁康所作,同郡吴平所定。王充《論衡》曰:會稽吴君高之《越紐録》,劉子政、揚子雲不能過。所謂吴君高,殆即平字,所謂《越紐録》,殆即此書。《隋》、《唐志》皆云子貢作,非其實矣。其文縱横曼衍,與《吴越春秋》相類,而博麗奥衍則過之。中多雜術數家言,皆漢人專門之學,非後來所能依託也。鄭明選言《文選·七命》注引《越絶書》,王鏊《震澤長語》引《越絶書》,今本皆無此語。疑更有全書,惜未之見。按《崇文總目》稱《越絶書》舊有内記八、外傳十七。今文題闕舛,裁二十篇。是此書在北宋之初已佚五篇。《選注》所引葢逸篇之文,王鏊所稱亦他書所引佚篇之文。以爲此本之外更有全書,則明選誤矣。别有《續越絶書》二卷。朱彝尊謂爲錢㽕僞撰,詭云得之石匣中。以其續此書而作,又即託於撰此書之人,恐其幸而或傳,久且亂眞。故附訂其僞於此,釋來者之惑焉。"

華陽國志十二卷附録一卷

《隋志》:《華陽國志》十二卷,常璩撰。

本書提要云:"《華陽國志》,晋常璩撰。璩字道將,江原人,李勢時散騎常侍,勸勢降桓溫。《隋志》載璩撰《漢之書》十卷,《華陽國志》十二卷。《漢之書》今已久佚,惟《華陽國志》存。其書所述,始於開闢,終於永和三年。首爲《巴志》,次《漢中志》,次《蜀志》,次《南中志》,次《公孫劉二牧志》,次《劉先主志》,次《劉後主志》,次《大同志》。大同者,記漢、晋平蜀之後事也。次李特、雄、期、壽、勢《志》,次《先賢士女總讚論》,次《後賢志》,次《序志》,次《三州士女目録》。宋李至稱'《李勢志》傳寫脱漏,續成以補其闕'。則是書又於殘闕之餘,李至爲之補綴竄易,非盡璩之舊矣。今所傳者,又有何鏜《漢魏叢書》、吴琯《古今逸史》及明何宇度所刊三本。何、吴二家之本,多張佳允所補《江原常氏士女志》一卷,而佚去《蜀中士女》以下至《犍爲士女》共二卷。蓋至本分上中下,鏜等僅刻其下卷也。又惟《後賢志》中二十人有讚,其餘並闕。至本則蜀郡、廣漢、犍爲、漢中、梓潼女士一百九十四人各有讚。宇度本亦同,蓋從至本録出也。惟至本以《序志》置於末,而宇度本升於簡端。考至序,稱首述巴中、南中之風土,次列公孫述、劉二牧、蜀二主之興廢,及晋太康之混一,以迄於特、雄、壽、勢之僭竊,以西漢以來先後賢人,梁、益、甯三州士女、總讚,序志終焉。則《序志》本在後,宇度不知古例,始誤移之。又《總讚》相續成文,至序亦與《序志》並稱,宜别爲一篇,而至本亦割冠各傳之首,殊不可解。殆如毛公之移《詩序》、李鼎祚之分《序卦傳》乎?今姑從至本録之,而附著其改竄之非如右。其張佳允所續常氏士女十九人,亦並從何鏜、吴琯二本録入,以補璩之遺焉。”

十六國春秋一百卷

《隋志》:《十六國春秋》一百卷,魏崔鴻撰。

本書提要云:“《十六國春秋》一百卷,舊本題魏崔鴻撰,實則明嘉興屠喬孫、項琳之僞本也。鴻作《十六國春秋》,見《魏書》本傳。《隋》、《唐志》皆著録。宋初李昉作《太平御覽》猶引之。《崇文總目》始佚其名,晁、陳諸家書目亦皆不載,是亡於北宋也。萬曆以後,此本忽出,莫知其所自來。證以《藝文類聚》諸書所引,一一相同,遂行於世。或疑鴻身仕北朝,而仍用晋、宋年號。今考劉知幾《史通》曰:‘鴻書之紀綱皆以晋爲主,亦猶班《書》之載吴、項,必繫漢年,陳《志》之述孫、劉,皆宗魏世。’喬孫等正巧附斯義以售其欺,所摘者未中其疾。惟《魏書》載鴻子子元奏稱刊著越、燕、秦、夏、梁、蜀遺載,爲之贊序。而此本無贊序。《史通》稱‘晋氏播遷,諸僞十有六家,不附正朔,自相君長。崔鴻著表,頗有甄明’。而此本無表。是則檢閲偶疏,失於彌縫耳。然其文皆聯綴古書,非由杜撰。考十六國之事者,固宜以是編爲總匯焉。”

别本十六國春秋十六卷

本書提要云:“《十六國春秋》十六卷,舊本亦題魏崔鴻撰,載何鏜《漢魏叢書》中,其出在屠喬孫本之前,而亦莫詳其所自。十六國各爲一録,惟列僭僞之主五十八人。其諸臣皆不爲立傳,全爲載記之體。證以《晋書·載記》,大致互相出入,而不以晋、宋紀年,與《史通》所説迥異。豈好事者摭類書之語,以《晋書·載記》排比之,成此僞本耶?然考《崇文總目》有《十六國春秋略》二卷,不著撰人名氏。司馬光《通鑑考異》所引諸書,亦有《十六國春秋鈔》之名。則或屬後人節録鴻書,亦未可定也。屠氏所刻百卷之本既爲依託,此本亦疑以傳疑,未能遽廢,姑並存之,以備參考焉。”

附輯佚本

鄴中記一卷

《隋志》:《鄴中記》二卷,晋國子助教陸翽撰。

本書提要云:“《鄴中記》舊有二本,其一本二卷,見《隋志》,稱陸翽撰;其一本一卷,見陳振孫《書録解題》,稱不知撰人名氏。又稱《唐志》有《鄴都故事》二卷,肅、代時馬溫撰,今書多引之。是以爲肅、代後人作矣。今考是書所記,有北齊高歡、高洋二事,上距東晋之末已一百三四十年。又引隋杜臺卿《玉燭寶典》,時代尤不相蒙。陳氏不以爲翽書,似乎可據。然唐歐陽詢《藝文類聚》作於太宗貞觀時,徐堅《初學記》作於玄宗開元時,所引翽書皆一一與今本合。又《鄴都故事》,《唐志》雖稱肅、代時人,而《史通·書志篇》曰:近則北有《鄴都故事》。則《鄴都故事》在劉知幾之前。《唐志》所言,亦不足爲證。以理推之,殆翽書二卷惟記石虎之事,後人稍摭《鄴都故事》以補之,併爲一卷。猶之《神農本草》郡列秦名,漢氏《黄圖》里標唐號,輾轉附益,漸失本眞,而要其實則一書。觀高歡、高洋二條,與全書不類,而與郭茂倩《樂府詩集》所引《鄴都故事》文體相同,則此二條爲後人摭入翽書明矣。不得以小小舛異,盡舉而歸之唐以後也。原書久佚。今以散見《永樂大典》者蒐羅薈萃，以諸書互證，删除重複，共得七十二條。排比成編，仍爲一卷。以石虎諸事爲鄴本書，其續入諸條亦唐以前人所記，棄之可惜，則殿居卷末，别以'附録'名焉。是書雖篇帙無多，而叙述典核，頗資考證。六朝舊籍，世遠逾稀，斷璧殘璣，彌足爲寶。佚而復存，是亦罕覯之秘笈矣。"

地理

水經注四十卷

《隋志》：《水經》四十卷，酈善長注。

本書提要云："《水經注》四十卷，後魏酈道元撰。道元字善長，范陽人，事蹟具《魏書·酷吏傳》。自晋以來，注《水經》者凡二家。郭璞注三卷，杜佑作《通典》時猶見之。今惟道元注存。《崇文總目》稱其中已佚五卷，故《元和郡縣志》、《太平寰宇記》所引滹沱水、洛水、涇水皆不見於今書。然今書仍作四十卷，蓋宋人重刊，分析以足原數也。是書自明以來，絶無善本。其道元自序一篇，諸本皆佚，惟《永樂大典》僅存。蓋當時所據，猶屬宋槧善本也。至於經文、注語，諸本率多混淆。今考驗舊文，得其端緒。凡水道所經之地，經則云過，注則云逕。經則統舉都會，注則兼及繁碎地名。凡一水之名，經則首句標明，後不重舉；注則文多旁涉，必重舉其名以更端。凡書内郡縣，經則但舉當時之名，注則兼考故城之迹。皆尋其義例，一一釐定。至塞外羣流、江南諸派，道元足迹皆所未經，故於灤河之正源，三藏水之次序，白檀、要陽之建置，俱不免附會乖錯。甚至以浙江妄合姚江，尤爲傳聞失實。自皇上命使履視,盡得其脈絡曲折之詳。御製《熱河考》、《灤源考證》諸篇,爲之抉摘舛謬,條分縷擘,足訂千秋耳食沿譌。謹録弁簡端,永昭定論。又《水經》作者,《唐書》題曰桑欽,然班固嘗引欽説,與此經文異。道元注亦引欽所作《地理志》,不曰《水經》。觀其涪水條中稱廣漢已爲廣魏,則決非漢時。鍾水條中稱晋寧仍曰魏寧,則未及晋代。推尋文句,大抵三國時人。今既得道元原序,知並無桑欽之文。則據以削去舊題,亦庶幾闕疑之意云爾。"

佛國記一卷

《隋志》:《佛國記》一卷,沙門釋法顯撰。

本書提要云:"《佛國記》一卷,宋釋法顯撰。法顯,晋義熙中自長安遊天竺,經三十餘國。還到京,與天竺禪師參互辨定,以成是書。胡震亨刻入《秘册函》中,從舊題曰《佛國記》,而震亨附跋則以爲當名《法顯傳》。今考酈道元《水經注》引此書,皆稱曰《法顯傳》,則震亨之説,似爲有據。然《隋志》雜傳類中載《法顯傳》二卷、《法顯行傳》一卷,不著撰人,地理類載《佛國記》一卷,註曰沙門釋法顯撰。一書兩收,三名互見,則亦不必定改《法顯傳》也。其書以天竺爲中國,以中國爲邊地。蓋釋氏自尊其教,其誕謬不足與爭。又于闐即今和闐,自古以來,崇回回教法,《欽定西域圖志》考證甚明。而此書載其有十四僧伽藍,衆僧數萬人,則所記亦不必盡實。然六朝舊笈,流傳頗久,其叙述古雅,亦非後來行記所及。存廣異聞,亦無不可也。"

洛陽伽藍記五卷

《隋志》:《洛陽伽藍記》五卷,後魏楊衒之撰。

本書提要云：“《洛陽伽藍記》五卷，後魏楊衒之撰。劉知幾《史通》作羊衒之，晁公武《讀書志》亦同。然《隋志》亦作楊，與今本合，疑《史通》誤也。魏自太和十七年作都洛陽，一時篤崇佛法，剎廟甲於天下。及永熙之亂，城郭邱墟。武定五年，衒之行役洛陽，感念廢興，因捃拾舊聞，追叙故蹟，以成是書。是書以城内及四門之外分叙五篇。叙次之後先，以東面三門、南面三門、北面三門各署其新舊之名，以提綱領。叙次絶爲明析。其文穠麗秀逸，煩而不厭，可與酈道元《水經注》肩隨。其兼叙爾朱榮等變亂之事，委曲詳盡，多足與史傳參證。其他古蹟藝文及外國土風道里，採摭繁富，足廣異聞。考據亦皆精審。據《史通·補註篇》稱：‘除煩則意有所恡，畢載則言有所妨。遂乃定彼榛楛，列爲子註。若蕭大圜《淮海亂離志》，羊衒之《洛陽伽藍記》是也。’則衒之此記，實有自註。世所行本皆無之，不知何時佚脱。然自宋以來，未聞有引用其註者，則其刊落已久，今不可復考矣。”

三輔黄圖六卷

《隋志》：《黄圖》一卷。記三輔、宫觀、陵廟、明堂、辟雍、郊時等事。

本書提要云：“《三輔黄圖》六卷，不著撰人名氏。晁公武《讀書志》據所引劉昭《續漢志註》，定爲梁、陳閒人作。其書皆記長安古蹟，閒及周代靈臺、靈囿諸事，然以漢爲主；亦閒及河閒日華宫、梁曜華宫諸事，而以京師爲主，故稱《三輔黄圖》。三輔者，颜師古《漢書註》謂長安以東爲京兆，以北爲左馮翊，渭城以西爲右扶風也。所記宫殿苑囿之制，條分縷析，至爲詳備，考古者恒所取資。惟兼採《西京雜記》、《漢武故事》諸僞書，《洞冥記》、《拾遺記》諸雜説，愛博嗜奇，轉失精核，不免爲白璧微瑕耳。”

附輯佚本

十三州志二卷　張澍輯。

《隋志》:《十三州志》十卷,闞駰撰。

政書

輯佚本

漢官舊儀一卷補遺一卷

《隋志》:《漢舊儀》四卷,衛敬仲撰。

本書提要云:"案《永樂大典》載《漢官舊儀》一卷,不著撰人名氏。考梁劉昭注《續漢書·百官志》,引用《漢官儀》則曰應劭,引用《漢舊儀》則不著其名。《書録解題》始作《漢官舊儀》,注曰衛宏撰,或云胡廣。宏本傳作《漢舊儀》四篇,以載西京雜事,不名'漢官'。案《永樂大典》此卷,雖以'漢官'標題,而篇目自皇帝起居、皇后親蠶以及璽綬之等、爵禄之差,靡不條繫件舉,與宏傳所云西京雜事相合。又《前》、《漢書》注中凡引用《漢舊儀》者,並與此卷所載相同。則其爲衛氏本書,更無疑義。或後人以其多載官制,增題'官'字歟?原本轉相傳寫,節目淆亂,字句舛譌,殆不可讀。兹據班、范正史,綜覈參訂,以讞其疑。其原有注者,略仿劉昭注《百官志》之例,通爲大書,稱本注以別之。又考《前》、《後漢書》紀、志注中,別有徵引《舊儀》數條,並屬郊天、祫祭、耕籍、飲酎諸大典,此卷俱未採入。葢流傳既久,脱佚者多。謹復蒐擇甄録,別爲一篇,附諸卷尾,以補本書之未備云。"

漢官解詁一卷　孫星衍輯。

《隋志》:《漢官解詁》三篇,漢新汲令王隆撰,胡廣注。

漢官一卷　孫星衍輯。

《隋志》:《漢官》五卷,應劭撰。

漢官儀二卷　孫星衍輯。

《隋志》:《漢官儀》十卷,應劭撰。

漢官典職儀式選用一卷　孫星衍輯。

《隋志》:《漢官典職儀式選用》二卷,漢衛尉蔡質撰。

子部

儒家

孔子家語十卷

《漢志》:《孔子家語》二十七卷。

《隋志》:《孔子家語》二十一卷,王肅解。

本書提要云:"《孔子家語》十卷,魏王肅注。肅自序云:'鄭氏學行五十載矣,義理不安,違錯者多,是以奪而易之。孔子二十二世孫有孔猛者,家有其先人之書,昔相從學。頃還家,方取以來,與予所論,有若重規疊矩'云云。是此本自肅始傳也。《漢志》有《孔子家語》二十七卷。顔師古注曰:非今所有《家語》。王柏《家語考》曰:四十四篇之《家語》,乃王肅自取《左傳》、《國語》、《荀》、《孟》、二戴《記》,割裂織成之。孔衍之序,亦王肅自爲也。反覆考證,其出於肅手無疑。特其流傳已久,且遺文軼事,往往多見於其中,故自唐以來,知其僞而不能廢也。"古本《家語》久佚,今本《家語》撰自王肅,其注亦肅所作。名注古書,實自注也。而近時重刊者,因顔師古注《漢·藝文志》《家語》條下有非今所有《家語》之文,遂謂唐以前本。業已不同,烏知所據非古本。案師古但云唐時《家語》非古《家語》,不云其時别有古《家語》。《隋志》:《孔子家語》二十一卷,王肅解。《舊唐書·志》:《孔子家語》十卷,王肅注。《新唐書·志》亦同。安得古《家語》也。

荀子二十卷

《漢志》:《孫卿子》三十三篇。名況,趙人。

《隋志》：《孫卿子》十二卷，楚蘭陵令荀況撰。

本書提要云："《荀子》二十卷，周荀況撰。況，趙人，嘗仕楚爲蘭陵令，亦曰荀卿。漢人或稱曰孫卿，則以宣帝諱詢，避嫌名也。劉向《校書序録》稱孫卿書凡三百二十三篇，以相校除重複二百九十篇，定著三十三篇，爲十二卷，題曰《新書》。唐楊倞分易舊第，編爲二十卷，復爲之注，更名《荀子》，即今本也。況之著書，主於明周、孔之教，崇禮而勸學。其中最爲口實者，莫過於《非十二子》及《性惡》兩篇。王應麟《困學紀聞》據《韓詩外傳》所引，卿但非十子，而無子思、孟子，以今本爲其徒李斯等所增，不知子思、孟子後來論定爲聖賢耳。其在當時，固亦卿之曹偶，是猶朱、陸之相非，不足訝也。至其以性爲惡，以善爲僞，誠未免於理未融。然卿恐人恃性善之説，任自然而廢學，因言性不可恃，當勉力於先王之教。故其言曰：'凡性者，天之所就也，不可學，不可事。禮義者，聖人之所生也，人之所學而能，所事而成者也。不可學、不可事而在人者謂之性，可學而能、可事而成之在人者謂之僞，是性僞之分也。'其辨白'僞'字甚明。楊倞註亦曰：'僞，爲也。凡非天性而人作爲之者，皆謂之僞。故僞字人旁加爲，亦會意字也。'其説亦合卿本意。後人昧於訓詁，誤以爲眞僞之僞，遂譁然掊擊，謂卿蔑視禮義，如老、莊之所言。是非惟未睹其全書，即《性惡》一篇，自篇首二句以外，亦未竟讀矣。平心而論，卿之學源出孔門，在諸子之中最爲近正，是其所長；主持太甚，詞義或至於過當，是其所短。韓愈大醇小疵之説，要爲定論，餘皆好惡之詞也。楊倞所注，亦頗詳洽。"

孔叢子三卷

《隋志》：《孔叢》七卷，陳勝博士孔鮒撰。

本書提要云："《孔叢子》三卷，舊本題曰孔鮒撰。所載仲尼而下子上、子高、子順之言行,凡二十一篇,又以孔臧所著賦與書上下二篇附綴於末,别名曰《連叢》。鮒字子魚,孔子八世孫,仕陳涉爲博士。臧,高祖功臣孔聚之子,嗣爵蓼侯,武帝時官太常。其書《文獻通考》作七卷。今本三卷,不知何人所併。《漢志》無《孔叢子》,《朱子語類》謂《孔叢子》文氣軟弱,不似西漢文字,蓋其後人集先世遺文而成之者。陳振孫《書録解題》亦謂:'案《孔光傳》,孔子八世孫鮒,魏相順之子,爲陳涉博士,死陳下。則固不得爲漢人。而其書記鮒之没,則又安得以爲鮒撰?'其説當矣。《隋志》有《孔叢》七卷。其序録稱《孔叢》、《家語》並孔氏所傳仲尼之旨,則其書出於唐以前。然《家語》出王肅依託,《隋志》既誤以爲眞,則所云《孔叢》出孔氏所傳者,亦未爲確證。朱子所疑,蓋非無見。即如《舜典》'禋於六宗',其説與僞孔傳、僞《家語》並同,是亦晚出之明證也。其中第十一篇即世所傳《小爾雅》,注疏家往往引之,然皆在晋、宋以後。惟《公羊傳疏》所引賈逵之説,謂俗儒以六兩爲鋝,正出此書。然謂之俗儒,則非《漢·藝文志》之《小爾雅》矣。"

新語二卷

《漢志》陸賈二十三篇。

《隋志》:《新語》二卷,陸賈撰。

本書提要云:"《新語》二卷,舊本題漢陸賈撰。案,《漢書》賈本傳稱著《新語》十二篇。《漢志》二十三篇,蓋兼他所論述計之。《隋志》則作二卷,此本卷數與《隋志》合,篇數與本傳合,似爲舊本。然《漢書·司馬遷傳》稱遷取《戰國策》、《楚漢春秋》、陸賈《新語》作《史記》。《楚漢春秋》今佚,《戰國策》取九十三事,皆與今本合。惟是書之文悉不見於《史記》。王充《論衡·本性》篇引陸賈,今本亦無其文。又《穀梁傳》至漢武帝時始出，而《道基》篇末乃引《穀梁傳》，時代尤相牴牾。其殆後人依託，非賈原本歟？考馬總《意林》所載，皆與今本相符。李善《文選注》引《新語》，以今本核校，雖文句有詳略異同，而大致亦悉相應，似其僞猶在唐前。惟《玉海》稱陸賈《新語》今存於世者，《道基》、《術事》、《輔政》、《無爲》、《資賢》、《至德》、《懷慮》纔七篇。此本十有二篇，乃反多於宋本，爲不可解。或後人因不完之本，補綴五篇以合本傳舊目也。今但據其書論之，則大旨皆崇王道，黜霸術，歸本於修身用人。其稱引《老子》者惟一語，餘皆以孔氏爲宗，所援據多《春秋》、《論語》之文。漢儒自董仲舒外，未有如是之醇正也。流傳既久，其眞其贋，存而不論可矣。"

新書十卷

《漢志》：賈誼五十八篇。

《隋志》：《賈子》十卷，録一卷，漢梁太傅賈誼撰。

本書提要云："《新書》十卷，漢賈誼撰。《漢志》五十八篇。《崇文總目》云：本七十二篇，劉向删定爲五十八篇。然今本僅五十六篇。又《問孝》一篇有録無書，實五十五篇，已非北宋本之舊。又陳振孫《書録解題》稱，首載《過秦論》，末爲《弔湘賦》，且略節誼本傳於第十一卷中。今本雖首載《過秦論》，而末無《弔湘賦》，亦無附録之十一卷，且併非南宋時本矣。其書多取誼本傳所載之文，割裂其章段，顛倒其次序，而加以標題，殊瞀亂無條理。《朱子語録》曰：賈誼《新書》除了《漢書》中所載，餘亦難得粹者，看來只是賈誼一雜記稾耳。陳振孫亦謂其非《漢書》所有者，輒淺駁不足觀，決非誼本書。今考《漢書》誼本傳贊，稱凡所著述五十八篇，掇其切於世事者著於傳。應劭《漢書注》亦於《過秦論》下注曰：賈誼書第一篇名也。則本傳所載皆五十八篇所有，足爲顯證。顔師古注所引賈誼書,亦與今本同,則今本即唐人所見,亦足爲顯證。然決無摘録一段立一篇名之理,亦決無連綴數十篇,合爲奏疏一篇上之朝廷之理。疑誼《過秦論》、《治安策》等本皆爲五十八篇之一,後原本散佚,好事者因取本傳所有諸篇,離析其文,各爲標目,以足五十八篇之數,故餖飣至此。其書不全眞,亦不全僞。朱子以爲雜記之藁,固未核其實;陳氏以爲決非誼書,尤非篤論也。且其中爲《漢書》所不載者,雖往往類《新序》、《説苑》、《韓詩外傳》,然如載胎教之古禮,多帝王之遺訓,敷陳古典,具有源本。其解《詩》、《易》,亦深得經義,又安可盡以淺駁不粹目之哉。雖殘闕失次,要不能以斷爛棄之矣。”

鹽鐵論十二卷

《漢志》:桓寬《鹽鐵論》六十篇。

《隋志》:《鹽鐵論》十卷,漢盧江府丞桓寬撰。

本書提要云:“《鹽鐵論》十二卷,漢桓寬撰。寬字次公,汝南人,官至盧江太守丞。昭帝始元六年,詔郡國舉賢良文學之士,問以民所疾苦。皆請罷鹽鐵、榷酤,與御史大夫桑弘羊等建議相詰難。寬集其所論,爲書凡六十篇,篇各標目,實則反覆問答,諸篇皆首尾相屬。後罷榷酤,而鹽鐵則如舊,故寬作是書,惟以‘鹽鐵’爲名,葢惜其議不盡行也。書末《雜論》一篇,述汝南朱子伯之言,記賢良茂陵唐生、文學魯萬生等六十餘人,而最推中山劉子雍、九江祝生,於桑弘羊、車千秋深著微詞。葢其著書之大旨,所論皆食貨之事,而言皆述先王,稱六經,故諸史皆列之儒家。黄虞稷《千頃堂書目》改隸史部食貨類中,循名而失其實矣。明張之象爲之註,雖無所發明,而事實亦粗具梗概。今並録之,以備考核焉。”

新序十卷

《漢志》：劉向所序六十七篇。《新序》、《説苑》、《世説》、《列女傳頌圖》也。

《隋志》：《新序》三十卷，録一卷，劉向撰。

本書提要云："《新序》十卷，漢劉向撰。《隋志》三十卷，録一卷。《唐志》目亦同。曾鞏《校書序》則云：今可見者十篇。卷帙懸殊，葢《志》所載據唐時全本爲言，鞏所校録則宋初殘闕之本也。此本《雜事》五卷，《刺奢》一卷，《節士》二卷，《善謀》二卷，即曾鞏校定之舊。《崇文總目》云：所載皆戰國、秦、漢間事。以今考之，春秋時事尤多，漢事不過數條。大抵採百家傳記，以類相從，故頗與《春秋》内外傳、《戰國策》、太史公書互相出入。高似孫《子略》謂：先秦古書，甫脱燼刼，一入向筆，採擷不遺。至其正紀綱，迪教化，辨邪正，黜異端，以爲漢規監者，盡在此書。固未免推崇已甚。要其推明古訓，以衷之於道德仁義，在諸子中猶不失爲儒者之言也。"

説苑二十卷

《漢志》見前。

《隋志》：《説苑》二十卷，劉向撰。

本書提要云："《説苑》二十卷，漢劉向撰。是書凡二十篇。晁公武《讀書志》云：劉向《説苑》以君道、臣術、建本、立節、貴德、復恩、政理、尊賢、正諫、法誡、善説、奉使、權謀、至公、指武、談叢、雜言、辨物、修文爲目，陽嘉四年上之，闕第二十卷。曾子固所得之二十篇，正是析十九卷作《修文》上、下篇耳。今本第十《法誡》篇作《敬慎》，而《修文》篇後有《反質》篇。陸游《渭南集》記李德芻之言，謂得高麗所進本補成完書。則宋時已有此本，晁公武偶未見也。其書皆録遺聞佚事足爲法戒之資者，其例略如《詩外傳》。黄朝英摘其固桑對晋平公，《新序》作舟人古乘對趙簡子；又楚文王爵筦饒，《新序》作楚共王爵筦蘇。二書同出向手,而自相矛盾。殆捃摭衆説,各據本文,偶爾失於參校也。然古籍散佚,多賴此以存。所載亦多可採擇。雖間有傳聞異詞,固不以微瑕累全璧矣。”

法言集註十卷

《漢志》:揚雄所序,三十八篇。《法言》十三。

《隋志》:揚子《法言》十五卷,揚雄撰。

本書提要云:“《法言集註》十卷,漢揚雄撰。宋司馬光集註。《漢志》揚雄所序《法言》十三。雄本傳具列其目,曰《學行》第一,《吾子》第二,《修身》第三,《問道》第四,《問神》第五,《問明》第六,《寡見》第七,《五百》第八,《先知》第九,《重黎》第十,《淵騫》第十一,《君子》第十二,《孝至》第十三。凡所列漢人著述,未有若是之詳者,蓋當時甚重雄書也。自程子始謂其曼衍而無斷,優柔而不決。蘇軾始謂其以艱深之詞文淺易之説。至朱子作《通鑑綱目》,始書莽大夫揚雄死。雄之人品、著作,遂皆爲學者所輕。若北宋之前,則大抵以爲孟、荀之亞。光註此書之時,李軌、柳宗元、宋咸、吴祕之註尚存,故光裒合四家,增以己意。舊本十三篇之序列於書後,蓋自《書序》、《詩序》以來,體例如是。宋咸不知《書序》爲僞孔傳所移,《詩序》爲毛公所移,乃謂子雲親旨,反列卷末,甚非聖賢之旨。今升之章首,取合經義。其説殊謬。然光本因而不改,今亦仍之焉。”

潛夫論十卷

《隋志》:《潛夫論》十卷,後漢處士王符撰。

本書提要云:“《潛夫論》十卷,漢王符撰。符字節信,安定臨涇人。《後漢書》本傳稱:和、安之後,世務游宦,當途者更相薦引,而符獨耿介不同於俗,以此遂不得升進,志意藴憤,乃隱居著書二十餘篇,以議當世得失。不欲章顯其名,故號曰

《潛夫論》。今本凡三十五篇，合《叙録》爲三十六篇，蓋猶舊本。卷首《讚學》一篇，論勵志勤修之旨。卷末《五德志》篇，述帝王之世次。《志氏姓》篇，考譜牒之源流。其中《卜列》、《相列》、《夢列》三篇，亦皆雜論方伎，不盡指陳時政。范氏所云，舉其著書大旨爾。符之著書在桓帝時，故所説多切漢末弊政。其《救邊》、《邊議》二篇，以避寇爲憾，灼然明論，足爲輕棄邊地之炯鑒。范氏録其《貴忠》、《浮侈》、《實貢》、《愛日》、《述赦》五篇入本傳，而字句與今本多不同。晁公武《讀書志》謂其有所損益，理或然歟？范氏以符與王充、仲長統同傳，韓愈因作《後漢三賢贊》。今以三家之書相較，符書洞悉政體似《昌言》，而明切過之；辨别是非似《論衡》，而醇正過之。前史列之儒家，斯爲不愧。惟《賢難》篇中稱鄧通吮癰爲忠於文帝，則紕謬最甚。是其發憤著書，立言矯激之過，亦不必曲爲之諱矣。”

申鑒五卷

《隋志》：《申鑒》五卷，荀悦撰。

本書提要云：“《申鑒》五卷，漢荀悦撰。《後漢書》稱：悦侍講禁中，見政移曹氏，志在獻替，而謀無所用，乃作《申鑒》五篇。其所論辨，通見政體。既成奏上，帝覽而善之。其書見於《隋》、《唐志》者皆五卷，卷爲一篇。一曰《政體》，二曰《時事》，皆制治大要及時所當行之務。三曰《俗嫌》，皆禨祥讖緯之説。四曰《雜言上》，五曰《雜言下》，則皆泛論義理，頗似揚雄《法言》。《後漢書》取其《政體》篇之一章，《時事》篇之二章，載入傳中，又稱悦别有論數十篇，今並不傳。惟所作《漢紀》及此書尚存於世。《漢紀》文約事詳，足稱良史，而此書剖析事理，亦深切著明。蓋由其原本儒術，故所言皆不詭於正也。明吴縣黄省曾爲之註，凡萬四千餘言。引據博洽，多得悦旨。”

中論二卷

《隋志》:徐氏《中論》六卷,魏太子文學徐幹撰。

本書提要云:“《中論》二卷,漢徐幹撰。幹字偉長,北海劇人,建安中爲五官將文學。事蹟附見《魏志·王粲傳》,故相沿稱爲魏人。然幹歿後三、四年,魏乃受禪,併入《魏志》,非其實也。是書《隋》、《唐志》皆作六卷,而晁公武《讀書志》、陳振孫《書録解題》並作二卷,與今本合,則宋人所併矣。書凡二十篇,大都闡發義理,原本經訓,而歸之於聖賢之道,故前史皆列之儒家。曾鞏《校書序》云:始見館閣《中論》二十篇,及觀《貞觀政要》,太宗稱嘗見幹《中論·復三年喪》篇,今書獨闕。考之《魏志》,文帝稱幹著《中論》二十餘篇,乃知館閣本非全書。晁公武稱李獻民所見别本,實有《復三年》、《制役》二篇。是其書在宋仁宗時尚未盡殘闕。鞏特據館閣不全本著之於録,相沿既久,所謂别本者不可復見,於是二篇遂佚不存。又書前有原序一篇,不題名字,陳振孫以爲幹同時人所作。今驗其文,頗類漢人體格,知振孫所言爲不誣矣。”

附輯佚本

漆雕子一卷

《漢志》:《漆雕子》十三篇。孔子弟子漆雕啓後。

本書提要云:“《漆雕子》一卷,周漆雕氏撰。陶潛《聖賢羣輔録》云漆雕氏傳禮爲道,爲恭儉莊敬之儒。葢孔子以禮傳開,開之後世習其學,因述開言以成此書,猶公羊之以《春秋》紹代也。其書《隋》、《唐志》均不著目,佚已久。攷《韓非子》引漆雕之義,王充《論衡》稱其言性,又《家語》載孔子問漆雕憑一節，《説苑》亦載之，作漆雕馬，人，意者憑名，馬人其字。以孔子歎美其言，而稱漆雕氏之子，或即著書之人歟。並據輯録。其説不色撓不目逃，行曲則違於臧獲，行直則怒於諸侯，與孟子述北宫黝之養勇，曾子謂子襄自反而縮語意吻合。意孟子述其語，至言人性有善有惡，與宓子、世碩、公孫尼同旨。雖有異乎孟子性善之説，各尊所聞，初不害其爲儒宗也。"

宓子一卷

《漢志》:《宓子》十六篇。

本書提要云:"《宓子》一卷，周宓不齊撰。不齊，字子賤，魯人，孔子弟子，仕至單父宰。《漢志》'《宓子》十六篇'，《隋》、《唐志》不著録，佚已久。《家語》及《韓非子》、《吕氏春秋》、《淮南子》、《説苑》諸書時引佚説，彼此互有同異，兹據参訂，録爲一帙。記單父治績爲多，仁愛濟之以才智，可爲從政者法。撫卷低徊，穆然思君子之風焉。"

景子一卷

《漢志》:《景子》三篇。説宓子語，似其弟子。

本書提要云:"《景子》一卷，周景氏撰。《漢志》有三篇，《隋》、《唐志》皆不著録，佚已久。攷《韓詩外傳》、《淮南子》載《宓子》語各一節，俱有論斷，與班固所云説《宓子》語者正合。依《漢志》，與《宓子》比次，明其淵源有自云。"

世子一卷

《漢志》:《世子》二十一篇。名碩，陳人也，七十子之弟子。

本書提要云:"《世子》一卷，周世碩撰。《漢志》二十一篇，《隋志》不及著録，佚久。唯董仲舒《春秋繁露》、王充《論衡》引之，並據采録。充謂世子言人性有善有惡，又謂宓子賤、漆雕開、公孫尼子之徒説情性與世子相出入，復舉孟子、荀卿、揚子雲、劉子政等説，皆言非實，而以世碩及公孫尼子爲得正。

按碩亦聖人之徒,雖其持論與子輿氏不同,而各尊所聞,要亦如游夏門人之論歟?"

魏文侯書一卷

《漢志》:《魏文侯》六篇。

本書提要云:"《魏文侯書》一卷,周魏侯斯撰。《漢志》六篇,《隋》、《唐志》皆不著録,佚已久。考《禮記·樂記》載《魏文侯問樂》一篇。案劉向《别録》,《樂記》三十三篇,《魏文侯》爲第十一篇。以《樂記》佚篇有《季札》、《竇公》例之,《季札》篇採自《左傳》,《竇公》篇取諸《周官》,知此篇爲文侯本書,而河間獻王輯入《樂記》也。又《戰國策》、《吕氏春秋》、《韓詩外傳》、《淮南子》、《新序》、《説苑》、《通典》諸書亟引魏文侯,皆佚文之散見者,並據裒輯,凡二十四節,録爲一卷。中多格言,湛深儒術,而容直納諫之高風,尊賢下士之盛德,尤足垂範後世焉。"

李克書一卷

《漢志》:《李克》七篇。子夏弟子,爲魏文侯相。

本書提要云:"《李克書》一卷,周李克撰。陸德明《經典釋文·〈詩〉叙録》云:子夏傳曾申,申傳魏人李克。案曾申,曾子之子。克先從曾申受《詩》,爲子夏再傳弟子。後子夏居魏,親從問業,故班固以爲子夏弟子也。其書《隋》、《唐志》不著録,佚已久。惟劉淵林《魏都賦注》引一條,明標李克書。攷《吕氏春秋》、《淮南子》、《韓詩外傳》、《史記》、《新序》、《説苑》亟引李克對文侯語,雖互有同異,要從本書取之。兹據輯録,凡七節。其論奪淫民之禄以來四方之士,與不禁淫巧則國貧民侈,皆能扼政術之要。叙次文侯書後,即君臣同心共治,可想見西河之教澤焉。"

公孫尼子一卷

《漢志》:《公孫尼子》二十八篇。七十子之弟子。

《隋志》:《公孫尼子》一卷。尼似孔子弟子。

本書提要云:"《公孫尼子》一卷,周公孫尼撰。《隋書·音樂志》引沈約奏答,謂《樂記》取公孫尼子。《禮記正義》引劉瓛云'《緇衣》,公孫尼子作'。除二篇今存《戴記》外,餘皆佚矣。茲從《意林》、《御覽》及《春秋繁露》、《北堂書鈔》、《初學記》諸書輯録。王充《論衡》謂其説情性與世碩相出入,皆言性有善有惡,似與孟子性善之旨不合。然其論十氣之害,歸本於反中,董廣川取與孟子養氣互相發明,則其異同可考也。中有兩引尼書即《樂記》語者,可證沈説之有據。朱子嘗舉《樂記》'天高地下'六句,以爲'漢儒醇如仲舒,如何説得到這裏去,想必古來流傳得這個文字如此'。此雖不以沈説爲信,而觀於廣川誦述,則當日之心實見折服,以斯斷尼書焉可矣。"

内業一卷

《漢志》:《内業》十五篇。

本書提要云:"《内業》一卷,周管夷吾述。《漢志》有十五篇,注不知作書者。《隋》、《唐志》皆不著録,佚已久。考《管子》第四十九篇,標題《内業》,皆發明大道之藴旨,與他篇不同類。蓋古有成書,而管子述之。案《漢志》,《孝經》十一家有《弟子職》一篇,今亦在《管子》第五十九。以此例推,知皆誦述前人。故此篇在《區言》五,《弟子職》在《雜篇》十,明非管子所自作也。茲據補録,仍釐爲十五篇,以合《漢志》,不題姓名,闕疑也。"

讕言一卷

《漢志》:《讕言》十篇。

本書提要云:"《讕言》一卷,周孔穿撰。穿,字子高,孔子六世孫,事言具《孔叢子》。《漢志》:儒家《讕言》十篇。注不知作者,陳人君法度。師古曰:'説者引《孔子家語》云孔穿所造,非也。'按《家語》後序云'子高亦著《儒家語》十二篇,名曰《讕言》。'《集韻》去聲二十九换,'讕'、'讕'、'諫'三字並列,注云:詆讕,誣言相被也,或从間从柬,然則'讕'與'譋'通,加'艸'者,隸古之别也。書名既同,復並稱儒家,且以《孔叢子》所載子高之言觀之,所言皆人君法度事,則《讕言》審爲穿書矣。班固云不知作者,葢劉向校定《七略》時,《孔叢子》未顯,《漢志》本諸《七略》,無從取證。東漢季《孔叢子》顯出,故王肅注《家語》據以爲説,魏晋儒者遂據肅説以解《漢志》,在當日實有考見,不知顔監何以斷其非也。兹即從《孔叢子》録出,凡三篇,依舊説題周孔穿撰。先聖家學,可於此探其淵源云。"

甯子一卷

《漢志》:《甯越》一篇,中牟人,爲周威王師。

本書提要云:"《甯子》一卷,周甯越撰。《史記索隱》曰:'甯越,趙人。'《吕氏春秋》謂甯越,中牟之鄙人也,苦耕稼之勞,學十五歲而周威公師之。《漢志》儒家有《甯越》一篇。《隋》、《唐志》皆不著録,佚已久。《吕氏春秋》、《説苑》引其説,以苗賁皇爲楚平王之士,並以城濮、鄢陵二戰屬之,舛踳殊甚。辭氣亦純染游説風習。名列于儒,葢不没其日夜勤學之功力云。"

王孫子一卷

《漢志》:《王孫子》一篇。一曰《巧心》。

本書提要云:"《王孫子》一卷,周王孫氏撰。其名不傳,事蹟亦無考。以《漢志》叙其書次,知爲戰國時人。《漢志》注'一曰《巧心》',葢其書之别稱。如揚子《法言》,文中子之《中説》

矣。《藝文類聚》、《太平御覽》引其佚説，而彼此殊異。參互考定完然可讀者，尚得五節，録爲一卷。書主愛民爲説，如衛靈楚莊趙簡子之事。又《春秋》内外傳所未載者，且舉孔子、子貢之論以爲斷，其人蓋七國之翹楚也。”

李氏春秋一卷

《漢志》：《李氏春秋》二篇。

本書提要云：“《李氏春秋》一卷，撰人闕。《漢志》序次在公孫固、羊子之間。公孫固，齊閔王失國問之。羊子，秦博士。然則李氏亦戰國時人也。其書《隋》、《唐志》不著録，佚已久。《吕氏春秋》引《李子》一節，不言名字，當是《李氏春秋》佚文。以‘春秋’取號者，其亦《虞氏春秋》之類歟？”

董子一卷

《漢志》：《董子》一篇。名無心，難墨子。

《隋志》：《董子》一卷，戰國時董無心撰。

本書提要云：“《董子》一卷，周董無心撰。《漢志》一篇，《隋》、《唐志》並以一卷著録，《宋志》不載，明陳第《世善堂藏書目》有之，今不可得矣。唯王充《論衡》引其與纏子論難一節。又《文選注》、《意林》引《纏子》，内有董無心語。循公孫龍與孔穿論‘臧三耳’兩家書並載之例取補缺遺，存其説可與《詰墨》競爽。孟子所謂聖人之徒歟？”

魯連子一卷

《漢志》：《魯仲連子》十四篇。

《隋志》：《魯連子》五卷，録一卷。

本書提要云：“《魯連子》一卷，周魯仲連撰。《漢志》十四篇，《隋志》五卷，録一卷。《唐志》一卷，今佚。《戰國策》載其六篇，其《郤秦軍》、《説燕將》二篇，《史記》亦載之。文句不同，參互校訂，又搜採《意林》、《御覽》等書，得佚文二十五節，合録一卷。指意在於勢數,未能純粹合聖賢之義,然高才遠致,讀其書想見其爲人矣。"

虞氏春秋一卷

《漢志》:《虞氏春秋》十五篇。虞卿。

本書提要云:"《虞氏春秋》一卷,周虞卿撰。名字里居皆無考。《史記》本傳云爲趙上卿,故號虞卿。又云不得意,乃著書。上採《春秋》,下觀近世,曰《節》、《義》、《稱》、《號》、《揣》、《摩》、《政》、《謀》,凡八篇,以刺譏國家得失,世傳之曰《虞氏春秋》。《漢志》十五篇,入儒家。《隋》、《唐志》皆不著録,佚已久。《戰國策》載其論割六城與秦之失及許、魏合從二篇,《史記》取之入本傳,劉向《新序》亦採二篇於《善謀》上篇。蓋本書《謀》篇之遺文也。茲據訂正錯簡,互考異同,録爲一卷。大旨主於合從,亦未離戰國説士之習。班《志》列入儒家者,其以傳《左氏春秋》。而荀況、張蒼、賈誼之學,淵源有自乎。"

平原君書一卷

《漢志》:《平原君書》七篇。朱建。

本書提要云:"《平原君書》一卷,漢朱建撰。建,楚人,故淮南王黥布相。布欲反,嘗諫止之,布不聽。漢既誅布,聞建諫之,高祖賜建號平原君。《漢志》'《平原君》七篇',按建本傳只記其救辟陽侯一事,與梁孝王刺袁盎事敗,鄒陽爲之至長安説竇長君絶相類,要皆戰國之餘習。乃班《志》於鄒陽入縱横家,於平原君則入儒家,必其佚篇多雅正語,然今不可見矣。第取本傳中《説閎籍孺》一篇,聊備觀覽云爾。"

劉敬書一卷

《漢志》:《劉敬》三篇。

本書提要云:"《劉敬書》一卷,漢劉敬撰。敬,齊人,本姓婁,高祖以都秦之計,賜姓劉氏,事蹟詳《漢書》本傳。《藝文志》

'《劉敬》三篇',《隋》、《唐志》不著目。其文散見本傳中,今據録之。陳仁子論都秦,以爲使後世不務德而務險者,得敬言以爲藉口,得爲至論乎。司馬溫公論和親,以爲冒頓視其父如禽獸而獵之,奚有于婦翁,建信侯之術,固已疏矣。然則敬之爲策,大抵權宜救時之計。漢兼王霸以爲家法,則當日之列於儒家者,葢有由已。"

至言一卷

《漢志》:《賈山》八篇。

本書提要云:"《至言》一卷,漢賈山撰。山,潁川人,祖父祛,故魏王時博士弟子。山受祛學,文帝時數上書言事,事具詳《漢書》本傳。《藝文志》'《賈山》八篇',今止傳《至言》一篇。若陳文帝除鑄錢、訟淮南王無大罪、言柴唐子爲不善三疏當在八篇中,而世不傳。本傳全載此篇之文,據録爲卷,即以《至言》標目。書言治亂之道,借秦爲喻,眞西山稱其爲忠臣防微之論,而以陳善閉邪許之。王伯厚謂山之才亞於賈誼,其學粹於鼂錯。乃班書以涉獵書記,不能爲醇儒斷之,豈其然乎?"

河間獻王書一卷

《漢志》:《河間獻王對上下三雍宮》三篇。

本書提要云:"《河間獻王書》一卷,漢劉德撰。案《漢書》,孝景皇帝栗姬生河間獻王德,以孝景前二年立。修學好古,實事求是。武帝時獻王來朝,獻雅樂,對三雍宮。及詔策所問三十餘事,其對推道術而言,得事之中,文約指明。《藝文志》有《獻王對上下三雍宮》三篇,《隋》、《唐志》不著録,佚已久。劉向《說苑》引四節,據輯,並取《春秋繁露》所載問《孝經》一節附後。其說稱述古聖,粹然儒者之言。唯引子貢問爲政,孔子曰富之,既富乃教之也,與《論語》異。按王充《論衡》云

'今時稱《論語》二十篇,又失齊、魯、河間九篇,本三十篇,分布亡失'云云。然則獻王所見《論語》爲河間本,所謂《古論語》,未可執今所傳之本以爲引稱舛誤也。"

兒寬書一卷

《漢志》:《兒寬》九篇。

本書提要云:"《兒寬書》一卷,漢兒寬撰。寬,千乘人,治《尚書》,事歐陽生,官至御史大夫,事蹟詳《漢書》本傳。《藝文志》:《兒寬》九篇。《隋》、《唐志》不著録,其書散佚。今取本傳對封禪及《律曆志》正朔之議以復之。茅鹿門曰:封禪一事,相如導之始,而兒寬成之終,君臣上下各以諂附。此亦責備賢者之義。然其文訓辭深厚,油然見經籍之光。宜梁相褚大與議,而服其莫及,而兼總條貫之言,紫陽取之以注孟也。"

公孫弘書一卷

《漢志》:《公孫弘》十篇。

本書提要云:"《公孫弘書》一卷,漢公孫弘撰。弘,菑川薛人。武帝元光五年,以賢良對策擢第一,官至丞相,封平津侯,事蹟詳《漢書》本傳。《藝文志》:《公孫弘》十篇。今不傳。本傳載其對策上疏對問之語,《藝文類聚》、《太平御覽》亦引之,並據輯録。夫弘當日殺主父偃,徙董仲舒,與汲黯不相能,一時輿論少之。至其言論,通達治體,亦不盡曲學以阿世。班固入其書於儒家,非無見也。"

終軍書一卷

《漢志》:《終軍》八篇。

本書提要云:"《終軍書》一卷,漢終軍撰。軍字子雲,濟南人。少好學,以辯博能屬文聞於郡中。《漢志》有《終軍》八篇,今見本傳者四篇,餘皆散佚,不可復見。"

吾邱壽王書一卷

《漢志》:《吾邱壽王》六篇。

本書提要云:"《吾邱壽王書》一卷,漢吾邱壽王撰。壽王,字子贛,趙人,官至光禄大夫侍中,事蹟詳《漢書》本傳。《藝文志》有《吾邱壽王》六篇。阮孝緒《七録》入其書於集中,至隋已亡。《藝文類聚》、《北堂書鈔》引其説,並據輯録,仍依《漢志》入儒家。黄東發謂壽王武帝私人,漢鼎非周鼎之説,俳優取寵,立論最當。"

嚴助書一卷

《漢志》:《莊助》四篇。

本書提要云:"《嚴助書》一卷,漢嚴助撰。助本莊姓,漢避明帝諱改稱嚴。《漢書》本傳云:'嚴助,會稽吴人。郡舉賢良,對策百餘人,武帝善助對,獨擢助爲中大夫,拜會稽太守。'後坐淮南王反事,與助相連,棄市。黄東發譏其徒以捭闔取寵,亦以捭闔誅。然則助之爲人,亦主父偃之流。而《漢志》列其書四篇於儒家,或以其賢良對策時,文章具有儒術,然今不可見矣。本傳猶載其二篇。詰田蚡不救東甌,實啓征伐之機,諭意淮南,似代上矜功而飾過。武帝以其守會稽不聞問,報書責之,末云'具以《春秋》對,勿以蘇秦縱横',蓋有以窺其所學也。姑從班《志》,列儒家類焉。"

仲長子昌言二卷

《隋志》:《仲長子昌言》十二卷,録一卷。漢尚書郎仲長統撰。

本書提要云:"《昌言》二卷,後漢仲長統撰。統,字仲理,山陽高平人。《後漢書》本傳言尚書令荀彧聞統名,奇之,舉爲尚書郎,後參曹操軍事。每論説古今及時俗行事,恒發憤歎息,因著論名曰《昌言》。凡二十四篇,十餘萬言。章懷太子注:'昌,讜也。《尚書》曰:汝亦昌言。'《隋志》:十二卷,録一卷。

《唐志》十卷。其書散佚,惟本傳載其《理亂》、《損益》、《法誡》三篇,明胡繼新刊之爲一卷。今更蒐補殘遺,分爲上、下二卷。其言時事,切中利弊,繆熙伯以董、賈、劉、揚擬之,洵非溢美。”

魏子一卷

《隋志》:《魏子》三卷,後漢會稽人魏朗撰。

本書提要云:“《魏子》一卷,漢魏朗撰。朗字少英,會稽人,官至尚書。常與陳蕃、李膺交游,矜尚氣節,列名八俊,事蹟具《後漢書·黨錮傳》。其書《隋》、《唐志》並三卷,今佚。惟《意林》載十二節,二條文義不完。據《藝文類聚》、《太平御覽》所引補訂,又從《御覽》、《文選注》輯得五節,合録爲一卷。語多精粹,非功深直養,孰能與於斯。”

王子正論一卷

《隋志》:《王子正論》十卷,王肅撰。

本書提要云:“《正論》一卷,魏王肅撰。《隋》、《唐志》俱十卷,今佚。考《晋書·禮志》引王景侯之論,《三國志》肅本傳載其對帝及司馬宣王語,當從本書采取。又《通典》引王肅議及諸答問,《太平御覽》引王肅議禮,雖不顯標書目,要是佚説之散見者,並據輯録。其説於禮制加詳,多所駁糾。蓋在當日欲與鄭氏角勝,拔戟自成一隊,抗颜高論,亦足名家矣。”

杜氏體論一卷

《隋志》:《杜氏體論》四卷,魏幽州刺史杜恕撰。

本書提要云:“《體論》一卷,魏杜恕撰。恕字務伯,京兆杜陵人,官至幽州刺史。《魏志》有傳,書成於廢徙之後。本傳云:‘在章武,遂著《體論》八篇。’裴松之注引杜氏《新書》曰:‘夫禮者,萬物之體也。萬物皆得其體,無有不善,故謂之《體論》。’《隋》、《唐志》並四卷,今佚。馬總《意林》載僅六節,復採《藝文類聚》、《太平御覽》，得數節，合録一卷。《御覽》所引，詳言兵體，葢目覩三國之戰爭，感慨爲言。語意多本《孟子》及《左氏傳》，洵有體之名論也。"

顧子新言一卷

《隋志》：《顧子新語》十二卷，吴太常顧譚撰。

本書提要云："《新言》一卷，吴顧譚撰。譚字子密，吴郡吴人，官至太常平尚書事。事蹟具《吴志》本傳。其書本名《新言》，本傳云'著《新言》十二篇'。《隋志》作'《新語》'，《唐志》作'《新論》'，皆非原目。《隋志》'十二卷'，以本傳參之，葢篇爲一卷也。《唐志》'四卷'，已亡其八。今佚。惟《太平御覽》引數節。又本傳載疏一篇，《隋志》無譚集，疏當在《新言》中。如賈誼《治安疏》在《新書》，董仲舒《天人策》在《春秋繁露》之類。陳壽作譚傳，即從譚書採之，未詳言著書篇目。則此疏爲篇之佚文可知。合訂一卷，改題《新言》，從其朔也。"

譙子法訓一卷

《隋志》：《譙子法訓》八卷，譙周撰。

本書提要云："《法訓》一卷，晋譙周撰。書稱'法訓'，擬於古之格言，亦如揚子雲書稱'法言'之類。原書散佚，陶宗儀《説郛》輯録十節。兹更蒐採，得十三節，合訂一卷。史稱'周誦讀典墳，欣然獨笑，以忘寢食'，則當日心得之藴，於此聊存矣。"

袁子正論二卷

《隋志》：《袁子正論》十九卷，袁準撰。

本書提要云："《正論》二卷，晋袁準撰。《隋志》'十九卷'，今佚。杜佑《通典》引十餘節，多祥禮服。《詩》、《禮》正義、《三國志注》、《藝文類聚》、《北堂書鈔》、《初學記》、《太平御覽》亦引稱之，或言'袁準'，或言'袁子'。以文辭例推，知爲《正論》

語,並據輯録,分爲二卷。其説均有確據,準之學尚考據,漢人遺法猶存。至論才性有善有惡,則世碩、揚雄之緒論也。"

夏侯子新論一卷

《隋志》:《新論》十卷,晋散騎常侍夏侯湛撰。

本書提要云:"《新論》一卷,晋夏侯湛撰。湛字孝若,譙國譙人,官至散騎常侍,事蹟具《晋書》本傳。《隋》、《唐志》並載《新論》十卷,今佚。惟見《太平御覽》,引六節而已。本傳載有《抵疑》一篇,與東方朔《答客難》、班固《答賓戲》體例不殊,當是原書佚篇之一,兹並輯録。"

志林新書一卷

《隋志》:《志林新書》三十卷,虞喜撰。

本書提要云:"《志林新書》一卷,晋虞喜撰。《隋志》載三十卷,今佚。明陶宗儀輯十三節入《説郛》。兹更採《三國志注》、《文選注》、《史記索隱》《正義》、《太平御覽》等書,補録三十七節,合爲一卷。書多雜論故事,長於考據,可訂經注。諸書引並作《志林》,加題《新書》,依《隋志》也。"

傅子一卷

《隋志》:《傅子》百二十卷,晋司隸校尉傅玄撰。

本書提要云:"《傅子》一卷,晋傅玄撰。玄字休奕,北地人,官至司隸校尉。《晋書》本傳稱玄撰《論經國九流》及《三史故事》。評斷得失,各爲區别,名爲《傅子》,爲内、外、中篇,凡有四部六録,合百四十首、數十萬言行世。玄初作《内篇》成,以示司空王沈,沈與玄書曰:'省足下所著書,言富理濟,經綸政體,存重儒教,足以塞楊、墨之流遁,齊孫、孟於往代。'其爲當時所重如此。《隋》、《唐志》皆載《傅子》一百四十卷,尚爲完本。《宋志》僅見其名。元、明之後,藏書家遂不著録,蓋已久佚。今檢《永樂大典》中散見頗多,且所標篇目咸在。謹採掇裒次，得文義完具者十有二篇。又文義未全者十有二篇，依文編綴，總爲一卷。其有《永樂大典》未載，而見於他書所徵引者，復蒐輯得四十餘條，別爲附録，繫之於後。晋代子家今傳於世者，獨玄此書。所論皆關切治道，闡啓儒風，精意名言，往往而在，以視《論衡》、《昌言》，皆當遜之。殘編斷簡，收拾於闕佚之餘者，尚得以考見其什一。是亦可爲寶貴也。”

兵家

六韜六卷

《隋志》：《太公六韜》五卷，梁六卷，周文王師姜望撰。

本書提要云：“《六韜》六卷，舊本題周吕望撰。考《莊子·徐無鬼》篇，稱《金版》、《六弢》。《釋文》曰：《金版》、《六弢》皆《周書》篇名，本又作《六韜》，謂：太公六韜：文、武、虎、豹、龍、犬也。則戰國之初，原有是名。然即以爲《太公六韜》，未知所據。《漢志》兵家不著録，惟儒家有《周史六弢》六篇。班固自註曰：惠襄之間，或曰顯王時，或曰孔子問焉。則《六弢》別爲一書。颜師古註以今之《六韜》當之，毋亦因陸德明之説而牽合附會歟？《隋志》始載《六韜》五卷，曰文王師姜望撰。唐宋諸《志》皆因之。今考其文，大抵詞意淺近，不類古書。《龍韜》中有《陰符篇》，不知陰符之義，誤以爲符節之符，尤爲鄙陋。周氏《涉筆》謂其書並緣吴起，漁獵其詞，而綴輯以近代軍政之浮談，淺駁無可施用。胡應麟《筆叢》亦謂其《文代》、《陰書》等篇爲孫、吴、尉繚所不道。然晁公武《讀書志》稱：元豐中，以《六韜》、《孫子》、《吴子》、《司馬法》、《黄石公三略》、《尉繚子》、《李衛公問對》頒武學，號曰‘七書’。則其來已久，談兵之家，恒相稱述。今故仍録存之，而備論其踳駁如右。"

孫子一卷

《漢志》:《吴孫子兵法》八十二篇,圖九卷。

《隋志》:《孫子兵法》二卷,吴將孫武撰。

本書提要云:"《孫子》一卷,周孫武撰。考《史記·孫子列傳》,載武之書十三篇,而《漢志》乃載八十二篇,圖九卷。故張守節《正義》以十三篇爲上卷,又有中、下二卷。杜牧亦謂'武書本數十萬言,皆曹操削其繁剩,筆其精粹,以成此書'。然《史記》稱十三篇在《漢志》之前,不得以後來附益者爲本書。牧之言固未可以爲據也。此書註本極夥,然至今傳者寥寥。應武舉者所誦習,惟坊刻講章,鄙俚淺陋,無一可取。故今但存其本文,著之於録。武書爲百代談兵之祖,葉適以其人不見於《左傳》,疑其書乃春秋末、戰國初山林處士之所爲。然《史記》載闔閭謂武曰:'子之十三篇,吾盡觀之矣。'則確爲武所自著,非後人嫁名於武也。"

吴子一卷

《漢志》:《吴起》四十八篇。

《隋志》:《吴起兵法》一卷。

本書提要云:"《吴子》一卷,周吴起撰。司馬遷稱'起兵法世多有',而不言篇數。《漢志》載四十八篇。然《隋志》作一卷,《唐志》同,無所謂四十八篇者。蓋亦如孫武之八十二篇,出於附益,非其本書,世不傳也。晁公武《讀書志》則作三卷,凡《説國》、《料敵》、《治兵》、《論將》、《變化》、《勵士》六篇。今所行本仍併爲一卷,篇目並與《讀書志》合。惟《變化》作《應變》,則未知孰誤耳。起殺妻求將,齧臂盟母,其行事殊不足道。然嘗受學於曾子,耳濡目染,終有典型。故持論頗不詭於正,尚有先王節制之遺。高似孫謂'其尚禮義,明教訓,或有得於《司馬法》者,'斯言允矣。"

司馬法一卷

《漢志》:《軍禮司馬法》百五十五篇。

《隋志》:《司馬兵法》三卷。齊將司馬穰苴撰。

本書提要云:"《司馬法》一卷,舊題齊司馬穰苴撰。今考《史記·穰苴列傳》,稱齊威王使大夫追論古者《司馬兵法》,而附穰苴於其中,因號曰《司馬穰苴兵法》。然則是書乃齊國諸臣所追輯。隋、唐諸《志》皆以爲穰苴所自撰者,非也。《漢志》稱《軍禮司馬法》百五十五篇。陳師道以傳記所載《司馬法》之文,今書皆無之,疑非全書。然其言大抵據道依德,本仁祖義,三代軍政之遺規,猶藉存什一於千百。蓋其時去古未遠,先王舊典,未盡無徵。摭拾成編,亦漢文博士追述王制之類也。班固序兵權謀十三家,形勢十一家,陰陽十六家,技巧十三家,獨以此書入禮類,豈非以其説多與《周官》相出入,爲古來五禮之一歟?胡應麟惜其以穰苴所言參伍於仁義禮樂之中,不免懸疣附贅。然要其大旨,終爲近正,與一切權謀、術數迥然别矣。《隋》、《唐志》俱作三卷,世所行本,以篇頁無多,併爲一卷。今亦從之,以省繁碎焉。"

尉繚子五卷

《漢志》:《尉繚》三十一篇。

《隋志》:《尉繚子》五卷。

本書提要云:"《尉繚子》五卷,周尉繚撰。其人當六國時,或曰魏人,或又曰齊人,未詳孰是。《漢志》雜家有《尉繚》二十九篇,兵形勢家内别有《尉繚》三十一篇。胡應麟謂'兵家之《尉繚》即今所傳,而雜家之《尉繚》並非此書'。今雜家亡而兵家獨傳。特今書止二十四篇,與所謂三十一篇者數不相合,則後來已有所亡佚,非完本矣。其書大旨主於分本末,别賓主,明賞罰,所言往往合於正,皆戰國談兵者所不道。晁公武《讀書志》有張載註《尉繚子》一卷,則講學家亦取其説。然書中《兵令》一篇,於誅逃之法言之極詳。可以想見其節制,則亦非漫無經略,高談仁義者矣。"

黄石公三略三卷

《隋志》:《黄石公三略》,三卷。

本書提要云:"案,黄石公事見《史記》。《三略》之名始見於《隋志》。相傳其源出於太公,圯上老人以一編書授張良者,即此。蓋自漢以來,言兵法者往往以黄石公爲名,史志所載,今雖多亡佚不存,然大抵出於附會。是書文義不古,當亦後人所依託。鄭瑗稱其剽竊老氏遺意,迂緩支離,不適於用。其知足戒貪等語,蓋因子房之明哲而爲之辭,非子房反有得於此。此其非圯橋授受之書明甚。然後漢光武帝詔書引黄石公之語,實出書中。其爲漢詔援據此書,或爲此書剽竊漢詔,均無可考。疑以傳疑,姑過而存之焉。明劉寅註《三略》以爲眞出太公,至黄石公始授張良。於書中越王句踐一事,則指爲黄石公所附益。眞西山有是書序,亦以爲雖非太公作,而當爲子房之所受,則寅説亦有所自來。其大旨出於黄老,務在沈幾觀變,先立於不敗,以求敵之可勝。操術頗巧,兵家或往往用之。寅之所註,亦頗能發明此意焉。"

法家

管子二十四卷

《漢志》:《筦子》八十六篇。名夷吾。師古曰:"'筦',讀與'管'同。"

《隋志》:《管子》十九卷,齊相管夷吾撰。

本書提要云:"《管子》二十四卷,舊本題管仲撰。劉恕《通鑑外紀》引《傅子》曰：‘管仲之書，過半便是後之好事者所加，乃説管仲死後事。’葉適亦曰：‘《管子》非一人之筆，亦非一時之書，以其言毛嬙、西施、吴王好劍推之，當是春秋末年。’今考其文，大抵後人附會多於仲之本書。其他姑無論，即仲卒於桓公之前，而篇中處處稱桓公，其不出仲手，已無疑義矣。書中稱《經言》者九篇，稱《外言》者八篇，稱《内言》者九篇，稱《短語》者十九篇，稱《區言》者五篇，稱《雜篇》者十一篇，稱《管子解》者五篇，稱《管子輕重》者十九篇。意其中孰爲手撰，孰爲記其緒言如語録之類，孰爲述其逸事如家傳之類，孰爲推其義旨如箋疏之類，當時必有分别。觀其五篇明題《管子解》者，可以類推。必由後人混而一之，致滋疑竇耳。晁公武《讀書志》曰：‘劉向所校本八十六篇，今亡十篇。’考《管子》唐初完已非本。明所刊彌爲竄亂失眞。舊有房玄齡註，晁公武以爲尹知章所託，然考《唐書・藝文志》，玄齡註不著録，而有尹知章註《管子》三十卷。則知章本未託名，殆後人以知章人微，玄齡名重，改題之以炫俗耳。其文淺陋，頗不足採。然古來無註他本，故仍舊本録之。”

鄧析子一卷

《漢志》：《鄧析》二篇。

《隋志》：《鄧析子》一卷。

本書提要云：“《鄧析子》一卷，周鄧析撰。析，鄭人。操兩可之説，設無窮之詞，作《竹刑》，數難子産之治。《左傳》定公八年，駟歂爲政。明年乃殺鄧析，而用其《竹刑》。其書《漢志》作二篇，今本仍分《無厚》、《轉辭》二篇而併爲一卷。然其文節次不相屬，似亦掇拾之本也。其大旨主於勢統於尊，事覈於實，於法家爲近，故爲鄭所用也。至於‘聖人不死，大盜不止’一條，其文與莊子同。析遠在莊子以前，不應預有勦説，而《莊子》所載又不云鄧析之言。或篇章殘闕,後人摭《莊子》以足之歟?"

商子五卷

《漢志》:《商君》二十九篇。名鞅。

《隋志》:《商君書》五卷,秦相衛鞅撰。

本書提要云:"《商子》五卷,舊本題秦商鞅撰。鞅封於商,號商君,故《漢志》稱《商君》。晁公武《讀書志》云:本二十九篇,今亡者三篇。此本自更法至定分,目凡二十有六,似即晁氏之本。然其中第十六篇、第二十一篇又皆有録無書,則并非宋本之舊矣。《史記》稱讀鞅《開塞》書,在今本爲第七篇。《文獻通考》引周氏《涉筆》,以爲鞅書多附會後事,擬取他詞,非本所論著。然特據文臆斷,未能確證其非。今考《史記》,稱秦孝公卒,太子立,公子虔之徒告鞅欲反,惠王乃車裂鞅以徇。則孝公卒後,鞅即逃死不暇,安得著書?如爲平日所著,則必在孝公之世,又安得開卷第一篇即稱孝公之謚?殆法家者流掇鞅餘論,以成是編,猶管子卒於齊桓公前,而書中屢稱桓公耳。諸子之書,如是者多。既不得撰者之主名,則亦姑從其舊,仍題所託之人矣。"

韓子二十卷

《漢志》:《韓子》五十五篇。名非。

《隋志》:《韓子》二十卷,目一卷,韓非撰。

本書提要云:"《韓子》二十卷,周韓非撰。《漢志》載五十五篇。張守節《史記正義》引阮孝緒《七録》載《韓子》二十卷,篇數、卷數皆與今本相符。元何犿本僅五十三篇,其序稱内佚《姦劫》一篇、《説林下》一篇及《内儲説下》六微内似類以下數章。明趙用賢購得宋槧,與犿本相較,始知舊本未嘗全佚。今世所傳,亦宋槧本,其文均與用賢本同。今即據以繕録。

考《史記》非本傳，稱非見韓削弱，數以書諫韓王，韓王不能用。悲廉直不容於邪枉之臣，觀往者得失之變，故作《孤憤》、《五蠹》、《内外儲説》、《説林》、《説難》十餘萬言。又云：人或傳其書至秦，秦王見其《孤憤》、《五蠹》之書。則非之著書，當在未入秦前。《史記》自叙所謂韓非囚秦，《説難》、《孤憤》者，今書冠以《初見秦》，次以《存韓》，皆入秦後事，似與相符。然傳稱韓王遣非使秦，秦王説之，未信用。李斯、姚賈害之，下吏治非。李斯使人遺之藥，使自殺。計其間未必有暇著書。且《存韓》一篇，終以李斯駁非之議，及斯上韓王書，其事其文，皆未畢。疑非所著書本各自爲篇，非歿之後，其徒收拾編次，以成一帙。故在韓在秦之作，均爲收録，併其私記未完之之藁亦收入書中。名爲非撰，實非非所手定也。以其本出於非，故仍題非名，以著於録焉。"

附輯佚本

申子一卷

《漢志》：《申子》六篇。名不害。

本書提要云："《申子》一卷，周申不害撰。不害，京人，故鄭之賤臣。學術以干韓昭侯，昭侯用爲相。《史記》與老莊、韓非同傳。傳言'申子之學，本於黄老，而主刑名，著書二篇，號曰《申子》'。《漢志》：《申子》六篇。《隋志》云梁有《申子》三卷，亡。《唐志》復以三卷著目，今佚。馬總《意林》引六節，首有劉向一節，是《七略》、《别録》語，他皆脱略不全。兹更搜輯，合二十四節。劉向節與《史記》本傳，並附録篇後。《戰國策》載《申子》三事，皆策之最下者。太史公謂'申子卑卑，施於名實'，申韓並稱，遜吃公子遠矣。"

慎子五卷　嚴可均輯。

《漢志》:《慎子》四十二篇。名到。先申、韓,申、韓稱之。

《隋志》:《慎子》十卷,戰國時處士慎到撰。

鼂氏新書一卷

《漢志》:《鼂錯》三十一篇。

本書提要云:"《鼂氏新書》一卷,漢鼂錯撰。錯,潁川人,學申、商刑名於軹張恢生所,與洛陽宋孟及劉帶同師。以文學爲太常掌故,官至御史大夫,事蹟具《漢書》本傳。《漢志》:《鼂錯》三十一篇。《隋志》云'梁有《朝氏新書》三卷,漢鼂錯撰,亡'。《唐志》復有《鼂氏新書》十卷,今佚。馬總《意林》載三卷,僅録三節。《文選注》、《太平御覽》引四節,或作《朝子》。佚文可見者僅此。本傳載其上言對策,凡五篇。又云'言宜削諸侯事,及法令可更定者,書凡三十篇',則五篇皆'新書'中文可知,並輯録之。班孟堅於錯傳贊曰'鼂錯鋭於爲國遠慮,而不見身害,其父睹之,亡益救敗,悲夫'。錯雖不終,世哀其忠,故論其施行之語著於篇。此編猶是志也。"

世要論一卷

《隋志》:《世要論》十二卷,魏大司農桓範撰。

本書提要云:"《世要論》一卷,魏桓範撰,範字元則,沛國人,官至大司農。魚豢《魏略》云:'範嘗撮抄《漢書》中諸雜事,自以意斟酌之,名曰《世要論》。'《隋志》著録十二卷,今佚。《北堂書鈔》、《初學記》、《文選注》、《太平御覽》等書引之或作《新論》,或作《要集》,或作《世論》,皆此一書而引題者異。輯録二十五節爲一卷。書中多論行兵,蓋三國割據,日尋干戈,故論世者詳究之。雖列法家,而略無殘苛之語,昔範嘗以示蔣濟,濟不肯視,試取蔣氏《萬機論》衡之,其識議亦止在伯仲間耳。"

農家

齊民要術十卷

《隋志》:《齊民要術》十卷,賈思勰撰。

本書提要云:"《齊民要術》十卷,後魏賈思勰撰。自序稱:'起自耕農,終於醯醢,資生之樂,靡不畢書,凡九十二篇。'今本乃終於五穀果蓏非中國物者。自序又稱:'商賈之事,闕而不録。'今本《貨殖》一篇,乃列於第六十二,莫知其義。中第三十篇爲《雜説》,而卷端又列雜説數條,不入篇數。一名再見,於例殊乖。其詞亦鄙俗不類,疑後人所竄入。然陳振孫《書録解題》稱其'治生之道,不仕則農'爲名言,正見於卷端雜説中。則宋本已有之矣。思勰序不言作註,亦不云有音。李燾《孫氏齊民要術音義解釋序》曰:'賈思勰著此書,專主民事,又旁摭異聞,多可觀,在農家最嶢然出其類。奇字錯見,往往艱讀。今運使祕丞孫公爲之音義解釋,略備其正名小物,蓋與揚雄、郭璞相上下,不但借助於思勰也。'則今本之註蓋孫氏之書。特《宋·藝文志》不著録,其名不可考耳。"

附輯佚本

神農書一卷

《漢志》:《神農》二十篇。

本書提要云:"《神農書》一卷,相傳炎帝神農氏撰。案《漢志》農家:《神農》二十篇,兵陰陽家《神農》一篇,五行家《神農》二十六卷,雜占家《神農》十四卷,經方家《神農黃帝》七卷,神仙家《神農》二十三卷。其農家二十篇,注'六國時諸子,疾時怠於農業。道耕農事,託之神農’。師古曰:劉向《別録》云疑李悝及商君所説。由此類推,凡《志》所載篇目,大抵皆依附爲之。今其書並佚。考唐《開元占經》載有《八穀生長》一篇,差爲完具,又亟引《神農占》數節。《管子》、《淮南子》、《漢·食貨志》等書或引神農之數,或引神農之法,或引神農之教。又《藝文類聚》引《神農求雨書》。得有篇目可稱者凡六,其他佚文散句時見傳注所引,並擬輯録,不可區分,統入農家云。”

野老書一卷

《漢志》:《野老》十七篇。

本書提要云:“《野老書》一卷,撰人名氏闕。《漢志》有十七篇,注六國時,在齊楚間。應劭曰:‘年老居田野,相民耕種,故號野老。’《隋》、《唐志》皆不著録,書佚已久。《吕氏春秋》載《上農》、《任地》、《辨土》、《審時》四篇。《繹史》云:‘蓋古農家野老之言,而吕子述之。’茲據補録。書中稱后稷語,古奥精微。其論得時、失時,形色情狀,非老農不能道。以此勞民權相,洵堪矜式。宜吕氏賓客取載多篇,與周公《月令》相輔而行也。”

尹都尉書一卷

《漢志》:《尹都尉》十四篇。

本書提要云:“《尹都尉書》一卷,漢尹氏撰。名字、里居俱無考。都尉,其官號也。《漢志》有十四篇,注不知何世。考《氾勝之書》曰:‘驗美田至十九石,中田十三石,薄田一十石。尹澤取減法,神農復加之。’尹澤疑都尉之名,意其爲漢成帝以前人也。其書今佚。《藝文類聚》、《太平御覽》並引劉向《別録》云:‘《尹都尉書》有《種瓜》篇、《種芹》、《葵》、《蓼》、《薤》、《蔥》諸篇’,今所傳《齊民要術》備載其法,據補得六篇。學圃雖細人之事，而勸課農夫，亦君子所不廢也。”

氾勝之書二卷

《漢志》：《氾勝之》十八篇。

《隋志》：《氾勝之書》二卷，漢議郎氾勝之撰。

本書提要云：“《氾勝之書》二卷，漢氾勝之撰。《漢書注》：‘成帝時爲議郎，劉向《别録》使教田三輔，有好田者師之。’《晋書・食貨志》：漢遣輕車使者氾勝之督三輔種麥，而關中遂穰。皇甫謐云：‘漢有氾勝之撰書言種植之事，此其可考者。’其書《漢志》十八篇，《隋》、《唐志》並二卷，今無傳本，散見賈思勰《齊民要術》。按賈書篇輯録，猶得十四篇。又從《黍穄篇》别出《種稗》，從《種穀》篇别出《區田法》，爲篇十六。又從《文選注》、《藝文類聚》、《太平御覽》所引，綴爲《雜篇》上、下，十八篇之書猶完。依《隋志》分爲二卷。書言樹藝之法，親切詳明，鄭康成注禮亟引之。賈公彦謂‘漢時農書有數家，《氾勝》爲上’，洵不虚也。”

蔡癸書一卷

《漢志》：《蔡癸》一篇。

本書提要云：“《蔡癸書》一卷，漢蔡癸撰。癸，宣帝時以言便宜至弘農太守。其書隋唐皆不著録，佚已久。考賈思勰《齊民要術》引崔寔《政論》，有‘趙過教民耕殖，其法三犂共一牛’云云。而《太平御覽》引作‘宣帝使蔡癸校民耕事’，文正同。蓋癸《書》述趙過法，而崔氏引之也。又《漢書・食貨志》詳言趙過代田之法，後次以蔡癸以好農‘使勸郡國’至大官。知當日校民耕植不外代田也。兹據採録。農圃小道，亦具見師承如此。”

醫家

神農本草經三卷

《隋志》:《神農本草經》三卷。

黄帝素問二十四卷

《漢志》:《黄帝内經》十八篇。

《隋志》:《黄帝素問》九卷。

本書提要云:"《黄帝素問》二十四卷,唐王冰註。《漢志》載《黄帝内經》十八篇,無《素問》之名。後漢張機《傷寒論》引之,始稱《素問》。晉皇甫謐《甲乙經序》,稱《鍼經》九卷、《素問》九卷皆爲《内經》,與《漢志》十八篇之數合。則《素問》之名起於漢、晋間矣,故《隋書·經籍志》始著録也。全元起所註闕其第七。冰自謂得舊藏之本,補足此卷。宋林億等校正,謂《天元紀大論》以下,卷帙獨多,與《素問》餘篇絶不相通,疑即張機《傷寒論序》所稱《陰陽大論》之文,冰取以補所亡之卷。理或然也。其《刺法論》、《本病論》則冰本亦闕,不能復補矣。冰本頗更篇次,然每篇之下必註全元起本第幾字,猶可考見其舊第。所註排抉隱奥,多所發明。其亦深於醫理者矣。"

《靈樞經》十二卷,王冰謂即《黄帝内經》十八卷之九,《漢》、《隋》、《唐志》皆不録。其文與《素問》之言不類,又似竊取《素問》而鋪張之,其爲王冰所僞託可知。書中《十二經水》一篇,黄帝時無此名,冰特據身所見而臆度之。然李杲精究醫理,而使羅天益作《類經》,兼採《素問》、《靈樞》。吕復亦稱善學者當與《素問》並觀,其旨義互相發明。葢其書雖僞,而其言則綴合古經。具有源本,譬之梅頤古文,贋託顯然。而先王遺訓,多賴其蒐輯以有傳,不可廢也。

難經本義二卷

《隋志》:《黄帝八十一難》二卷,梁有《黄帝衆難經》一卷,吕博望注,亡。

本書提要云:"《難經》二卷,周秦越人撰,元滑壽註。越人即扁鵲,事迹具《史記》本傳。壽,《明史》稱爲許州人。案朱右《攖甯生傳》曰:'世爲許州大家,元初,徙儀眞,而壽生焉。在鄞越曰攖甯生。'然則許乃祖貫,鄞乃寄居,實則儀眞人也。《難經》八十一篇,《漢志》不載,《隋》、《唐志》始載二卷,吴太醫令吕廣嘗註之。則其文當出三國前。廣書今不傳,未審即此本否。然唐張守節註《史記·扁鵲列傳》所引《難經》,悉與今合,則今書猶古本矣。其曰《難經》者,謂經文有疑,各設問難以明之。其中有此稱經云而《素問》、《靈樞》無之者,則今本《内經》傳寫脱簡也。其文辨析精微,詞致簡遠,讀者不能遽曉,故歷代醫家多有註釋。壽所採摭凡十一家,今惟壽書傳於世。其書首列《彙考》一篇,論書之名義源流。次列《闕誤總類》一篇,記脱文誤字。又次《圖説》一篇,皆不入卷數。其註則融會諸家之説而以己意折衷之,辨論精覈,考證亦極詳審。《攖甯生傳》稱'《難經》本《靈樞》、《素問》之旨,設難釋義。其間榮衛部位,臟腑脈法,與夫經絡腧穴,辨之博矣,而闕誤或多。愚將本其旨義,註而讀之'。即此本也。壽本儒者,能通解古書文義,故其所註視他家所得爲多云。徐大椿以秦越人《八十一難經》有不合《内經》之旨者,援引經文以駁正之。考《難經》雖未必越人之書,然三國已有吕博望註本。張機《傷寒論·平脈篇》中所稱經説,今在第五難中,則亦後漢良醫之所爲。歷代以來與《靈樞》、《素問》並尊,絶無異論。況《内經》已佚其第七篇,唐王冰始補之,宋林億等又復有校改,則已爲後人所亂。而《難經》反爲古本,又是書所引《内經》而今本無之者不止一條,則當時之本,與今亦不甚同。遽執以駁《難經》之誤,是何異談六經者,執開元改隸之本,以駁漢博士耶?"

甲乙經八卷

《隋志》:《黄帝甲乙經》十卷,音一卷。

本書提要云:"《甲乙經》八卷,晋皇甫謐撰。皆論鍼灸之道。《隋志》稱《黄帝甲乙經》。考此書首謐自序,稱'《七略》、《藝文志》,《黄帝内經》十八卷,今有《鍼經》九卷,《素問》九卷,二九十八卷,即《内經》也。又有《明堂孔穴》、《鍼灸治要》,皆黄帝、岐伯選事也。三部同歸,文多重複,錯互非一。乃撰集三部,使事類相從。删其浮詞,除其重複,爲十二卷'。是此書乃裒合舊文而成,故《隋志》冠以黄帝。然删除謐名,似乎黄帝所自作,則謬。書凡一百一十八篇,句中夾註,多引楊上達《太素經》、孫思邈《千金方》、王冰《素問註》、王惟德《銅人圖》,參考異同。其書皆在謐後,蓋宋高保衡、孫奇、林億等校正所加,非謐之舊也。是書節解章分,具有條理,亦尋省較易。至今與《内經》並行,不可偏廢,蓋有由矣。"

金匱要略論註二十四卷

《隋志》:《張仲景方》十五卷,《張仲景評病要方》一卷,《張仲景療婦人方》二卷。仲景,後漢人。

本書提要云:"《金匱要略》,漢張機撰,徐彬註。機字仲景,南陽人。是書乃晋高平王叔和所編次。王洙於館閣蠹簡中得之,曰《金匱玉函要略》。上卷論傷寒,中論雜病,下載其方,並療婦人,乃録而傳之。以逐方次於證候之下,以便檢用。其所論傷寒,文多簡略,故但取雜病以下止服食禁忌二十五篇二百六十二方,而仍其舊名。則此書叔和所編,本爲三卷,洙鈔存其後二卷,又以方一卷散附於二十五篇内,蓋已非叔和之舊。然自宋以來，醫家奉爲典型，與《素問》、《難經》並重，得其一知半解，皆可以起死回生，則亦岐、黄之正傳，和、扁之嫡嗣矣。漢代遺書，文句簡奥，而古來無註，醫家猝不易讀。彬註成於康熙辛亥，註釋尚爲顯明。今録存之，以便講肄云。”

傷寒論註十卷

《隋志》：梁有張仲景《辨傷寒》十卷。

本書提要云："《傷寒論》十卷，漢張機撰，晋王叔和編，金成無己註。此書前有宋高保衡、孫奇、林億等校上序，稱'開寶中節度使高繼沖曾編録進上，其文理舛錯，未能考正。國家詔儒臣校正醫書，今先校定仲景《傷寒論》十卷，總編二十二篇，合三百九十七法，除重複，定有一百一十三方，今請頒行'。又稱'自仲景於今八百餘年，惟王叔和能學之'云云。叔和爲一代名醫，又去古未遠，其學當有所受。無已於斯一帙，研究終身，所於《明理論》五十篇，《論方》二十篇，於君臣佐使之義，闡發尤明。嚴器之序，稱無已撰述傷寒義，皆前人未經道者。其推挹甚至。則在當時固已深重其書矣。黄元御謂張機因鍼灸刺法已亡而著《傷寒論》，以治外感之疾。其理則岐黄、越人之理，其法則因岐黄、越人之鍼刺而變通之。立六經以治傷寒，從六氣也；製湯丸以療感傷，守五味也。凡脈法八十三章，六經經證以及入府傳藏之裏證誤行汗吐下之壞病三百六十八章，外感之類證汗吐下宜忌八十六章，共五百三十七章，合百十三方。自晋王叔和混熱病於傷寒，後來坊本雜出。又有傳經爲熱直中爲寒之説，而傷寒亡矣。且簡編亦多失次，因爲解其脈法，詳其經絡，考其常變，辨其宜忌，凡舊文之譌亂者，悉爲更定。其持論甚高。考《傷寒論》舊本，經王叔和之編次，已亂其原次。元御以爲錯簡，較爲有據。然果復張機之舊與否,亦別無佐證也。”

肘後備急方八卷

《隋志》:《肘後方》六卷,葛洪撰。

本書提要云:“《肘後備急方》八卷,晋葛洪撰。是書初名《肘後卒救方》。梁陶弘景補其闕漏,得一百一首,爲《肘後百一方》。金楊用道又取唐慎微《證類本草》諸方附於《肘後隨證》之下,爲《附廣肘後方》。元世祖至元間,有烏某者得其本,始刻而傳之。明嘉靖中吕容所刊,並列葛、陶、楊三序於卷首。書中凡楊氏所增,皆别題‘附方’二字,列之於後。而葛、陶二家之方則不加分析,無可辨别。案《隋志》:葛洪《肘後方》六卷。陶弘景《補闕肘後百一方》九卷,亡。《宋志》止有葛書而無陶書。是陶書在隋已亡,不應元時復出。又陶書原目九卷,而此本合楊用道所附衹有八卷,篇帙多寡,亦不相合。疑此書本無《百一方》在内,後人取弘景原序冠之耳。書凡分五十一類,有方無論,不用難得之藥,簡要易明。雖頗經後來增損,而大旨精切,猶未盡失其本意焉。”

脈經十卷

《隋志》:《脈經》十卷,王叔和撰。

晁公武《讀書志》曰:《脈經》十卷,晋王叔和撰。唐甘伯宗《名醫傳》曰:“叔和,西晋高平人,博通經方,精意診處,尤好著述。其書纂岐伯、華陀等論脈要訣所成,叙陰陽表裏,辨三部九候,分人迎、氣口、神門,條十二經、二十四氣、奇經八脈、五臟六腑、三焦四時之疴,凡九十七篇。”今尚有明所刊林億校本。知公武之言不誣。明張世賢因世傳王叔和《脈訣》而爲之圖註。考《讀書志》又曰《脈訣》一卷,題曰王叔和撰,皆歌訣鄙淺之言，後人依託者，然最行於世。據此，則《脈經》爲叔和作，《脈訣》出於僞撰。世賢不考，誤以《脈訣》爲眞叔和書而圖註之。根柢先謬，其他可不必問矣。

巢氏諸病源候論五十卷

《隋志》：《諸病源候論》五卷，目一卷，吴景賢撰。

本書提要云："《諸病源候論》五十卷，隋大業中太醫博士巢元方等奉詔撰。考《隋志》有五卷，目一卷，吴景賢撰。《舊唐書志》有五十卷，吴景撰。皆不言巢氏書。《宋志》有巢元方《諸病源候論》五十卷，又無吴氏書。惟《新唐書志》二書並載，書名卷數並同。不應如是之相複，疑當時本屬官書，元方與景一爲監修，一爲編撰，故或題景名，或題元方名，實止一書，《新唐書》偶然重出。觀晁公武《讀書志》，稱隋巢元方等撰，足證舊本所列不止一名。然則《隋志》吴景作吴景賢，賢或監字之誤。其作五卷，亦當脱一'十'字。如止五卷，不應目録有一卷矣。宋天聖四年，命校定《巢氏病源候論》。五年，令摹印頒行。書凡六十七門，一千七百二十論。但論病源，不載方藥，葢猶《素問》、《難經》之例。惟諸證之末多附導引法，亦不言法出誰氏。考《隋志》有《導引圖》三卷，註曰'立一臥一坐一'，或即以其説編入歟？《讀書志》稱宋朝舊制用此書課試醫士，而太平興國中集《聖惠方》，每門之首亦必冠以此書。葢其時去古未遠，漢以來經方脈論，存者尚多。又裒集衆長，共相討論，故其言精密深邃，非後人之所能及。《内經》以下，自張機、王叔和、葛洪數家書外，此爲最古。究其指要，亦可云證治之津梁矣。王禕嘗議其惟知風寒二溼，而不著溼熱之説，以爲疏漏。然病機萬變，前人所未及言，經後人闡明者甚多，未可以一節病是書也。"

天文算法

周髀算經二卷

《隋志》:《周髀》一卷,趙嬰注《周髀》一卷,甄鸞重述《周髀圖》一卷。

本書提要云:"案《隋志》天文類首列《周髀》,是書内稱周髀長八尺,夏至之日,晷一尺六寸。蓋髀者,股也。於周地立八尺之表以爲股,其影爲句,故曰'周髀'。其首章周公與商高問答,實句股之鼻祖,故《數理精蘊》載在卷首而詳釋之,稱爲成周六藝之遺文。榮方問於陳子以下,徐光啓謂爲千古大愚。今詳考其文,與本文絶不相類,疑後人傳説而誤入正文者。如《夏小正》之經傳參合,傅崧卿未訂以前,使人不能讀也。其本文之廣大精微者,皆足以存古法之意,開西法之源,如書内璿璣四游,終古不變。以七衡六間測日躔發斂,亦終古不變。蓋天之學,此其遺法。蓋渾天如毬,寫星象於外,人自天外觀天。蓋天如笠,寫星象於内,人自天内觀天。笠形半圓,有如張蓋,故稱'蓋天'。合地上地下兩半圓體,即天體之渾圓矣。其法失傳已久,故自漢以迄元、明皆主渾天。明萬曆中歐邏巴人入中國,始創立新法,號爲精密。然其言地圓,其言南北里差、東西里差,其法出於《周髀》。特後來測驗增修,愈推愈密耳。《明史・曆志》謂堯時宅西居昧谷,疇人子弟散入遐方,因而傳爲西學者,固有由矣。此書舊本相承,題云'漢趙君卿註'。其註内屢稱爽,蓋即君卿之名。然則《隋志》之趙嬰,殆趙爽之譌歟?書内凡爲圖者五,而失傳者三,譌舛者一,謹據正文及註爲之補訂。古者九數惟《九章》、《周髀》二書流傳最古,譌誤亦特甚。然溯委窮源,得其端緒,固術數家之鴻寶也。"

星經二卷

《隋志》：《星經》二卷。

本書提要云："《星經》二卷，不著撰人名氏。晁公武《讀書志》載《甘石星經》一卷，註曰漢甘公石申撰。以日月、五星、三垣、二十八舍恒星圖象次舍，有占訣以候休咎。是書卷數與《隋志》合，而多舉隋、唐州名，必非秦、漢間書也。所載星象，今亦殘闕不全，不足以備考驗。"

張邱建算經三卷

《隋志》：《張邱建算經》二卷。

本書提要云："《張邱建算經》三卷，《隋志》作二卷，《唐志》一卷，甄鸞註外，別有李淳風註三卷。鄭樵《通志・藝文略》：《張邱建算經》一卷，又三卷，李淳風註。《宋・藝文志》、《中興書目》亦俱作三卷，則析爲三卷自淳風始。此本題甄鸞註，李淳風等奉敕註釋，劉孝孫撰細草，葢北宋時校定刊行之本。其中稱'術曰'者，乃鸞所註。'草曰'者，孝孫所增。其細字夾註稱'臣淳風等謹案'者，不過十數處。葢有疑則釋，非節節爲之註也。其書體例，皆設爲問答，以參校而申明之，凡一百條。簡奥古質，頗類《九章》，與近術不同。而條理精密，實能深究古人之意，故唐代頒之算學，以爲專業。今詳加校勘，其上卷起自乘除之數，至第十二問爲句股測望，第十三問爲句股和較，十四問爲重句股顛倒測望，十五問爲臥句股左右進退測望，此四問皆藉圖以明，舊本所無，今特依義補入。自十六問以下皆取差分、和較、均輸參雜爲目，間附以方圓冪積。至中卷之十六問，乃入商功，後復及貴賤、差分、倍半、衰分、方田諸術。惟弧矢一問原本不完，未可以他術增補，姑仍其闕。下卷首問失題，又細草下亦脱二十餘字，以有後文可據，謹爲補足。其鹿、垣、倉三條，亦各爲之圖，系諸原問之左,俾學者得以考見其端委焉。”

附輯佚本

九章算術九卷

《隋志》:《九章算術》十卷,劉徽撰。

本書提要云:“《九章算術》,葢《周禮》保氏之遺法,不知何人所傳。王孝通言‘周公制禮有《九章》之名,其理幽而微,其形祕而約。張蒼刪補殘闕,校其條目,頗與古術不同’云云。今考書內有‘長安上林’之名。上林苑在武帝時,蒼在漢初,何緣預載?知述是書者在西漢中葉後矣。舊本有註,題曰劉徽所作。又有註釋,題曰李淳風所作。考《唐書》稱淳風奉詔注《九章算術》,爲《算經十書》之首,國子監置算學生三十人,習《九章》及《海島算經》,共限三歲。葢即是時作也。北宋以來,其術罕傳。士大夫少留意者,書遂幾於散佚。洎南宋慶元中,始得其本。然流傳不廣,至明又亡。故二、三百年算術之家未有得睹其全者。惟分載於《永樂大典》者,依類裒輯,尚九篇具在。考鮑澣之後序,知即慶元之舊本。葢顯於唐,晦於宋,亡於明,而復完於今。其隱其見,若有數默存於其間,非偶然矣。謹排纂成編,并考訂譌異。其註中指狀表目,如朱實、青實、黃實之類,皆就圖中所列而言,圖既不存,則其註猝不易曉。今推尋註意,爲之補圖,以成完帙。算數莫古於九數,九數莫古於是書。雖新法屢更,愈推愈密,而窮源探本,要百變不離其宗。録而傳之,固古今算學之弁冕矣。”

孫子算經三卷

《隋志》:《孫子算經》二卷。

本書提要云:“案《隋志》有《孫子算經》二卷,不著其名,亦不著其時代。《唐志》稱李淳風註《甄鸞孫子算經》三卷,於孫子上冠以甄鸞,蓋如淳風之註《周髀算經》,因鸞所註更加辨論也。唐之選舉,算學《孫子》、《五曹》,共限一歲習肄,於後來諸算術中特爲近古,第不知孫子何許人。朱彝尊有《孫子算經跋》云'首言度量所起,合乎《兵法》地生度,度生量,量生數之文。次言乘除之法,設爲之數,十三篇中所云廓地、分利、委積、遠輸、貴賤、兵役、分數,比之《九章》方田、粟米、差分、商功、均輸、盈不足之目,往往相符,而要在得算多,多算勝。以是知此編非僞託也'云云。彝尊之意,蓋以爲確出於孫武。今考書内《設問》有云:長安、洛陽相去九百里。又云:佛書二十九章,章六十三字。則後漢明帝以後人語。孫武春秋末人,安有是語乎?舊本久佚。今從《永樂大典》所載裒集編次,仍爲三卷。其甄、李二家之註,則不可復考,是則姚廣孝等割裂刊削之過矣。《唐志》有甄鸞《五曹算經》五卷,韓延《五曹算經》五卷,李淳風註《五曹》、《孫子》等算經二十卷。甄、韓二家,皆註是書者也。其作者則不知爲誰。朱彝尊有《五曹算經跋》云:相傳其法出於孫武。然第曰相傳,無所引證。觀《唐書·選舉志》稱《孫子》、《五曹》共限一歲。既曰'共限',則《五曹》不出《孫子》明矣。姑斷以甄鸞之註,則其書確在北齊前。自元明以來,久無刻本。今散見《永樂大典》内者,甄鸞、韓延、李淳風之註,雖亦散佚,而經文則逐條完善。謹參互考校,俾還舊觀焉。"

海島算經一卷

《隋志》:《九章重差圖》一卷,劉徽撰。

本書提要云:"《海島算經》一卷,晋劉徽撰,唐李淳風等奉詔註。據劉徽序《九章算術》有云:'徽尋九數有重差之名,凡望極高,測絶深,而兼知其遠者,必用重差。輒造《重差》,並爲註解,以究古人之意,綴於《句股》之下。度高者重表,測深者累矩,孤離者三望,離而又旁求者四望。'據此,則徽之書本名《重差》,初無《海島》之目,亦但附於《句股》之下,不别爲書。故《隋志》、《九章算術》增爲十卷,以《九章》九卷合此而十也。而又有劉徽《重差圖》一卷,蓋其書亦另本單行,故别著於録,一書兩出耳。至《海島》之名,不過後人因卷首以海島之表設問而改斯名。然《唐・選舉志》稱算學生《九章》、《海島》,共限習三年,則改題《海島》,自唐初已然矣。其書世無傳本,惟散見《永樂大典》中。今裒而輯之,仍爲一卷。篇帙無多,而古法具在,固宜與《九章算術》同爲表章,以見算數家源流之所自焉。"

夏侯陽算經三卷

《隋志》:《夏侯陽算經》二卷。

本書提要云:"案《隋志》有《夏侯陽算經》二卷,不言陽爲何代人。《唐志》載是書爲甄鸞註,則當在甄鸞之前。而此本載陽自序有云:甄鸞詳釋。書内又稱徐受重鑄銅斛,甄鸞校之,則又似在甄鸞後。其辨度量衡,又稱賦役令、雜令、田令之屬,皆據隋制言之,尤不可解。疑傳其學者又有所竄亂附益,不盡陽之舊義矣。《唐書・選舉志》所列《算經十種》,此居其一。蓋當時本懸之令甲,肄習考課。今傳本久佚,惟《永樂大典》内有之。然諸條割裂分附,猝不得其端緒。幸尚載原序原目,猶可以尋繹編次,條貫其文。今裒輯排比,釐爲三卷。其十有二門,亦從原目。其法務切實用,雖《九章》古法,非官曹民事所必需,亦略而不載。於諸算經中最爲簡要,且於古今制度異同尤足考證云。"

五經算術二卷

《隋志》:《五經算術》一卷,《五經算術録遺》一卷。

本書提要云："《五經算術》二卷，北周甄鸞撰，唐李淳風註。鸞精於步算，嘗釋《周髀》等算經，不聞其有是書。而《隋志》有《五經算術》一卷，《五經算術録遺》一卷，皆不著撰人姓名。《唐志》則有李淳風註《五經算術》二卷，亦不言其書爲誰所撰。今考是書，舉《尚書》、《孝經》、《詩》、《易》、《論語》、三禮、《春秋》之待算方明者列之，而推算之術悉加'甄鸞案'三字於上，則是書當即鸞所撰。又考淳風當貞觀初奉詔刊定算經，立於學官。《唐·選舉志》暨《百官志》並列《五經算》爲《算經十書》之一，與《周髀》共限一年習肄。此書註端悉有'臣淳風等謹案'字。然則唐時算科之《五經算》即是書矣。是書世無傳本，惟散見於《永樂大典》中，雖割裂失次，尚屬完書。以各經之敘推之，其舊第可以考見。謹依《唐·藝文志》所載之數，釐爲上、下二卷，其中採摭經史，多唐以前舊本。不特爲算家所不廢，實足以發明經史，覈訂疑義，於考證之學尤爲有功焉。"

術數

東方朔占書三卷

《隋志》：《東方朔歲占》一卷，《東方朔占》二卷，《東方朔書》二卷，《東方朔書鈔》二卷，《東方朔曆》一卷，《東方朔占候水旱卜人善惡》一卷。

本書提要云："《東方朔占書》三卷，所載皆測候風雲星月及太歲六十年豐凶占驗之法，其詞皆鄙俚不文。案古來雜占之書，託於朔者甚多。蔡絛《西清詩話》曰：劉克嘗謂杜詩'元日到人日，未有不陰時'，人知其一，不知其二，惟杜子美與克會耳。起就架上取書示余，《東方朔占書》也：歲後八日，一日雞,二日犬,三日豕,四日羊,五日牛,六日馬,七日人,八日穀,其日晴,所主之物育,陰則災云云。今本無此語,知非劉克所見之舊。又考《北史·魏收傳》魏帝問人日,收曰:晋董勛云正月七日爲人。不言出東方朔。則劉克所見之占書已出依託,此又僞本中之僞本也。《易衍》二卷,舊本題漢東方朔撰。其法推言禄命,以六十甲子值日,一日分十二時,如甲子日。子時命如何,丑時命如何,蓋今世所謂八字者。此書僅用其四,考唐李虚中《推録命》,尚論日不論時,朔乃先論時乎。"

靈棋經二卷

《隋志》:《十二靈棊卜經》一卷。

本書提要云:"《靈棋經》二卷,舊本題漢東方朔撰。或又以爲出自張良,本黄石公所授,後朔傳其術。《漢書》所載朔射覆無不奇中,悉用此書。或又謂淮南王劉安所撰。其説紛紜不一,大抵皆術士依託之詞。惟考《隋志》即有《十二靈棊卜經》一卷。而《南史》所載'客從南來'之繇,實爲今經中第三十七卦象詞。則是書本出自六朝以前,其由來亦已古矣。卦凡一百二十有四,合以純陰鏝卦十二棋皆覆者爲混沌未明,尚不在此數。舊註解今已失傳。明初劉基復仿《周易》象傳體作註以申明其義,其後序稱《靈棋》象《易》而作,以三爲經,四爲緯。三以上爲君,中爲臣,下爲民。四以一爲少陽,二爲少陰,三爲太陽,四爲老陰。少與少爲耦,老陰與太陽爲敵。得耦而悦,得敵而爭。或失其道而耦反爲仇,或得其行而敵反爲用。陽多者道同而助,陰盛者志異而乖數語,足盡茲經之要。大抵與《易》筮相爲表裏。雖所存諸家疏解,或詞旨淺俚,不無後人之緣飾。而'青田'一註,獨爲馴雅。或實基所自作,亦未可知。觀其詞簡義精,誠異乎世之生尅制化以爲術者矣。故録而存之，以備古占法之一種焉。”

易林十六卷

《隋志》：《易林》十六卷，焦贛撰。

本書提要云：“《易林》十六卷，漢焦延壽撰。延壽字贛，梁人。京房師之，故《漢書》附見於房傳。贛嘗從孟喜問《易》，然其學不出於孟喜，《漢書·儒林傳》記其始末甚詳。蓋《易》於象數之中别爲占候一派者，實自贛始。所撰有《易林》十六卷，又《易林變占》十六卷，並見《隋志》。《變占》久佚，惟《易林》尚存。其書以一卦變六十四，六十四卦之變共四千九十有六，各繫以詞，皆四言韻語。考《漢志》所載《易》十三家，蓍龜十五家，不及焦氏。《隋志》始著録於五行家。唐王俞始序而稱之。《崇文總目》言其推用之法不傳，而黄伯思記王佖占，程迥記宣和、紹興二占，皆有奇驗，則其術尚有知之者。王俞序本名《大易通變》，與諸本不同，疑爲後來卜筮家所改，非其舊也。案《漢書·儒林傳》曰：孟喜受《易》於田王孫，得《易》家候陰陽災變書，詐言田生且死時，枕喜膝獨傳。焦延壽嘗從孟喜問《易》，京房以爲延壽即孟氏學。翟牧、白生皆曰非也。劉向以爲諸《易》家説，大義略同，惟京氏爲異黨。延壽獨得隱士之説，託之孟氏，不相與同。然則陰陽災異之説始於孟喜，别得書而託之田王孫，焦延壽又别得書而託之孟喜，其源實不出於經師。朱彝尊《經義考》備列焦、京二家之書，蓋欲備《易》學宗派，實則以《隋志》列五行家爲允也。”

京氏易傳三卷

《漢志》：《易傳京房》十一篇。

本書提要云：“《易傳》三卷，漢京房撰。京所著《周易占候》，今惟《易傳》存，《漢志》作十一篇，與此不同。然《漢志》所載古書，卷帙多與今互異，不但此編。書雖以《易傳》爲名，而絶不詮釋經文,亦絶不附合《易》義。上卷、中卷以八卦分八宫,每宫一純卦統七變卦,而註其世應、飛伏、游魂、歸魂諸例。下卷首論聖人作《易》揲蓍布卦,次論納甲法,次論二十四氣候配卦,與夫天、地、人、鬼四易,父母、兄弟、妻子、官鬼等爻,龍德、虎形、天官、地官與五行生死所寓之類,蓋後來錢卜之法,實出於此。故項安世謂以《京易》考之,世所傳火珠林即其遺法。以三錢擲之,兩背一面爲坼,兩面一背爲單,俱面爲交,俱背爲重。此後人務趨捷徑以爲卜肆之便,而本意尚可考。其所異者,不以交重爲占,自以世爲占,故其占止於六十四爻而不能盡三百八十四爻之變。陸德明《經典釋文》乃於《周易》六十四卦之下悉註某宫一世、二世、三世、四世、游魂、歸魂諸名,引而附合於經義,誤之甚矣。"

太玄經十卷

《漢志》:揚雄所序三十八篇。《太玄》十九。

《隋志》:《揚子太玄經》十卷,陸績宋衷注。

本書提要云:"《太玄經》十卷,漢揚雄撰。《漢志》稱揚雄所序,《太玄》十九。其本傳則稱太玄、三方、九州、二十七部、八十一家、二百四十三表、七百二十九贊,分爲三卷,曰一、二、三,與《太初歷》相應。又稱有首、衝、錯、測、攡、瑩、數、文、掜、圖、告十一篇,皆以解剝玄體,離散其文,章句尚不存焉。與《藝文志》十九篇之説異。疑《志》所云十九篇,乃合其章句言之。今章句已佚,故篇數有異。以今本校之,其篇名、篇數一一與本傳合,固未嘗有脱佚也。注其書者,自漢以來,惟宋衷、陸績最著。晋范望,乃因二家之註,勒爲一篇。雄書本擬《易》而作,以家準卦,以首準彖,以贊準爻,以測準象,以文準文言,以攡、瑩、掜、圖、告準繫辭,以數準説卦,以衝準序卦,以錯準雜卦,全仿《周易》。古本經傳各自爲篇,望作注時,析

《玄首》一篇分冠八十一家之前,析《玄測》一篇分繫七百二十九贊之下。始變其舊,至今仍之。其書卷端標題稱晋范望字叔明解贊。考《玄測》第一條下有附註曰:此是宋、陸二家所註,即非范望註也。考望自序,稱因陸君爲本,録宋所長,捐其所短。然則望所自註,特其贊詞。其他文則酌取二家之舊,故獨以解贊爲文耳。揚雄以《玄》擬《易》,卷首所列舊圖具七十二候。明葉子奇獨謂《太玄》附會律曆節候而強其合,不無臆見。而又稱其能自成一家之學,在兩漢不可多得,因别爲詮釋,以正宋、陸舊註之譌。蓋亦如説《易》之家,廢象數而言義理也。考《太玄》大意,雖不盡涉乎飛伏互應,與焦、京之説有别。然《漢書》雄本傳稱《玄首》四重者,非卦也,數也。其用自天元推一晝一夜、陰陽數度、律曆之紀、九九大運,與天終始,與《太初曆》相應,亦有顓頊之曆焉。漢儒所述,其説至明,子奇必以爲不協律曆,其説殊戾。然《玄》文艱澀,子奇能循文闡發,使讀者易明,亦有一節之可取也。"

靈臺祕苑十五卷

《隋志》:《靈臺祕苑》一百一十五卷,太史令庾季才撰。

本書提要云:"《靈臺祕苑》十五卷,北周太史中大夫新野庾季才原撰,而宋人所重修也。季才之書,見於《隋志》者一百十五卷。《周書》季才本傳又作一百十卷。此爲北宋時奉敕删訂之本,衹存十五卷。目録後題編修官于大吉、丁洵、歐陽發、王安禮諸臣銜。錢曾稱其考核精確,非聊爾成書者。朱彝尊則謂季才完書,必多奥義,諸人芟削,僅摘十一,若作酒醴,去其漿而糟醨在矣。今觀所輯,首以《步天歌》及圖,次釋星驗,次分野土圭,次風雷雲氣之占,次取日月五星三垣列宿,逐次詳註。大抵頗涉占驗之説,不盡可憑。又篤信分野次舍,以州郡強爲分析,亦失之穿鑿附會。然其所條列,首尾詳貫,亦尚能成一家之言。雖機祥小術,不足言觀文察變之道。顧《隋志》所載天象諸書,今無一存。此書既據季才所撰爲藍本,則周以前之古帙,尚藉以略見大凡。存爲考證之資,亦無不可也。"

藝術

古畫品録一卷

《隋志》:《名手畫録》一卷。

本書提要云:"《古畫品録》一卷,南齊謝赫撰。姚最稱其寫貌人物,毫髮無遺。據其所説,殆後來院畫之發源。張彦遠《名畫記》又稱其有《安期先生圖》傳於代,要亦六朝佳手也。是書等差畫家優劣,分爲六品。大抵謂畫有六法,兼善者難。自陸探微以下,以次品第,僅得二十七人,意頗矜慎。姚最頗詆其謬,然張彦遠稱謝赫評畫,最爲允愜。則固以是書爲定論。所言六法,畫家宗之,亦至今千載不易也。《續畫品》一卷,陳姚最繼謝赫《古畫品録》而作。而以赫所品高下,多失其實,故但叙時代,不分品目。始於梁元帝,終於解蒨,凡二十人,各爲論斷。所論多不過五六行,少或止於三四句,而出以儷詞,氣體雅儁,確爲唐以前語,非後人所能依託也。"

書品一卷

《隋志》:《書品》二卷。

本書提要云:"《書品》一卷,梁庾肩吾撰。肩吾字子慎,新野人。事蹟具《梁書·文學傳》。是書載漢至齊、梁能眞草者一百二十八人,分爲九品。每品各繫以論,而以總序冠於前。竇臮於肩吾書學,不甚推許,於是書亦頗致不滿。然其論列,多有理致,究不失先民典型。如序稱'隸體發源,秦時程邈所作，今時正書是也。'足正以八分爲隸之誤。惟唐之魏徵，與肩吾時代邈不相及，而並列其間，殊爲顛舛。又序稱一百二十八人，而書中所列實止一百二十三人，數亦不符，殆後人已有所增削。然張彦遠《法書要録》全載此書，已同此本，併魏徵之謬亦同，則其來久矣。"

譜録

竹譜一卷

《隋志》:《竹譜》一卷。

本書提要云:"《竹譜》一卷，舊本題晋戴凱之撰。《隋志》有《竹譜》一卷，不著名氏。《舊唐書》始題戴凱之之名，然不著時代。左圭《百川學海》題曰晋人，字慶豫。亦不知其何所本。觀其註中所援引，皆晋人之書，而《尚書》'篠簜既敷'，猶用鄭玄之註，似在孔《傳》未盛行以前。雖題爲晋人'别無顯證'。而李善註馬融《長笛賦》引其一條，段公路《北户録》引其一條，足證爲唐以前書。惟《酉陽雜俎》稱《竹譜》竹類三十九，今本乃七十餘種，稍爲不符。疑《酉陽雜俎》傳寫誤也。其書以四言韻語記竹之種類，而自爲之註，文皆古雅。舊本傳刻頗多譌脱，然諸本並同，難以臆改，皆姑仍其舊焉。"

雜家

鬻子一卷

《漢志》:《鬻子》二十二篇。名熊，爲周師。自文王以下問焉，周封爲楚祖。道家。鬻子説十九篇後世所加。　小説家。

《隋志》:《鬻子》一卷，周文王師鬻熊撰。

本書提要云:"《鬻子》一卷,舊本題周鬻熊撰。唐逢行珪註,凡十四篇。考《漢志》道家《鬻子説》二十二篇,又小説家《鬻子説》十九篇,是當時本有二書。《列子》引《鬻子》凡三條,皆黄老清淨之説,與今本不類。疑即道家二十二篇之文。今本所載與賈誼《新書》所引六條文格略同,疑即小説家之《鬻子説》也。杜預《左傳注》稱鬻熊爲祝融十二世孫。《史記》載鬻熊子事文王,早卒。成王時舉文武勤勞之後嗣,受封於楚。《漢書》載魏相奏記霍光,稱文王見鬻子年九十餘。雖所説小異,然大約文、武時人。今其書乃有'昔者魯周公'語,而賈誼《新書》亦引其成王問答凡五條,時代殊不相及。劉勰《文心雕龍》云:'鬻熊知道,文王咨詢,遺文餘事,録爲《鬻子》。'則裒輯成編,不出熊手。流傳附益,或搆虛詞,故《漢志》别入小説家歟?獨是僞《四八目》一書見北齊陽休之序録,凡古來帝王輔佐有數可紀者,靡不具載。而此書所列禹七大夫、湯七大夫皆具有姓名,獨不見收。似乎六朝之末尚無此本。或唐以來好事之徒依仿賈誼所引,撰爲贋本,亦未可知。觀其標題甲乙,故爲佚脱錯亂之狀,而誼書所引,則無一條之偶合。豈非有心相避,而巧匿其文,使讀者互相檢驗,生其信心歟?且其篇名冗贅,古無此體,又每篇寥寥數言,詞旨膚淺,决非三代舊文。姑以流傳既久,存備一家耳。"

墨子十五卷

《漢志》:《墨子》七十一篇。名翟,爲宋大夫,在孔子後。

《隋志》:《墨子》十五卷目一卷,宋大夫墨翟撰。

本書提要云:"《墨子》十五卷,舊本題宋墨翟撰。考《漢志》:《墨子》七十一篇,註曰名翟,宋大夫。《隋志》亦曰宋大夫墨翟撰。然其書中多稱'子墨子',則門人之言,非所自著。七十一篇之中,佚《節用下》第二十二,《節葬上》第二十三,《節葬中》第二十四,《明鬼上》第二十九,《明鬼下》第三十,《非樂中》第三十三,《非樂下》第三十四,《非儒上》第三十八,凡八篇。尚存六十三篇。墨家者流,史罕著録,蓋以孟子所闢,無人肯居其名。然佛氏之教,其清淨取諸老,其慈悲則取諸墨。韓愈《送浮屠文暢序》稱儒名墨行,墨名儒行,以佛爲墨,蓋得其眞。而《讀墨子》一篇,乃稱墨必用孔,孔必用墨,開後人三教歸一之説,未爲篤論。特在彼法之中,能自嗇其身,而時時利濟於物,亦有足以自立者。故其教得列於九流,而其書亦至今不泯耳。第五十二篇以下,皆兵家言,其文古奥,或不可句讀,與全書爲不類。疑因五十一篇言公輸般九攻、墨子九拒之事,其徒因採摭其術,附記其末。觀其稱'弟子禽滑釐等三百人已持守固之器在宋城上',是能傳其術之徵矣。"

尹文子一卷

《漢志》:《尹文子》一篇。説齊宣王。劉向云:與宋銒俱游稷下。

《隋志》:《尹文子》二卷。尹文,周之處士,游齊稷下。

本書提要云:"《尹文子》一卷,周尹文撰。魏黄初末山陽仲長氏條次撰定爲上、下篇。此本亦題《大道上篇》、《大道下篇》,而通爲一卷。蓋後人所合併也。《莊子·天下》篇以尹文、田駢並稱,颜師古注《漢書》謂齊宣王時人。考劉向《説苑》載文與宣王問答,《吕氏春秋》又載其與湣王問答,殆宣王時稷下舊人,至湣王時猶在歟。其書本名家者流。大旨指陳治道,欲自處於虚静,而萬事萬物則一一綜核其實,故其言出入於黄、老、申、韓之間。周氏《涉筆》謂其'自道以至名,自名以至法',蓋得其眞。晁公武《讀書志》以爲誦法仲尼,其言誠過,宜爲高似孫所譏。然似孫以儒理繩之,謂其淆雜,亦爲未允。百氏爭鳴,九流並列,各尊所聞,各行所知,自老、莊以下,均自爲一家之言。讀其文者,取其博辨閎肆足矣,安能限以一格哉。”

鶡冠子三卷

《漢志》:《鶡冠子》一篇。楚人,居深山,以鶡鳥尾爲冠。

《隋志》:《鶡冠子》三卷。楚之隱人。

本書提要云:“案《漢志》載《鶡冠子》一篇,註曰楚人。劉勰《文心雕龍》稱‘鶡冠綿綿,亟發深言’。《韓愈集》有《讀鶡冠子》一首,稱其‘施於國家,功德豈少’。《柳宗元集》有《鶡冠子辨》一首,乃詆爲言盡鄙淺,謂其《世兵篇》多同《鵩賦》,據司馬遷所引賈生二語,以決其僞。然古人著書,往往偶用舊文,古人引證,亦往往偶隨所見。司馬遷惟稱賈生,蓋亦此類。未可以單文孤證,遽斷其僞。惟《漢志》作一篇,而《隋志》以下皆作三卷,或後來有所附益,則未可知耳。其説雖雜刑名,而大旨本原於道德,其文亦博辨宏肆。自六朝至唐,劉勰最號知文,而韓愈最號知道,二子稱之。宗元乃以爲鄙淺,過矣。”

公孫龍子三卷

《漢志》:《公孫龍子》十四篇。趙人,即爲堅白之辯者。

本書提要云:“《公孫龍子》三卷,周公孫龍撰。案《史記》趙有公孫龍,爲堅白異同之辨。《漢志》龍與毛公等並游平原君之門。據《列子釋文》;龍字子秉,爲戰國時人。司馬貞《索隱》謂龍即仲尼弟子者,非也。《漢志》著録十四篇,至宋時八篇已亡,今僅存《跡府》、《白馬》、《指物》、《通變》、《堅白》、《名實》凡六篇。其首章所載與孔穿辨論事,《孔叢子》亦有之,謂龍爲穿所絀,而此書又謂穿願爲弟子,彼此互異。蓋龍自著書,自必欲伸己説。《孔叢》僞本,出於漢、晋之間,朱子以爲孔氏子孫所作,自必欲伸其祖説。記載不同,不足怪也。其書大旨疾名器乖實,乃假指物以混是非,借白馬而齊物我,冀時君有悟而正名實,故諸史皆列於名家。《淮南鴻烈解》稱'公孫龍粲於辭而貿名'。《揚子法言》稱'公孫龍詭辭數萬'。蓋其持論雄贍,實足以聳動天下,故當時莊、列、荀卿並著其言,爲學術之一。特品目稱謂之閒,紛然不可數計。龍必欲一一核其眞,而理究不足以相勝,故言愈辨而名實愈不可正。然其書出自先秦,義雖恢誕,而文頗博辨。陳振孫《書録解題》概以'淺陋迂僻'譏之,則又過矣。"

鬼谷子一卷

《隋志》:《鬼谷子》三卷。鬼谷子,周世隱於鬼谷。

本書提要云:"案《鬼谷子》,《漢志》不著録,《隋志》縱横家有《鬼谷子》三卷,註曰周世隱於鬼谷。《玉海》引《中興書目》曰:'周時高士,無鄉里族姓名字,以其所隱,自號鬼谷先生。蘇秦、張儀事之,授以《捭闔》至《符言》等十有二篇,及《轉丸本經》、《持樞中經》等篇。'因《隋志》之説也。《唐志》卷數相同,而註曰蘇秦。《七録》有《蘇秦書》,樂壹註云:秦欲神秘其道,故假名鬼谷。此又《唐志》之所本也。胡應麟《筆叢》則謂《漢志》有《蘇秦》三十一篇,《張儀》十篇,必東漢人本二書之言,薈萃爲此,而託於鬼谷,若子虚、亡是之屬。其言頗爲近理,然亦終無確證。《隋志》稱皇甫謐註,則爲魏、晋以來書,固無疑耳。《説苑》引《鬼谷子》一語,今本不載。又惠洪《冷齋夜話》引《鬼谷子》,今本亦不載。疑非其舊。然今本已佚其《轉丸》、《胠篋》二篇,惟存《捭闔》至《符言》十二篇。劉向所引或在佚篇之内。至惠洪所引,乃《金樓子》之文,誤以爲《鬼谷子》。均不足以致疑也。高似孫《子略》稱其術出於戰國諸人之表,誠爲過當。宋濂詆爲蛇鼠之智,又謂'其文淺近,不類戰國時人',又抑之太甚。柳宗元《辨鬼谷子》,以爲'言益奇而道益隘',差得其眞。蓋其術雖不足道,其文之奇變詭偉,要非後世所能爲也。"

吕氏春秋二十六卷

《漢志》:《吕氏春秋》二十六篇。秦相吕不韋輯,智略士作。

《隋志》:《吕氏春秋》二十六卷,秦相吕不韋撰。

本書提要云:"《吕氏春秋》二十六卷,舊本題秦吕不韋撰。考《史記·文信侯列傳》,實其賓客之所集也。《太史公自序》又稱'不韋遷蜀,世傳《吕覽》'。考《序意》篇,稱維秦八年,歲在涒灘。是時不韋未遷蜀,葢史駁文耳。《漢志》載《吕氏春秋》二十六篇。今本月十二紀,八覽,六論。紀所統子目六十一,覽所統子目六十三,論所統子目三十六,實一百六十篇。《漢志》蓋舉其綱也。其十二紀即《禮記》之《月令》。顧以十二月割爲十二篇,每篇之後各閒他文四篇。惟夏令多言樂,秋令多言兵,似乎有義,其餘則絶不可曉。先儒無説,莫之詳矣。又每紀皆附四篇,而季冬紀獨五篇。末一篇標識年月,題曰《序意》,爲十二紀之總論。殆所謂紀者猶内篇,而覽與論者爲外篇、雜篇歟?唐劉知幾作《史通》内、外篇,而《自序》一篇亦在内篇之末、外篇之前,葢其例也。不韋固小人,而是書較諸子之言獨爲醇正。大抵以儒爲主而參以道家、墨家,故多引六籍之文與孔子、曾子之言。其他如論音則引《樂記》,論鑄劍則引《考工記》,雖不著篇名,而其文可案。所引莊、列之言,皆不取其放誕恣肆者;墨翟之言,不取其非儒、明鬼者;而縱横之術,刑名之説,一無及焉。其持論頗爲不苟。論者鄙其爲人,因不甚重其書,非公論也。"

淮南子二十一卷

《漢志》:《淮南子》二十一篇。王安。

《隋志》:《淮南子》二十一卷,漢淮南王劉安撰。

本書提要云:"《淮南子》二十一卷,漢淮南王劉安撰。《漢志》

雜家:《淮南》内二十一篇,外三十三篇。颜師古註曰:内篇論道,外篇雜説。今所存者二十一篇,蓋内篇也。高誘言此書大較歸之於道,號曰鴻烈。《宋志》有《淮南鴻烈解》二十一卷,《鴻烈》之解也。而註其下曰淮南王安撰,似乎《解》亦安撰者。諸書引用,遂併《淮南子》之本文,亦題曰《淮南鴻烈解》,誤之甚矣。晁公武《讀書志》稱:其家本惟存十七篇,亡其四篇。高似孫《子略》稱:讀《淮南》二十篇。是在宋已鮮完本。惟洪邁《容齋隨筆》稱今所存二十一卷,與今本同。然白居易《六帖》引《淮南子》,而今本無之,則尚有脱文也。”

白虎通義四卷

《隋志》:《白虎通》六卷。

本書提要云:“《白虎通義》四卷,漢班固撰。《隋志》載《白虎通》六卷,不著撰人。《唐志》載《白虎通義》六卷,始題班固之名。陳振孫《書録解題》云凡四十四門。今本爲元劉世常所藏,凡四十四篇,與陳氏所言相符。然僅分四卷,視諸志所載又不同。朱翌稱《荀子註》引《白虎通》‘天子之馬’六句,今本無之。然則輾轉傳寫,或亦有所脱佚。翌因是而指其僞撰,則非篤論也。據《後漢書》固本傳,稱‘天子會諸儒講論五經,作《白虎通德論》,令固撰集其事’。《楊終傳》稱‘終言宣帝博徵羣儒,論定五經於石渠閣。方今天下少事,學者得成其業,而章句之徒,破壞大體。宜如石渠故事,永爲世則。於是詔諸儒於白虎觀論考同異焉’。《丁鴻傳》稱‘肅宗詔鴻與廣平王羡及諸儒樓望、成封、桓郁、賈逵等,論定五經同異於北宫白虎觀,使五官中郎將魏應主承制問難。帝親稱制臨決。時張酺、召馴、李育皆得與,其議奏統名《白虎通德論》’,猶不名‘通義’。《儒林傳》序言:‘建初中,大會諸儒於白虎觀,考詳同異,連月乃罷。肅宗命史臣著爲《通義》。’足證固撰集後,乃名其書曰《通義》,《唐志》所載,蓋其本名。《隋志》删去'義'字,蓋流俗省略,有此一名。遞相祖襲,忘其本始者也。書中徵引六經傳記而外涉及緯讖,乃東漢習尚使然。又有《王度記》、《三正記》、《別名記》、《親屬記》,則禮之逸篇。方漢時崇尚經學,咸兢兢守其師承,古義舊聞,多存乎是,洵治經者所宜從事也。"

論衡三十卷

《隋志》:《論衡》二十九卷,後漢徵士王充撰。

本書提要云:"《論衡》三十卷,漢王充撰。充字仲任,上虞人。其書凡八十五篇,而第四十四招《致篇》有録無書,實八十四篇。考其《自紀》云:書雖文重,所論百種。則原書實百餘篇,此本目録八十五篇,已非其舊矣。充書大旨詳於《自紀》一篇。蓋内傷時命之坎坷,外疾世俗之虛僞,故發憤著書,其言多激。《刺孟》、《問孔》二篇,至於奮其筆端,以與聖賢相軋,可謂誖矣。又露才揚己,好爲物先。至於述其祖父頑狠,以自表所長,傎亦甚焉。其他論辨,大抵訂譌砭俗,中理者多,亦殊有裨於風教。至其文反覆詰難,頗傷詞費。則充所謂'宅舍多,土地不得小;户口衆,簿籍不得少。失實之事多,虛華之語衆。指實定宜,辨爭之言安得約徑'者,固已自言之。儒者頗病其蕪雜,然終不能廢也。高似孫《子略》曰:'袁山松《後漢書》載充作《論衡》,中土未有傳者。蔡邕入吴,始見之,以爲談助。談助之言,可以了此書矣。'其論可云允愜。此所以攻之者衆,而好之者終不絶歟?"

風俗通義十卷附録一卷

《隋志》:《風俗通義》三十一卷,録一卷,應劭撰。

本書提要云:"《風俗通義》十卷,漢應劭撰。劭字仲遠,汝南人。嘗舉孝廉,中平六年拜泰山太守。《隋志》:《風俗通義》

三十一卷,録一卷。《唐志》三十卷。《崇文總目》、《讀書志》、《書録解題》皆作十卷,與今本同。各卷皆有總題,題各有散目。總題後略陳大意,而散目先詳其事,以謹案云云辨證得失。皇霸爲目五,正失爲目十一,愆禮爲目九,過譽爲目八,十反爲目十,音聲爲目二十有八,窮通爲目十二,祀典爲目十七,怪神爲目十五,山澤爲目十九。其自序云:'謂之《風俗通義》,言通於流俗之過謬,而事該之於義理也。'《後漢書》本傳稱'撰《風俗通》以辨物類名號,識時俗嫌疑',不知何以删去'義'字。或流俗省文,如《白虎通義》之稱《白虎通》,史家因之歟。其書因事立論,文辭清辨,可資博洽。大致如王充《論衡》,而叙述簡明則勝充書之冗漫。舊本屢經傳刻,失於校讐,頗有譌誤,今並釐正。宋陳彭年等修《廣韻》,多引《風俗通·姓氏》篇,是此篇至宋猶存。今本無之,不知何時散佚。考《永樂大典》尚載有《風俗通·姓氏》一篇,首題'馬總《意林》'字,所載與《廣韻註》多同,而不及《廣韻註》之詳,蓋馬總節本也。然今本《意林》無此文,當又屬佚脱。今採附《風俗通》之末,存梗概焉。"

人物志三卷

《隋志》:《人物志》三卷,劉邵撰。

本書提要云:"《人物志》三卷,魏劉邵撰。邵字孔才,邯鄲人。黄初中官散騎常待,正始中賜爵關内侯。别本或作劉劭,或作劉邵。此書末有宋庠跋云:劭勉之劭從力。從邑者,晋邑之名。案字書,此二訓外别無他釋,俱不協'孔才'之義。《説文》卲音同上,召旁從卩,訓高也。李舟《切韻》訓美也。高美與'孔才'義符。揚子《法言》曰'周公之才之卲'是也。所辨精核,今從之。卲書凡十二篇,首尾完具。晁公武《讀書志》作十六篇,疑傳寫之誤。其書主於論辨人才,以外見之符,驗内藏之器,分别流品,研析疑似,故《隋志》以下皆著録於名家。然所言究悉物情,而精覈近理。視尹文之説兼陳黄、老、公孫龍之説惟析堅白同異者,迴乎不同。蓋其學雖近乎名家,其理則弗乖於儒者也。"

古今注三卷

《隋志》:《古今注》三卷,崔豹撰。

本書提要云:"《古今注》三卷,舊本題晋崔豹撰。《中華古今注》三卷,舊本題後唐馬縞撰。豹書無序跋。縞書前有自序,稱'晋崔豹《古今注》博識雖廣,殆有闕文,洎乎黄初,莫之聞見。今添其注,以釋其義'。然今互勘二書,自宋、齊以後事二十九條外,其魏、晋以前之事,豹書惟草木一類及鳥獸類'吐綬鳥一名功曹'七字爲縞書所無。縞書惟服飾一類及開卷宫室一條、封部'兵陳二條、馬'鼢犬二條爲豹書所闕。其餘所載,並皆相同,不過次序稍有後先,字句偶有加減,縞所謂增注釋義,絶無其事。知豹書久亡,縞書晚出,後人摭其中魏以前事,贋爲豹作。又檢校《永樂大典》所載蘇鶚《演義》與二書相同者十之五六,則不特豹書出於依託,即縞書亦不免於勦襲。特以相傳既久,姑存以備一家耳。"

劉子十卷

《隋志》:梁有《劉子》十卷,亡。

本書提要云:"案《劉子》十卷,《隋志》不著録。《唐志》作梁劉勰撰。陳振孫《書録解題》、晁公武《讀書志》俱據唐袁孝政序,作北齊劉晝撰。《宋史・藝文志》亦作劉晝。陳氏載其序略曰'晝傷己不遇,天下陵遲,播遷江表,故作此書。時人莫知,謂爲劉勰、劉歆、劉孝標作'云云。不知所據何書。案梁劉勰,史惟稱其撰《文心雕龍》五十篇,不云更有别書。又史稱勰長於佛理,後出家,改名慧地。此書末篇乃歸心道教,與勰志趣迥殊。白雲霽《道藏目録》亦收之太玄部中，其非奉佛者明甚。近本仍刻劉勰，殊爲失考。劉孝標之説，《南史》、《梁書》俱無明文，未足爲據。劉歆之説，則《激通篇》稱班超建西域之績，其説可不攻而破矣。惟北齊劉晝，字孔昭，渤海阜城人，名見《北史·儒林傳》。然未嘗'播遷江表'，與孝政之序不符。傳稱晝綴輯詞藻，言甚古拙，與此書之縟麗輕蒨亦不合。又稱求秀才十年不得，乃發憤撰'高才不遇傳'。孝昭時編録所上之書，爲《帝道》。河清中又著《金箱壁言》，亦不云有此書。豈孝政所指，又别一劉晝歟？觀其書末《九流》一篇，所指得失，皆與《隋書·經籍志》子部所論相同。使《隋志》襲用其説，不應反不録其書。使其剽襲《隋志》，則貞觀以後人作矣。或袁孝政採掇諸子之言，自爲此書，而恍惚其著書之人，使後世莫可究詰，亦未可知也。劉勰之名，今既確知其非，自當刊正。劉晝之名，則介在疑似之間，難以確斷。姑仍晁氏、陳氏二家之目，題晝之名，而附著其牴牾如右。"

附輯佚本

史佚書一卷

《漢志》：《尹佚》二篇。

本書提要云："《史佚書》一卷，周太史尹佚撰。按《書·洛誥》'逸祝册'，孔安國、蔡沈傳並云：'逸，史佚也。'陳師凱曰：'古字通作逸。'《春秋左氏傳》杜註：史佚，周武王時太史。《漢志》墨六家：《尹佚》二篇。其書《隋》、《唐志》皆不著録，散亡已久，惟《左傳》、《國語》引其言。又《淮南子》引'成王問政'一節，《説苑》亦引之。又《逸周書》、《史記》載佚册祝，皆其佚文，並據輯録。《大戴禮記·保傅》篇云：'史佚與周公、太公、召公同列,而總謂之四聖。'則史佚,固聖人之流亞也。其對成王問政與《論語》'道千乘之國'章、《孟子》'君之視臣'章意旨復合,而《春秋》内外傳所引諸語,亦皆格言大訓。不知班《志》何以入其書於墨家之首。意或以墨家者流出於清廟之守,佚爲周太史,故探源而定之歟?觀者勿以墨翟兼愛之流弊,並疑此書也。"

由余書一卷

《漢志》:《由余》三篇。戎人,秦穆公聘以爲大夫。

本書提要云:"《由余書》一卷,周由余撰。由余,其先晋人,亡入戎,秦穆公與内史廖謀,要降之。《漢志》雜家:《由余》三篇。《隋》、《唐志》皆不著録。《史記》載其對秦穆公示以宫室積聚,及戎無《詩》、《書》、禮、樂法度之問。《韓非子》、《説苑》並引以儉説道,賈誼《新書》引其待下有禮之説。佚篇略存,並據輯録。其説黄帝作爲禮樂法度,身以先之僅以小治,而謂後世之亂皆以此類,與《老子》'禮爲忠信之薄'同意。論儉獨推帝堯,而以舜、禹制食器、祭器爲侈,復似墨氏之教,宜班《志》入其書於雜家哉。"

尸子二卷　章宗源輯。

《漢志》:《尸子》二十篇。名佼,魯人,秦相,商君師之。鞅死,佼逃入蜀。

《隋志》:《尸子》二十卷,目一卷。秦相衛鞅上客尸佼撰。其九篇亡,黄初中續。

尸子三卷附録一卷　任兆麟輯。

惠子一卷

《漢志》:《惠子》一卷。名施,與莊子並時。

本書提要云:"《惠子》一卷,周惠施撰。《戰國策》魏惠王、襄王、哀王皆紀其事言。《莊子·至樂》篇云'惠子相梁',則施魏人,作相在惠、襄之世,至哀王時猶存也。《漢志》名家:《惠子》一篇。《隋》、《唐志》皆不著目，佚已久。茲從羣書所引輯録十四節。篇中策議惟在勢位間度其得失，而籌其利害，辯言簧鼓，強口禦人。《吕覽·淫辭》篇記其爲魏惠王爲法，翟翦以鄭衛之音譏之。《莊子》亦云：'惠施多方，其書五車，其道舛駁，其言也不中。'然以彈喻譬，以尺棰辨用，殊令人解頤也。"

田俅子一卷

《漢志》：《田俅子》三篇。

本書提要云："《田俅子》一卷，周田俅撰。《漢志》墨六家：《田俅子》三篇。注：先韓子。案《韓非子》引田鳩説二節，《繹史》云：田鳩即田俅子，班氏亦以鳩、俅爲一人，故言先韓子也。《吕氏春秋》亦引墨者田鳩事。高誘注：田鳩，齊人，學墨子術。此又一確證矣。《隋志》：梁有《田俅子》一卷，亡。《唐志》不著録，佚已久。從《藝文類聚》、《白六帖》、《文選注》、《太平御覽》所引輯得八節，合《韓非子》所引田鳩説並附《吕覽》所載事蹟爲卷。述古代祥瑞，與隋巢同旨。而以楚人鬻珠，秦伯嫁女，喻墨氏言之不辯，則辯之甚矣。"

隋巢子一卷

《漢志》：《隋巢子》六篇。墨翟弟子。

《隋志》：《隋巢子》一卷。巢，似墨翟弟子。

本書提要云："《隋巢子》一卷，周隋巢子撰。《史記·太史公自序》'墨者'，張守節《正義》引韋昭云：'墨翟之術也，尚儉。後有徐巢子傳其術也。'徐、隋音近而訛。《漢志》墨六家有《隋巢子》六篇。《隋》、《唐志》皆以一卷著録，今佚。馬總《意林》載其二節，又從諸書所引輯十三節，以類編次。多言災祥禍福。其論鬼神之能，亦即中庸體物而不可遺之義。而謂鬼神賢於聖人，過爲奇語，醇駁分焉已。"

胡非子一卷

《漢志》:《胡非子》三篇。墨翟弟子。

《隋志》:《胡非子》一卷。非,似墨翟弟子。

本書提要云:"《胡非子》一卷,周胡非子撰。其名字爵里皆無考。鄭樵《通志·氏族略》云:'胡非氏,嬀姓。陳胡公後有公子非,其後子孫有胡非氏。戰國有胡非子著書。'《漢志》墨六家:《胡非子》三篇。《隋》、《唐志》皆著録一卷,今佚。馬總《意林》亦載一卷之目,而止載其説五勇一篇,文句多脱略,校《太平御覽》所引補足。又搜輯三節合爲卷。五勇與《莊子》相出入,説弓矢亦本《韓非子》矛盾之喻,戰國人文字相襲,往往而然也。"

闕子一卷

《漢志》:《闕子》一篇。

本書提要云:"《闕子》一卷,撰人名字爵里皆無考。《後漢書·孝獻帝紀》章懷太子註引《風俗通》曰:'闕,姓也。承闕黨童子之後也,從横家有闕子著書。'《文選注》、《太平御覽》或引作'闞子',誤也。《漢志》縱横十二家有《闕子》一篇,在龐煖之後,國筮、子秦、零陵、令信之前,當爲六國時人。《隋志》云梁有《補闕子》十卷,元帝撰,亡。《唐志》載梁元帝《補闕子》十卷。葢梁時《闕子》書已不傳,故元帝補之。隋時未見其書,至唐初蒐得而著於目,今併佚矣。茲從《藝文類聚》、《御覽》諸書輯録六節。其'宋景公使弓工爲弓,及宋之愚人得燕石'二事,酈道元《水經注》引之,似是原書。而諸所引徵,率多缺略。茲並互校訂正,使首尾完具。此外四節,未知出於原書,抑爲梁帝所補。然詞義頗古,決非唐以後人所能擬也。"

蒯子一卷

《漢志》:《蒯子》五篇。名通。

本書提要云："《蒯子》一卷，漢蒯通撰。《漢書》本傳云：'蒯通，范陽人也。'本與武帝同諱，其後史家追書爲通。傳又云：'通論戰國説士權變，亦自序其説。凡八十一首，號曰《雋永》。'師古曰：'雋，肥肉也。永，長也。言其所論，甘美而意深長也。'《藝文志》縱横家有蒯子十五篇，《隋》、《唐志》不著録，其書久佚。所謂論戰國説士之文，不可復見。本傳所載説徐公及説韓信、曹相國，當是自序本文，兹據輯録。夫利口覆邦，聖人所惡，班氏贊謂蒯通一説而喪三雋，其得不烹者，幸也。黄東發謂通口辯不在儀、秦下，會眞主出，故無所售其奸爾。茅鹿門謂通忌酈生以口舌成名，遂欲破之以爲功也。皆發伏誅心之論。然其奇謀雄辯，亦足與《國策》同傳，《雋永》之號豈虚哉。"

鄒陽書一卷

《漢志》：《鄒陽》七篇。

本書提要云："《鄒陽書》一卷，漢鄒陽撰。齊人，與吴嚴忌、枚乘等俱仕吴，以文辯著名。吴王濞有邪謀，陽奏書諫，吴王不納，去。之梁，事孝王，以羊勝、公孫詭之讒下吏。陽自獄中上書，孝王立出之，以爲上客。陽生漢文景之世，六國餘習，未能盡除。故其言論雖正，而時與《戰國策》文字相近，《漢志》列之縱横家，以此故也。書本七篇，《史記》僅載《獄中》一書，《漢書》並載《諫吴王》及《説王長君》二篇。據録，次《蒯子》之後。"

主父偃書一卷

《漢志》：《主父偃》二十八篇。

本書提要云："《主父偃書》一卷，漢主父偃撰。偃，齊國臨菑人。學長短縱横術，晚迺學《易》、《春秋》、百家之言。元光元年，上書闕下，召見，拜郎中，後爲齊相，坐罪族誅。其人葢反覆傾危之士,出處大略,與蘇秦相埒,負才任氣,卒不得其死,則禍由自取也。《漢志》縱横家有《主父偃》二十八篇。今存本傳者四篇。上書所言九事,八事爲律令不傳,諫伐匈奴一節,可謂盡言。其説上使諸侯分封子弟以弱其勢,亦賈誼之議。然誼不見用,偃竊之而得行焉,則乘乎時勢之既驗也。其徙豪民,置朔方,皆與時政有裨。玆據録之,毋以人廢言,其可乎。"

徐樂書一卷

《漢志》:《徐樂》一篇。

本書提要云:"《徐樂書》一卷,漢徐樂撰。樂,燕郡無終人。武帝時,與嚴安俱上書言事務,皆爲郎中。《漢志》縱横家有《徐樂》一篇。今其傳中不叙他事,僅載上書一篇,《志》所稱者,即此也。黄東發曰:'土崩瓦解一書,大要可觀,惜其駁處多。'真西山亦曰:'樂之告武帝也,欲明安危之機,銷未形之患。則凡幾微之際,皆所當謹也。顧乃以瓦解之勢爲不必慮,而欲自恣於游畋聲色之間,豈忠臣之言哉。大抵縱横之士,逞其高談雄辯,軌於理者絶少。'二公之論,切中其病。然其言隱而危,其詞微而婉,亦足自成一家之説。故據本傳録之,以合《漢志》之家數云。"

嚴安書一卷

《漢志》:《莊安》一篇。

本書提要云:"《嚴安書》一卷,漢嚴安撰。安,臨菑人,以上書爲郎中。《漢志》縱横家有《莊安》一篇。'莊安'即'嚴安',漢避明帝諱,故易'莊'爲'嚴'。本傳亦僅標其里爵,以所上書備載之,與徐樂傳同。上書之文,即縱横家《莊安》一篇也。安與偃雖同時以上書拜郎中,而安過偃遠甚。偃救其末,安正其本。其言薄税斂,箴帝之利心也;緩刑罰,藥帝之慘心也；省徭役，約帝之侈心也。至用'兵乃人臣之利，非天下之長策'二語，足關要功生事者之口，更爲切要之論。惟以秦人銷兵，爲逢明天子，人人自以爲更生，其言太過。則終近捭闔氣息，故《漢志》與主父偃、徐樂並列縱横家，從其類也。"

伏侯古今注一卷

《隋志》：《古今注》八卷，伏無忌撰。

本書提要云："《伏侯古今注》一卷，後漢伏無忌撰。無忌，琅邪東武人，湛五世孫，傳其家學，官至侍中屯騎校尉。《後漢書》本傳云：'永和元年，詔無忌與議郎黄景校定中書五經、諸子百家藝術。元嘉中，桓帝詔無忌、黄景、崔寔等共撰《漢紀》。又自采集古今，删著事要，號曰《伏侯古今注》。'章懷太子注云：'其書上自黄帝，下盡漢質帝，爲八卷。'《隋志》八卷，著録雜史類。《唐志》入雜家，與崔豹《古今注》相次，云三卷。今佚。從《後漢書注》及《北堂書鈔》、《藝文類聚》、《初學記》、《開元占經》、《白孔六帖》、《太平御覽》等書，採輯成卷。多言符瑞災異，而於漢諸帝名諱、山陵爲詳。崔氏《古今注》蓋仿於此。《隋志》崔書入雜家，此書入雜史，不若《唐志》之允。蒐補殘缺，可與崔書競美云。"

蔣子萬機論一卷

《隋志》：《蔣子萬機論》八卷，蔣濟撰。

本書提要云："《蔣子萬機論》一卷，魏蔣濟撰。此書作於文帝踐阼之初，取《尚書》'一日二日萬幾'之義也。《魏志》本傳云：'濟上《萬機論》，帝善之。'《隋志》八卷，《唐志》十卷，並列雜家。今佚。輯得一十六節。書中講肄禮服，評騭人物，兼言兵陣之事。《魏略》載桓范嘗撮鈔《漢書》中諸雜事，自以意斟酌之，名世要論以示濟，濟不肯視。今觀遺篇，其亦世要之儔乎。"

時務論一卷

《隋志》:《時務論》十二卷,楊偉撰。

本書提要云:"《時務論》一卷,晋楊偉撰。偉於《晋書》無傳,惟《律曆志》載其所造景初曆,稱魏尚書郎。《三國·魏志·曹爽傳》有偉語,裴松之注引郭頒《魏晋世語》云:'偉字世英,馮翊人。'《隋志》雜家有《時務論》十二卷,僅云楊偉撰。此上注梁有,亡。籍於《桑邱先生書》二卷,題晋征南軍師楊偉,蓋本魏臣,後仕於晋,故《隋志》題晋官號也。《唐志》亦載《時務論》十二卷,今佚。惟《北堂書鈔》、《太平御覽》引有三節,並取史志注所載偉言附之。"

張氏古今訓　與《析言論》合爲一卷。

《隋志》:《古今訓》十一卷,張顯撰。

本書提要云:"《古今訓》,晋張顯撰。顯字、里皆無考,爲晋議郎。所著《析言論》、《古今訓》二書,《隋志》併入雜家。《析言論》二十卷,云梁有,亡。《古今訓》十一卷,著於目。《唐志》均不載,佚已久。兹輯得《析言論》四節。又從陸德明《釋文》得《古今訓》一條,附録於後,以存一家之學云。"

金樓子六卷

《隋志》:《金樓子》二十卷,梁元帝撰。

本書提要云:"《金樓子》六卷,梁孝元皇帝撰。《梁書》本紀稱'帝博總羣書,著述詞章,多行於世。其在藩時,嘗自號金樓子,因以名書'。《隋·經籍志》、《唐》、《宋·藝文志》俱載其目,爲二十卷。晁公武《讀書志》謂其書十五篇。至明初漸湮晦,明季遂竟散亡。故馬驌撰《繹史》,徵採最博,亦自謂未見傳本,僅從他書摭録數條也。今檢《永樂大典》尚頗載其遺文。核其所據,乃元至正間刊本。勘驗序目,均爲完備。惟所列僅十四篇,與晁公武十五篇之數不合。其《二南五霸》一篇與《説蕃》篇文多複見。或傳刻者淆亂其目，而反佚其本篇歟？又《永樂大典》詮次無法，割裂破碎，有非一篇而誤合者，有割綴别卷而本篇反遺之者。其篇端序述，亦惟《戒子》、《后妃》、《捷對》、《志怪》四篇尚存，餘皆脱逸。然中間《興王》、《戒子》、《聚書》、《説蕃》、《立言》、《著書》、《捷對》、《志怪》八篇，皆首尾完整。其他文雖攙亂，而幸其條目分明，尚可排比成帙。謹詳加裒綴，參考互訂，釐爲六卷。其書於古今聞見事迹，治忽貞邪，咸爲苞載。附以議論，勸戒兼資，蓋亦雜家之流。而當時周、秦異書未盡亡佚，具有徵引，皆史外軼聞，他書未見。又所紀典籍源流，亦可補諸書所未備。惟永明以後，豔語盛行，此書亦文格綺靡，不出爾時風氣。其故爲古奥，句讀難施，又成僞體。至於自稱'五百年運，余何敢讓'，儼然上比孔子，尤爲不經。是則瑕瑜不掩，亦不必曲爲諱爾。"

俗説一卷

《隋志》：《俗説》三卷，沈約撰。

本書提要云："《俗説》一卷，梁沈約撰。《隋志》雜家有三卷。小説家《世説》十卷，劉孝標注下云：'梁有《俗説》一卷，亡。'似劉孝標所著書，名與沈同，在隋已亡矣。今沈書亦佚，輯採一卷。書記瑣雜，無甚高論，六朝散事，借考見爾。"

類書

輯佚本

皇覽一卷

《隋志》：《皇覽》一百二十卷，魏繆襲等撰。

古今同姓名録二卷

《隋志》:《同姓名録》一卷,梁元帝撰。

本書提要云:"《古今同姓名録》二卷,梁孝元皇帝撰。是書見於《梁書》本紀及《隋書·經籍志》者,皆作一卷。唐陸善經續而廣之,故《讀書志》、《書録解題》皆作三卷。其本皆不傳。此本爲《永樂大典》所載,又元人葉森所增補者也。雖輾轉附益,已非其舊,然幸其體例分明,不相淆雜。凡善經及森所綴入者,皆一一標註,尚可考見元帝之原本。則類事之書,莫古於是編矣。《史記·淮陰侯列傳》稱兩韓信,此辨同姓之名始。然劉知幾《史通》猶譏司馬遷全然不别,班固曾無更張。至遷不知有兩子我,故以宰予爲預田恒之亂;不知有兩公孫龍,故以堅白同異之論傅合於孔門之弟子。其人相混,其事俱淆,至於語皆失實。則辨析異同,殊别時代,亦未嘗非讀書之要務,非但綴瑣聞,供談資也。明余寅、周應賓、國朝王廷燦補卷所録,比此本加詳。然發凡起例,終以此本爲椎輪之始焉。"

小説家

山海經十八卷

《漢志》:《山海經》十三篇。

《隋志》:《山海經》二十三卷,郭璞注。

本書提要云:"《山海經》十八卷,晋郭璞注。卷首有劉秀校上奏,稱爲伯益所作。案《山海經》之名,始見《史記·大宛傳》,司馬遷但云《禹本紀》、《山海經》所有怪物余不敢言,而未言爲何人所作。《列子》稱'大禹行而見之,伯益知而名之,夷堅聞而志之',似乎即指此書,而不言其名《山海經》。王充《論衡·别通篇》曰：'禹主行水，益主記異物，海外山表，無所不至，以所見聞作《山海經》。'趙曄《吴越春秋》所説亦同。惟《隋書·經籍志》云：'蕭何得秦圖書，後又得《山海經》，相傳夏禹所記。'其文稍異，然似皆因《列子》之説推而衍之。書中載夏后啓、周文王及秦、漢長沙、象郡、餘暨、下雋諸地名，斷不作於三代以上，殆周、秦間人所述，而後來好異者又附益之歟？郭璞注是書，見於《晋書》本傳。隋、唐二《志》皆云二十三卷，今本乃少五卷，疑後人併其卷帙，以就劉秀奏中一十八篇之數。秀奏稱其書凡十八篇，與《漢志》稱十三篇者不合。《七略》即秀所定，不應自相牴牾。然璞序已引其文，相傳既久，今仍並録焉。書中序述山水，多參以神怪，故《道藏》收入太玄部中。究其本旨，實非黄、老之言。然道里山川，率難考據，案以耳目所及，百不一眞，諸家並以爲地理書之冠，亦爲未允。核實定名，實則小説之最古者爾。"

穆天子傳六卷

《隋志》：《穆天子傳》六卷，汲冢書，郭璞注。

本書提要云："《穆天子傳》六卷，晋郭璞注。案《束晳傳》云：'太康二年，汲縣人盗發魏襄王墓，得竹書《穆天子傳》五篇，又《雜書》十九篇。'穆王美人盛姬事載《穆天子傳》第六卷，即晳傳所謂《雜書》之一篇。尋其文義，應歸此《傳》。晳傳别出之，非也。此書所紀，雖多夸言寡實，然所謂西王母者，不過西方一國名；所謂縣圃者，不過飛鳥百獸之所飲食，爲大荒之圃澤，無所謂神仙怪異之事；所謂河宗氏者，亦僅國名，無所謂魚龍變見之説。較《山海經》、《淮南子》猶爲近實。郭璞註《爾雅》，於'西至西王母'句，不過曰'西方昏荒之國'。於'河出崑崙墟'句，雖引《大荒西經》而不言其靈異。其注此書，乃頗引志怪之談。蓋釋經不敢不謹嚴，而箋釋雜書，則務矜博洽故也。《穆天子傳》舊皆編年紀月，敘述西游之事，體近乎起居注。實則恍惚無徵，又非《逸周書》之比。以爲古書而存之可也，以爲信史而録之，則史體雜，史例破矣。置於小説家，義求其當也。”

神異經一卷

《隋志》:《神異經》一卷，東方朔撰，張華注。

本書提要云:“《神異經》一卷，舊本題漢東方朔撰。所載皆荒外之言，怪誕不經。共四十七條。陳振孫《書録解題》已極斥此書之僞。今考《漢書》朔本傳，歷叙朔所撰述，言凡劉向所録朔書俱是，世所傳他事皆非。其贊又言‘後世好事者取其奇言怪語附著之朔’云云。則朔書多出附會，在班固時已然。此書既劉向《七略》所不載，則其爲依託，更無疑義。《晋書》張華本傳亦無注《神異經》之文，則併華注亦似屬假借。然《隋志》載此書，已稱東方朔撰，張華注。則其僞在隋以前矣。觀其詞華縟麗，格近齊、梁，當由六朝文士影撰而成，與《洞冥》、《拾遺》諸記先後並出，故陸倕《石闕銘》、徐陵《玉臺新詠序》引用之。流傳既久，固不妨過而存之，以廣異聞。又考《廣韻》去聲‘猛’字，《説文》、《玉篇》皆不載，實本此‘經北方有獸狀如獅子，曰猛’之文。則小學家已相援據，不但文人詞藻，轉相採摭已也。《隋志》列之史部地理類，《唐志》又列之子部神仙類。今核所言，多世外恍惚之事，既有異於輿圖，亦無關於修煉，其分隸均屬未安。列小説類中，庶得其實焉。”

海内十洲記一卷

《隋志》:《十洲記》一卷，東方朔撰。

本書提要云:“《海内十洲記》一卷，舊本題漢東方朔撰。十洲者，祖洲、瀛洲、懸州、炎洲、長洲、元洲、流洲、生洲、鳳麟洲、聚窟洲也。又後附以滄海島、方丈洲、扶桑、蓬邱、崑崙五條。

其言或稱臣朔，似對君之詞。或稱武帝，又似追記之文。又盛稱武帝不能盡朔之術，故不得長生，則似道家夸大之語。大抵恍惚支離，不可究詰。考劉向所録朔書無此名。書中載武帝幸華林園射虎事，案《文選》李善注引《洛陽圖經》曰：'華林園，魏明帝起，名芳林園，齊王芳改爲華林。'武帝時安有是號，蓋六朝詞人所依託。然自《隋志》已著於録。觀其詞條豐蔚，有助文章。陸德明《經典釋文》亦引此書，則通儒訓詁，且據其文矣。唐人詞賦，引用尤多，固録異者所不能廢也。諸家著録，或入地理，循名責實，未見其然。今與《山海經》同置小説家焉。"

漢武故事一卷

《隋志》：《漢武帝故事》二卷。

本書提要云："《漢武帝故事》一卷，舊本題漢班固撰。然史不云固有此書，《隋志》亦不云固作。晁公武《讀書志》引張柬之《洞冥記跋》，謂出於王儉。唐初去齊、梁未遠，當有所考也。所言亦多與《史記》、《漢書》相出入，而雜以妖妄之語。然如《藝文類聚》、《三輔黄圖》、《太平御覽》所引諸事，稱出《漢武故事》者，乃皆無之。又李善註《文選・西征賦》，引《漢武故事》二條，其一此本無之；其一雖有之，而文反略於善註。考《隋志》載此書二卷，諸家著録並同。此本併爲一卷，僅寥寥七八頁，蓋已經刊削。以其六朝舊帙，姑存備古書之一種云爾。"

漢武帝内傳一卷

《隋志》：《漢武帝内傳》三卷。

本書提要云："《漢武帝内傳》一卷，舊本題漢班固撰。《隋志》著録三卷，不著撰人。《宋志》亦註曰不知作者。此本題曰班固，不知何據。殆後人因《漢武故事》僞題班固，遂併此書歸之歟。《漢書·東方朔傳》贊稱'好事者取奇言怪語附著之朔'。此書乃載朔乘龍上昇,與傳贊自相矛盾,其不出於固,灼然無疑。其文排偶華麗,與王嘉《拾遺記》、陶宏景《眞誥》體格相同。考徐陵《玉臺新詠序》,實用此傳'六甲靈飛十二事封以白玉函'語,則其僞在齊、梁以前。又考郭璞《游仙詩》,有'漢武非仙才'句,與《傳》中王母語相合。葛洪《神仙傳》所載'孔元方告馮遇'語,與《傳》亦合。其殆魏晋間文士所爲乎。錢曾《讀書敏求記》曰:'《漢武内傳》一卷,《廣記》删去元靈二曲及十二事篇目,又脱朱鳥窗一段。'今檢此本,亦無元靈二曲及朱鳥窗一段,而有十二事之篇目,與曾所説又不同。又《玉海》引《中興書目》曰:'《漢武帝内傳》二卷,載西王母事。後有淮南王、公孫卿、稷邱君八事。'今亦無此八事。蓋明人删竄之本,非完書矣。"

漢武洞冥記四卷

《隋志》:《漢武洞冥記》一卷,郭氏撰。

本書提要云:"《漢武洞冥記》四卷,舊本題後漢郭憲撰。憲字子横,汝南宋人。官至光禄勳。是書《隋志》止一卷,《唐志》始作四卷,《文獻通考》有《拾遺》一卷。晁公武《讀書志》引憲自序,謂'漢武明儁特異之主,東方朔因滑稽浮誕以匡諫,洞心於道教,使冥跡之奥,昭然顯著,故曰《洞冥》'。陳振孫《書録解題》云其《别録》又於《御覽》中鈔出。則四卷亦非全書,《别録》當即《拾遺》也。今憲序與《拾遺》俱已佚,惟存此四卷。核以諸書所引,皆相符合,蓋猶舊本。至范史載'憲初以不臣王莽,至焚其所賜之衣,逃匿海濱。後以直諫忤光武帝,時有'關東觥觥郭子横'之語',蓋亦剛正忠直之士。徒以潠酒救火一事,遂抑之方術之中,其事之有無,已不可定。至於此書所載,皆怪誕不根之談,未必眞出憲手。又詞句縟豔,亦迴異東京,或六朝人依託爲之。然所言‘影蛾池’事,唐上官儀用以入詩,時稱博洽。後代文人詞賦,引用尤多。蓋以字句妍華,足供採摭,至今不廢,良以是耳。”

博物志十卷

《隋志》:《博物志》十卷,張華撰。

本書提要云:“《博物志》十卷,舊本題晋張華撰。考王嘉《拾遺記》,稱華好觀秘異圖緯之部,捃采天下遺逸,自書契之始,考驗神怪及世間閭里所説,造《博物志》四百卷,奏於武帝。帝詔詰問;‘卿才綜萬代,博識無倫,然記事采言,亦多浮妄,可更芟截浮疑,分爲十卷。’云云。是其書作於武帝時。今第四卷中稱‘武帝泰始中武庫火’,則武帝以後語矣。考裴松之《三國志註》引《博物志》四條,今本惟有一條,而佚其前半,餘三條皆無之。又江淹《古銅劍贊》引張華《博物志》,今本無。足證非宋、齊、梁時所見之本。又《唐會要》載顯慶三年太常丞吕才奏,又張彦遠《歷代名畫記》引張華《博物志》,今本皆無。李善註《文選》引張華《博物志》十二條,見今本者九條。其《西京賦》注引一條,《閒居賦注》引一條,《七命》注引一條,則今本皆無。段公路《北户録》引《博物志》五條,見今本者三條,其鵂鶹一條,金魚一條,則今本皆無。足證亦非唐人所見之本,《太平廣記》引《博物志》一條,趙彦衛《雲麓漫鈔》引《博物志》條,今本皆無之。晁公武《讀書志》稱卷首‘有理略,後有讚文’,今本卷首第一條爲地理,稱‘地理略’,無所謂理略。讚文惟地理有之,亦不在卷後。又趙與旹《賓退録》稱‘張華《博物志》卷末載湘夫人事’,今本此條乃在八卷之首,不在卷末。皆相矛盾,則併非宋人所見之本。或原書散佚,好事者掇取諸書所引《博物志》,而雜採他小説以足之。故證以《藝文類聚》、《太平御覽》所引,亦往往相符。其餘爲他書所未引者,則大抵剽掇《大戴禮》、《春秋繁露》、《孔子家語》、《本草經》、《山海經》、《拾遺記》、《搜神記》、《異苑》、《西京雜記》、《漢武内傳》、《列子》諸書,餖飣成帙,不盡華之原文也。又《博物記》是秦、漢閒古書,楊慎《丹鉛録》亦稱'據《後漢書注》,《博物記》乃唐蒙所作',灼然二書,更無疑義。此本載三條,豈非以'博物'二字相同,不辨爲兩書而貿貿採入乎?至於《雜説下》所載豫章衣冠人一條,乃《隋書·地理志》之文。唐人所撰,華何自見之?尤雜合成編之明證矣。"

西京雜記六卷

《隋志》:《西京雜記》二卷。

本書提要云:"《西京雜記》六卷,舊本題晋葛洪撰。黄伯思《東觀餘論》稱'此書中事皆劉歆所説,葛稚川採之'。今檢書後有洪跋,稱其'家有劉歆《漢書》一百卷。考校班固所作,殆是全取劉氏。有小異同,固所不取,不過二萬許言。今鈔出爲二卷,名曰《西京雜記》,以補《漢書》之闕'云云。伯思所説,葢據其文。案《隋志》載此書二卷,不著撰人名氏。《漢書·匡衡傳》顔師古注稱'今有《西京雜記》者,出於里巷',亦不言作者爲何人。至段成式《酉陽雜俎》始載'葛稚川就上林令魚泉問草木名',今在此書第一卷中。張彦遠《歷代名畫記》載毛延壽畫王昭君事,亦引爲葛洪《西京雜記》。則指爲葛洪者,實起於唐。故《舊唐志》載此書,遂註曰'晋葛洪撰'。然《酉陽雜俎》别載庾信作詩用《西京雜記》事,旋自追改,曰'此吴均語,恐不足用'。晁公武《讀書志》亦稱'江左人或以爲吴均依託',葢即據成式所載庾信語也。今考《晋書·葛洪傳》,載洪所著有《抱朴子》、《神仙》、《良吏》、《集異》等傳、《金匱要方》、《肘後備急方》並諸雜文,共五百餘卷,並無《西京雜記》之名。則作洪撰者,自屬舛誤。向、歆父子作《漢書》,史無明文。以此書所記與班書參校,又往往錯互不合。是以陳振孫等皆深以爲疑。然庾信指爲吴均,别無他證。段成式所述信語,亦未見於他書。流傳既久,未可遽更。今姑從原跋,題洪姓名,以存其舊。其書諸志皆作二卷,今作六卷,據《書録解題》,蓋宋人所分,今亦仍之。其中所述雖多爲小説家言,而摭採繁富,取材不竭。李善註《文選》,徐堅作《初學記》,已引其文。杜甫詩用事謹嚴,亦多採其語。詞人沿用數百年,久成故實,固有不可遽廢者焉。"

拾遺記十卷

《隋志》:《拾遺録》二卷,僞秦姚萇方士王子年撰。《王子年拾遺記》十卷,蕭綺撰。

本書提要云:"《拾遺記》十卷,秦王嘉撰。嘉字子年,隴西安陽人。事跡具《晋書·藝術傳》。故舊本繫之晋代,然嘉實秦方士,稱晋人者,非也。其書本十九卷,二百二十篇。後經亂亡殘闕。梁蕭綺搜羅補綴,定爲十卷,并附著所論,命之曰《録》,即此本也。綺序稱'文起羲、炎以來,事迄西晋之末'。然第九卷記石虎燋龍至石氏破滅,則事在穆帝永和六年之後,入東晋久矣。綺亦約略言之也。嘉書蓋仿郭憲《洞冥記》而作,其言荒誕,證以史傳皆不合。如皇娥讌歌之事,趙高登仙之説,或上誣古聖,或下獎賊臣,尤爲乖迕。綺《録》亦附會其詞,無所糾正。然歷代詞人,取材不竭,亦劉勰所謂'事豐奇偉,辭富膏腴,無益經典,而有助文章'者歟?"

搜神記二十卷

《隋志》:《搜神記》三十卷,干寶撰。

本書提要云:"《搜神記》二十卷,舊本題晋干寶撰。史稱'寶感父婢再生事,遂撰集古今靈異神祇、人物變化爲此書'。其自序一篇,亦載於傳内。《隋志》、《新唐志》俱著録三十卷。

《宋志》作《搜神總記》十卷,亦云寶撰。此本爲胡震亨所刻,後歸毛晋,編入《津逮秘書》者。考《太平廣記》所引,一一與此本相同。以古書所引證之,似此本即寶原書。惟《續漢志》註《地理志》引其'延壽亭'一條,'澤中有龍'一條,《五行志》引其'論山鳴'一條,李善《蜀都賦註》引其'澹臺子羽'一條,陸機《皇太子宴元圃詩》註引其'程猗説石圖'一條,此本皆無之。至於六卷、七卷全録兩《漢書·五行志》。司馬彪雖在寶前,《續漢書》寶應及見,似決無連篇鈔録,一字不更之理,殊爲可疑。然其書叙事多古雅,而書中諸論亦非六朝人不能作,與他僞書不同。疑其即諸書所引,綴合殘文,傅以他説,亦與《博物志》、《述異記》等。但輯此書者,多見古籍,頗明體例,故其文斐然可觀,非細核之,不能辨耳。觀書中'謝尚無子'一條,《太平廣記》引之,註曰出《誌怪録》,則是捃拾之明證。胡應麟曰:'干寶《搜神記》,不過從《法苑》、《御覽》、《藝文》、《初學》、《書鈔》諸書中録出,大抵後出異書,皆此類也。'斯言允矣。"

搜神後記十卷

《隋志》:《搜神後記》十卷,陶潛撰。

本書提要云:"《搜神後記》十卷,舊本題晋陶潛撰。中記'桃花源事'一條,全録本集所載詩序,惟增註'漁人姓黄名道眞'七字。又載干寶父婢事,亦全録《晋書》。剽掇之跡,顯然可見。明沈士龍跋,謂潛卒於元嘉四年,而此有十四、十六兩年事。陶集多不稱年號,以干支代之,而此書題永初、元嘉,其爲僞託,固不待辨。然其書文詞古雅,非唐以後人所能。《隋志》著録,已稱陶潛,則贋撰嫁名,其來已久。又陸羽《茶經》引一條,與此本所載相合;封演《聞見記》引一條,與此書'桓宣武督將'一條,僅文有詳略;其事亦合。知今所傳刻,猶古本矣。其中丁令威化鶴、阿香雷車諸事,唐、宋詞人並遞相援引,承用至今。題陶潛撰者固妄,要不可謂非六代遺書也。"

世説新語三卷

《隋志》:《世説》八卷,宋臨川王劉義慶撰。《世説》十卷,劉孝標注。

本書提要云:"《世説新語》三卷,宋臨川王劉義慶撰,梁劉孝標注。義慶事蹟具《宋書》。孝標名峻,以字行,事蹟具《梁書》。黄伯思《東觀餘論》謂'《世説》之名,肇於劉向,其書已亡,故義慶所集,名《世説新語》'。段成式《酉陽雜俎》引王敦澡豆事,尚作《世説新書》,不知何人改爲《新語》,葢近世所傳。然相沿已久,不能復正矣。所記分三十八門,上起後漢,下迄東晋,皆軼事瑣語,足爲談助。《唐志》稱'劉義慶《世説》八卷,劉孝標《續》十卷',晁公武謂'當是孝標續義慶元本八卷,通成十卷'。又謂'家有詳略二本,迥不相同'。今其本皆不傳。惟陳振孫《書録解題》作三卷,與今本合。其每卷析爲上下,則世傳陸游所刊本已然。至振孫所云'《叙録》二卷,首爲考異,繼列人物世譜,姓字異同,末記所引書目'者,則佚之久矣。義慶所述,劉知幾《史通》深以爲譏。然義慶本小説家言,而知幾繩之以史法,擬不於倫,未爲通論。孝標所注,特爲典贍,高似孫《緯略》亟推之。其糾正義慶之紕繆,尤爲精核。所引諸書,今已佚其十之九,惟賴是《注》以傳,故與裴松之《三國志注》、酈道元《水經注》、李善《文選注》同爲考證家所引據焉。"

異苑十卷

《隋志》:《異苑》十卷,宋給事劉敬叔撰。

本書提要云:"《異苑》十卷,宋劉敬叔撰。敬叔,彭城人。元嘉三年爲給事黄門郎。其書皆言神怪之事,卷數與《隋志》所載相合。劉知幾《史通》謂《晋書》載'武庫火','漢高祖斬蛇劍穿屋飛去',乃據此書載入,亦復相合。惟中間《太平御覽》所引'傅承'一條,此本失載。又稱宋高祖爲宋武帝裕,直舉其國號、名諱,亦不似當時臣子之詞,疑已不免有所佚脱竄亂。然核其大致,尚爲完整,與《博物志》、《述異記》全出後人補綴者不同。且其詞旨簡澹,無小説家猥瑣之習,斷非六朝以後所能作,故唐人多所引用。如杜甫詩中陶侃胡奴事,勘驗是書,乃知甫之援引爲精切。則有裨於考證,亦不少矣。"

續齊諧記一卷

《隋志》:《續齊諧記》一卷,吴均撰。

本書提要云:"《續齊諧記》一卷,梁吴均撰。元陸友跋曰:'齊諧志怪,蓋莊生寓言。均所續,特取義云爾,前無其書也。'案《隋志》雜傳類,均書之前有宋散騎侍郎東陽無疑《齊諧記》七卷,《唐志》亦並載之,然則均書實續無疑。友謂前無其書,爲失考。所記皆神怪之説。然李善注《文選》,引其'田氏三荊樹'一條,'成武丁'一條;韋絢《劉禹錫嘉話》引其'霍光金鳳轄'一條,'蔣潛通天犀導'一條;張彦遠《歷代名畫記》引其'徐邈畫鯔魚'一條,是在唐時已援爲典據,亦小説之表表者矣。惟劉阮天台一事,徐子光注李瀚《蒙求》引《續齊諧記》之文,述其始末甚備,而今本無此條。豈原書久佚,後人於《太平廣記》諸書内鈔合成編,故偶有遺漏歟?"

還冤志三卷

《隋志》:《冤魂志》三卷,顔之推撰。

本書提要云:"《還冤志》三卷,隋顔之推撰。此書《隋志》作《冤魂志》三卷。《宋志》作顔之推《還冤志》,《太平廣記》所引亦皆作《還冤志》,與今本合。則《隋志》爲傳寫之譌。自梁武以後,佛教彌昌,士大夫率皈禮能仁,盛談因果。之推於罪福尤爲篤信,故此書所述,皆釋家報應之説。然齊有彭生,晋有申生,鄭有伯有,衛有渾良夫,其事並載《春秋傳》。趙氏之大厲,趙王如意之蒼犬,以及魏其、武安之事,亦嘗未不載於正史。強魂毅魄,憑厲氣而爲變,理固有之,尙非天堂地獄,幻杳不可稽者比也。其文詞亦頗古雅,殊異小説之冗濫,存爲鑑戒,固亦無害於義矣。"

附輯佚本

青史子一卷

《漢志》:《青史子》五十七篇。古史官記事也。

本書提要云:"《青史子》一卷,青史氏撰。不詳何人,賈執《姓氏英賢録》云:'晋太史董狐之子受封青史之田,因氏焉。'《漢志》小説家:《青史子》五十七篇。《隋》、《唐志》不著録,佚已久。考《大戴禮記》、賈誼《新書》並引青史氏之記,此佚説之僅存者,據輯校録。書中言胎教之法、懸弧之禮、巾車之道,具有典則。班固列入小説家,必有所見。然不可考,仍依編次云爾。"

宋子一卷

《漢志》:《宋子》十八篇。

本書提要云:"《宋子》一卷,周宋鈃撰。鈃,宋人,《莊子》、《荀子》並言其人,《孟子》作'宋牼',《韓非子》作'宋榮子',要是一人也。《漢志》小説家:《宋子》十八篇。《隋》、《唐志》不著目,佚已久。《莊子·天下》篇載其禁攻寢兵之事,並述其言。案《莊子》雖與尹文並稱,今《尹文子》書尙存,無《莊子》所述之言,且以《孟》、《荀》書證,知皆述鈃語。據補爲帙,夫牼以利爲言,《孟子》以爲不可;異懸君臣,《荀子》以爲非。然其持之有故而言之成理者,亦自以其術鳴也。”

燕丹子三卷

《隋志》:《燕丹子》一卷。丹,燕王喜太子。

本書提要云:“《燕丹子》三卷,不著撰人名氏。所載皆燕太子丹事。《漢志》法家有《燕十事》十篇,註曰不知作者。雜家有《荊軻論》五篇,註曰司馬相如等論荊軻事,無燕丹子之名。《隋志》始著録於小説家。唐李善註《文選》,始援引其文。是其書在唐以前。《史記正義》引田光論夏扶、宋意、秦舞陽事,又引秦王乞聽琴事,均作《燕太子》;《索隱》引進金丸膾馬肝等事,亦作《燕太子》,殆傳寫異文歟?[①]《宋志》尚著於録,至明遂佚。馬驌作《繹史》,所輯秦事,引《燕丹子》凡十條,大抵本之《文選註》、《太平御覽》諸書,字句亦頗多舛異。今檢《永樂大典》,載有全本,蓋明初尚存。然其文實割裂諸書燕丹、荊軻事,雜綴而成,其可信者已見《史記》,其他多鄙誕不可信,殊無足採。《隋志》作一卷。《唐》、《宋志》及《文獻通考》並作三卷。《永樂大典》所載併爲一卷,而實作三篇。故仍以三卷著録焉。”

笑林一卷

《隋志》:《笑林》三卷,後漢給事中邯鄲淳撰。

本書提要云:“《笑林》一卷,魏邯鄲淳撰。淳字子叔,潁川人,官至博士給事中。此書皆記古今可笑事。《隋》、《唐志》並三卷,均題邯鄲淳。宋僧贊寧《筍譜》引‘吴人煮簀’一條。《笑林》上云‘陸雲字士龍,爲性善笑’,似以《笑林》出士龍所著,蓋因笑事而誤。當以史志爲據也。”

---

① 按:《史記正義》、《索隱》並引作“《燕丹子》”,而非“《燕太子》”。

郭子一卷

《隋志》:《郭子》三卷,東晋中郎郭澄之撰。

本書提要云:"《郭子》一卷,晋郭澄之撰。澄之字仲静,太原陽曲人,官至相國從事中郎,封南豐侯。《隋》、《唐志》小説家並載《郭子》三卷,今佚。兹從諸書所引採輯成帙。本傳稱少有才思,機敏兼人。又載其'從劉裕北伐既克長安,裕意更欲西伐,集僚屬議之,多不同。次問澄之,澄之不答。西向誦王粲詩曰:南登霸陵岸,迴首望長安。裕意便定'。史臣贊西伐之意,取定於微旨。書中吐囑清儁,多此類也。"

齊諧記一卷

《隋志》:《齊諧記》七卷,宋散騎侍郎東陽無疑撰。

本書提要云:"《齊諧記》一卷,宋東陽無疑撰。無疑,不詳何人。據《隋志》知爲宋散騎侍郎。何氏《姓苑》云'東陽氏出於東陽郡',可考省僅此。書名取《莊子》'齊諧志怪'之語,所記皆神異事。《隋》、《唐志》並七卷,今佚。採輯成帙。考梁吴均有《續齊諧記》一卷,以東陽先有此書,故吴《記》言'續',吴《記》世尚傳之。探源火敦,亦覽古者之快事云。"

水飾一卷

《隋志》:《水飾圖》二十卷。《水飾》一卷。

本書提要云:"《水飾》一卷,隋杜寶撰。《隋志》地理類有《水飾圖》二十卷,小説家有《水飾》一卷,並不著撰人姓名。考《太平廣記》引'大業拾遺水飾圖經'條,載煬帝别敕學士杜寶修《水飾圖經》十五卷。新成,以三月上巳日令羣臣於曲水觀水飾,因並記水飾七十二勢之目及妓航酒船水中安機等事。云皆'出自黄衮之思',然則《水飾》創自黄衮,《圖經》修於杜寶,彰彰可據。今二書並佚,即就採摭以存一家説,並補題隋杜寶撰。夫黄衮媚悦取容,作此奇技淫巧,寶奉敕成書,劇秦美新之儔乎,抑開河迷樓之類也。"

道家

陰符經解一卷

《隋志》:《太公陰符鈐録》一卷。

本書提要云:"《陰符經解》一卷,舊本題黄帝撰,太公、范蠡、鬼谷子、張良、諸葛亮、李筌六家註。晁公武《讀書志》引黄庭堅跋,稱《陰符經》糅雜兵家語,又妄託子房、孔明諸賢訓註。案《隋志》有《太公陰符鈐録》一卷,《周書陰符》九卷,皆不云黄帝。《集仙傳》始稱唐李筌於嵩山虎口巖石室得此書,題曰:'大魏眞君二年七月七日道士寇謙之藏之名山,用傳同好。已糜爛,筌鈔讀數千徧,竟不曉其義。後於驪山逢老母,乃傳授微旨,爲之作註。'其説怪誕不足信。然書雖晚出,而深有理致,故文士多爲註釋,今亦録而存之。惟晁公武《讀書志》中所引筌註,不見於此本。或傳寫有所竄亂,又非筌之原本歟?"

老子注二卷

《隋志》:《老子道德經》二卷,周柱下史李耳撰,漢文帝時河上公注。

本書提要云:"《老子注》二卷,舊本題河上公撰。晁公武《讀書志》曰:'太史公謂河上丈人通《老子》,再傳而至蓋公。蓋公即齊相曹參師也。而葛洪謂河上公者,莫知其姓名,漢孝文時居河之濱。侍郎裴楷言其通《老子》,孝文詣問之,即授素書《道經》。兩説不同。'案《隋志》道家載老子《道德經》二卷,漢文帝時河上公注,又載梁有戰國時河上丈人注《老子經》二卷,亡。則兩河上公各一人,兩《老子注》各一書。戰國時河上公書在隋已亡，今所傳者實漢河上公書耳。惟是文帝駕臨河上，親受其書，無不入秘府之理，何以劉向《七略》載注《老子》者三家，獨不列其名。唐劉子元稱《老子》無河上公注，欲廢之而立王弼。前此陸德明作《經典釋文》，雖叙録中亦採葛洪之説，而所釋之本則不用此注而用王弼注。二人皆一代通儒，必非無據。詳其詞旨，不類漢人，殆道流之所依託歟。相傳已久，所言亦頗有發明，姑存以備一家可耳。”

道德指歸論六卷

《隋志》：《老子指歸》十一卷，嚴遵注。

本書提要云：“《道德指歸論》六卷，舊本題漢嚴遵撰。《隋志》著録十一卷。此書止存六卷。曹學佺稱‘近刻嚴君平《道德指歸論》乃吴中所僞作’。今案《通考》引晁氏之言，稱是書原有經文，此乃不載經文，體例互異。又《谷神子》註本，晁氏尚著録十三卷，不云佚闕。此本載《谷神子序》’乃云‘陳、隋之閒已逸其半，今所存者止論德篇，因獵其譌舛，定爲六卷’。與晁氏所録亦顯相背觸。且既云佚其上經，何以説目一篇獨存。至於所引《莊子》，今本無者十六七，不應遵之所取皆向、郭之所棄。此必遵書散佚，好事者摭吴澄《道德經》注跋中‘嚴君平所傳章七十有二’之語，造爲上經四十、下經三十二之説。目又因《漢志》‘《莊子》五十二篇’，今本惟三十三篇，遂多造《莊子》之語，以影附於逸篇，而偶未見晁公武説，故《谷神子》僞序之中，牴牾畢露也。以是推求，則學佺之説，不爲無據。以其言不悖於理，猶能文之士所贋託，故仍著於録，備道家之一説焉。”

老子註二卷

《隋志》：《孝子道德經》二卷，王弼注。

本書提要云：“《老子註》二卷，魏王弼撰。錢曾《讀書敏求記》

謂弼注《老子》已不傳,然明萬歷中張之象實有刻本,證以《經典釋文》及《永樂大典》所載,一一相符。《列子・天瑞》篇引'谷神不死'六句,張湛皆引弼注以釋之,雖增損數字,而文亦無異。知非依託,曾蓋偶未見也。此本後有政和乙未晁説之跋,又有乾道庚寅熊克重刊跋,皆稱不分《道經》、《德經》,而今本《經典釋文》上卷題《道經音義》,下卷題《德經音義》,與跋不合。豈傳刻《釋文》者反據俗本增入歟?考陳振孫《書録解題》尚稱不分《道經》、《德經》。而《陸游集》有此書跋曰:'晁以道謂王輔嗣《老子》題曰《道德經》,不析道德而上下之,猶近乎古,此本乃析矣,安知其他無妄加竄定者乎。'其跋作於慶元戊午,已非晁、熊所見本,則《經典釋文》之遭妄改,固已久矣。"

關尹子一卷

《漢志》:《關尹子》九篇。名喜,爲關吏。老子過關,喜去吏而從之。

本書提要云:"《關尹子》一卷,舊本題周尹喜撰。案《經典釋文》載'喜字公度',未詳何本。然陸德明非杜撰者,當有所傳也。考《漢志》有《關尹子》九篇,而《隋志》、《唐志》皆不著録。南宋時徐蕆子禮始得於永嘉孫定家。前有劉向校定序,後有葛洪序。向序稱:'蓋公授曹參,參薨,書葬。孝武時有方士來上,淮南王秘而不出。向父德,治淮南王事得之。'其説頗誕,與《漢書》所載得淮南鴻寶秘書言作黄金事者不同,疑即假借此事以附會之。故宋濂《諸子辨》以爲文既與向不類,事亦無據,疑即定之所爲。然定爲南宋人,而《墨莊漫録》載黄庭堅詩已稱用《關尹子》語,則其書未必出於定,或唐、五代間方士解文章者所爲也。至濂謂其書多法釋氏及神仙方技家,如變識爲智、嬰兒蕊女、紅爐、誦呪之類,老聃時皆無是言。又謂其文峻潔,而頗流於巧刻,則所論皆當。此本分一字、二柱、三極、四符、五鑑、六匕、七釜、八籌、九藥九篇，與濂所記合云。”

列子八卷

《漢志》：《列子》八篇。名御寇，先莊子，莊子稱之。

《隋志》：《列子》八卷，鄭之隱人，列禦寇撰。

本書提要云：“《列子》八卷，舊本題周列禦寇撰。前有劉向校上奏，以禦寇爲鄭穆公時人。柳宗元有《辨列子》一篇，曰‘穆公在孔子前幾百歲，《列子》書言鄭國，皆言子産、鄧析，不知向何以言之如此。史記楚圍鄭，殺其相駟子陽。子陽正與列子同時，是歲魯穆公十年。不知向言魯穆公時，遂誤爲鄭耶。其後張湛徒知怪《列子》書言穆公後事，每不能推知其時。然其書亦多增竄，非其實，其言魏牟、孔穿皆出列子後，不可信云云。其後高似孫《緯略》遂疑列子並無其人。今考第五卷《湯問》篇中’併有鄒衍吹律事，不止魏牟、孔穿。其不出禦寇之手，更無疑義。然考《爾雅疏》引《尸子・廣澤》篇曰：‘列子貴虚。’是當時實有列子，非莊周之寓名。又《穆天子傳》出於晋太康中，爲漢、魏人之所未睹。而此書第三卷《周穆王》篇，所叙事一一與傳相合。此非劉向之時所能僞造，可信確爲秦以前書。考《公羊傳・隱公十一年》‘子沈子曰’，何休註曰：‘稱子冠氏上者，著其爲師也。’然則凡稱‘子某子’者，皆弟子之稱師，非所自稱。此書皆稱‘子列子’，則決爲傳其學者所追記，非禦寇自著。其雜記列子後事，正如《莊子》記莊子死，《管子》稱吴王、西施，《商子》稱秦孝公耳，不足爲怪。晋光禄勳張湛作是書註，於《天瑞》篇首所稱子列子字，知爲追記師言，而他篇復以載及後事爲疑，未免不充其類矣。書凡八篇，與《漢志》所載相合。據湛自序，其母爲王弼從姊妹，湛往來外家，故善談名理。其註亦弼注《老子》之亞。”

莊子註十卷

《漢志》:《莊子》五十二篇。名周,宋人。

《隋志》:《莊子》三十卷,目一卷,晋太傅主簿郭象注。

本書提要云:"《莊子註》十卷,晋郭象撰。劉義慶《世説新語》曰:'註《莊子》者數十家,莫能究其旨統。向秀於舊註外别爲解義,妙演奇致,大暢玄風。惟《秋水》、《至樂》二篇未竟而秀卒。秀子幼,其義零落,然頗有别本遷流。象爲人行薄,以秀義不傳於世,遂竊以爲己註。乃自註《秋水》、《至樂》二篇,又易《馬蹄》一篇,其餘衆篇,或點定文句而已。其後秀義别本出,故今有向、郭二註,其義一也。'《晋書》象本傳亦採是文,絶無異語。錢曾《讀書敏求記》獨謂:'世代遼遠,傳聞異詞。《晋書》云云,恐未必信。'案向秀之註,陳振孫稱宋代已不傳,但時見陸氏《釋文》。今以《釋文》所載較之,皆互相出入。又張湛《列子註》中,凡文與《莊子》相同者,亦兼引向、郭二註,所載並大同小異。是所謂竊據向書,點定文句者,殆非無證。又《秋水》篇'與道大蹇'句,《釋文》云:'蹇,向紀輦反。'則此篇向亦有註。併《世説》所云象自註《秋水》、《至樂》二篇者,尚未必實録矣。錢曾乃曲爲之解,何哉?考劉孝標《世説註》,引《逍遥遊》向、郭義各一條,今本無之。《讓王》篇惟註三條,《漁父》篇惟註一條,《盗跖》篇惟註三十八字,《説劍》篇惟註七字,似不應簡略至此,疑有所脱佚。又《列子》'生物者不生'、'化物者不化'二句,張湛註曰'《莊子》亦有此文',併引向秀註一條,而今本《莊子》皆無之。是併正文亦有所遺漏。葢其亡已久,今不可復考矣。"

文子二卷

《漢志》:《文子》九篇。老子弟子,與孔子時並,而稱周平王問,似依託者也。

《隋志》:《文子》十二卷。文子,老子弟子。

本書提要云："《漢志》道家：《文子》九篇。註曰：老子弟子。《隋志》載十二篇，註曰：老子弟子。二《志》所載，不過篇數有多寡耳，無異説也。因《史記・貨殖傳》裴駰《集解》有'計然字文子'語，北魏李暹作《文子註》，遂以計然、文子合爲一人。文子乃有姓有名，謂之辛鈃。案馬總《意林》列《文子》十二卷，註曰：'周平王時人，師老君。'又曰：'計然者，葵邱濮上人。姓辛，名文子，其先晋國公子也。'其書皆范蠡問而計然答，是截然兩人兩書，更無疑義。暹移甲爲乙，謬之甚矣。柳宗元有《辨文子》一篇，稱：'其旨意皆本《老子》。然考其書，蓋駁書也。其渾而類者少，竊取他書以合之者多。凡《孟子》輩數家皆見剽竊。其意緒文詞，又互相牴而不合。不知人之增益之歟？或者衆爲聚斂以成其書歟？'是其書不出一手，唐人固已言之。别本或題曰《通玄眞經》，蓋唐天寶中嘗加是號，事見《唐・藝文志》云。"

列仙傳二卷

《隋志》：《列仙傳讚》二卷，劉向撰，晋郭元祖讚。

本書提要云："《列仙傳》二卷，舊本題漢劉向撰。紀古來仙人，自赤松子至元俗凡七十一人，人係以讚，篇末又爲總讚一首。其體全仿《列女傳》。陳振孫謂不類西漢文字，必非向撰。黄伯思謂是書雖非向筆，而事詳語約，詞旨明潤，疑東京人作。今考是書，《隋志》著録則出於梁前。又葛洪《神仙傳序》亦稱此書爲向作，則晋時已有其本。然《漢志》列劉向所序六十七篇，但有《新序》、《説苑》、《世説》、《列女傳圖頌》，無《列仙傳》之名。又《漢志》所録，皆因《七略》，其總讚引《孝經援神契》，爲《漢志》所不載。不應自相違異。或魏、晋間方士爲之，託名於向耶？振孫又云：'《館閣書目》作二卷，七十二人。'李石亦云'劉向《傳列仙》七十二人'，皆與此本小異。惟葛洪《神仙傳》序稱七十一人。此本上卷四十人,下卷三十人,内江妻二女應作二人,與洪所記適合。檢李善《文選註》及唐初《藝文類聚》諸書所引,文亦相符,當爲舊本。其篇末之讚,今概以爲向作。《隋志》載《列仙傳讚》三卷,孫綽讚。又《列仙傳讚》二卷,晋郭元祖讚。此本二卷,較孫綽所讚少一卷。又劉義慶《世説新語》載孫綽《商邱子胥讚》,此本亦無。然則此本之讚,其郭元祖所撰歟。以舊刻本未列郭名,疑以傳疑,今亦姑闕焉。"

抱朴子内外篇八卷

《隋志》:《抱朴子内篇》二十一卷,音一卷,葛洪撰。《抱朴子外篇》三十卷,葛洪撰。

本書提要云:"《抱朴子内外篇》八卷,晋葛洪撰。是編乃其乞爲句漏令後,退居羅浮山時所作。抱朴子者,洪所自號,因以名書也。自序謂内篇二十卷,外篇五十卷。《隋志》載内篇二十一卷,音一卷,入道家;外篇三十卷,入雜家。外篇下註曰'梁有五十一卷'。卷數小不同。此本爲明烏程盧舜治以宋本及王府《道藏》二本參校,較爲完整。所列篇數,與洪自序卷數相符。知洪當時葢以一篇爲一卷矣。其書内篇論神仙吐納、符籙剋治之術,純爲道家之言。外篇則論時政得失、人事臧否,詞旨辨博,饒有名理。而究其大旨,亦以黄、老爲宗。故併入之道家,不復區分焉。"

神仙傳十卷

《隋志》:《神仙傳》十卷,葛洪撰。

本書提要云:"《神仙傳》十卷,晋葛洪撰。是書據洪自序,葢於《抱朴子·内篇》既成之後,因其弟子滕升問仙人有無而作。所録凡八十四人。序稱:'秦大夫阮倉所記凡數百人,劉向所撰又七十一人。今復鈔集古之仙者見於仙經服食方百家之書，先師所説，耆儒所論，以爲十卷。'又稱劉向所述，殊甚簡略，而自謂此傳有愈於向。今考其書，惟二條與《列仙傳》重出，餘皆補向所未載，其中未免附會。至謂許由、巢父今在中岳中山，若二人晋時尚存者，尤爲虚誕。然《後漢書·方術傳》已多與此書相符。疑其亦據舊文，不盡僞撰。又流傳既久，遂爲故實，歷代詞人，轉相沿用，固不必一一核其真僞也。徵引此書，以《三國志注》爲最古。然悉與此本相合，知爲原帙。《漢魏叢書》别載一本，其文大略相同。而核其篇第，蓋從《太平廣記》所引鈔合而成。《廣記》標題，有與他書複見，即不引《神仙傳》者，《漢魏叢書》本遂不載之，足證其非完本矣。"

冥通記四卷

《隋志》：《周氏冥通記》一卷。

本書提要云："《冥通記》四卷，梁周子良撰。《隋志》作一卷，《宋志》作十卷，與今本皆不同。然第四卷目録末云'大凡四卷'，所言乃與今本合，則《隋志》、《宋志》均誤也。首有陶宏景所作《子良傳》，稱：'予良字元歊，本汝南縣人，寓居丹陽。年十二，從宏景於永嘉。乙未歲五月二十三日，遂通真靈。後一年卒，年二十。'其説荒誕不經。此書所記遇仙之事，起乙未五月，至丙申七月末，逐日縷載。文頗古雅，時有奥字。黄生《義府》第二卷末附此書《訓釋》一篇，考證亦頗賅洽。"

附輯佚本

伊尹書一卷

《漢志》：《伊尹》五十一篇。湯相。《伊尹説》二十七篇。

本書提要云："《伊尹書》一卷，商伊摯撰。案皇甫謐《帝王世紀》云:'力牧之後曰伊摯,耕於有莘之野。'是伊尹名摯也。《漢志》道家:《伊尹》五十一篇,又小説家:《伊尹説》二十七篇,注'其語淺薄,似依託也'。《隋》、《唐志》均不著録,佚已久。兹從《逸周書》、《吕氏春秋》、《齊民要術》、劉向《七略》、《别録》、《説苑》、《尸子》等書輯得十一篇,其有篇目可考者五篇,餘俱收入《雜篇》,録爲一帙。四方令、區田法及論公卿大夫列士體國經野,與周公規模不異。《本味》一篇,要即鹽梅和羹之旨,而以奇偉之筆出之,不知者遂以割烹附會,而有庖人酒保之枝辭也。至於九主之名及阻職貢之策,與戰國術士語近,殆所謂依託者乎。今亦不能區分,統裒一編,入道家云。"

辛甲書一卷

《漢志》:《辛甲》二十九篇。

本書提要云:"《辛甲書》一卷,周辛甲撰。按《春秋左氏傳》以爲周太史。劉向《别録》以爲'故殷之臣,事紂,七十五諫而不聽,去之。周文王以爲公卿,封長子'。《漢志》道家有《辛甲》二十九篇。《隋》、《唐志》不著録,佚已久。考《左氏春秋》襄四年傳,魏絳述其虞人之箴。《韓非子》、《説林》引其與周公議伐商之語,是佚説之僅存者。據輯爲卷。虞箴似太公《金匱陰謀》所載武王諸銘,其言兵亦略似。班《志》以此書與太公書同入道家,知非取課虚而叩寂也。"

公子牟子一卷

《漢志》:《公子牟》四篇。魏之公子也。先莊子,莊子稱之。

本書提要云:"《公子牟子》一卷,周魏公子牟撰。《漢志》道家:《公子牟》四篇。其書《隋》、《唐志》皆不著目,佚已久。兹從《莊子》、《戰國策》、《吕氏春秋》、《説苑》所引捃摭,粗可補四篇之缺。理見其大,清辯滔滔,宜乎折堅白同異之論,使公孫龍口呿而舌舉也。”

田子一卷

《漢志》:《田子》二十五篇。名駢,齊人,游稷下,號天口駢。

本書提要云:“《田子》一卷,周田駢撰。駢,齊人,與慎到、接子、環淵皆學黄老之術,皆有所論,附見《史記·孟子荀卿列傳》。《漢志》道家:《田子》二十五篇。《隋》、《唐志》皆不著録,佚已久。兹從《吕氏春秋》輯得佚説三篇,其一篇與《淮南子》所引互有詳略異同,参訂校補爲卷。其説變化應求而皆有章,因性任物而莫不宜當,殆尸子所謂‘田駢貴均者’耶。”

老萊子一卷

《漢志》:《老萊子》十六篇。楚人,與孔子同時。

本書提要云:“《老萊子》一卷,周楚老萊子撰。《史記·老子列傳》云:‘老萊子,亦楚人也,著書十五篇,言道家之用,脩道而養壽也。’《漢志》道家:《老萊子》十六篇。《隋》、《唐志》皆不著録,書佚已久。兹從《莊子》、《孔叢子》、《尸子》、皇甫謐《高士傳》輯得四節爲卷。《繹史》云:‘《國策》稱老萊子教孔子事君,而《孔叢》則云語子思。若至穆公之世,萊子猶在,其壽亦長矣。’《史記》附老萊子於《老子列傳》之内,將疑爲一人乎。何其言之相同也。案孫綽《遊天台山賦》‘躡二老之玄蹤’,注:‘二老,老子、老萊子也。二老道同,故以之合傳’。”

黔婁子一卷

《漢志》:《黔婁子》四篇。齊隱士,守道不詘,威王下之。

本書提要云:“《黔婁子》一卷,周黔婁先生撰。皇甫謐《高士傳》云:‘黔婁先生,齊人也。修身清節,不求諸侯。’又言著書四篇,言道家之用,號《黔婁子》。《漢志》道家:《黔婁子》四篇。其書《隋》、《唐志》皆不著目,佚已久。諸家亦無引述之者。惟曹氏廷棟搜採孔子及羣弟子言行,作《逸語》,中引黔婁子述聖言一節、記原憲事一節。所據之書,當爲不傳秘本,既不可考,姑依録之。”

鄭長者書一卷

《漢志》:《鄭長者》一篇。六國時,先韓子,韓子稱之。師古曰:《别録》云鄭人,不知姓名。

本書提要云:“《鄭長者》一卷,撰人姓名缺。《漢志》道家:一篇。《隋》、《唐志》皆不著録,書佚已久。《韓非子·外儲説》引一則,是佚篇中語,據録以存一家説。主虚無無見,深探道旨,不且隱合禪宗乎。”

任子道論一卷

《隋志》:《任子道論》十卷,魏河東太守任嘏撰。

本書提要云:“《任子道論》一卷,魏任嘏撰。嘏字紹先,樂安博昌人,官至河東太守,附見《魏志·王昶傳》。裴松之注引嘏别傳,謂著書三十八篇,凡四萬餘言。《隋志》道家:《任子道論》十卷。《唐志》同。馬總《意林》亦載十卷,注云名奕。考諸史志無任奕著書之目,奕葢嘏之訛也。今其書佚。《意林》載十七節,又從《北堂書鈔》、《初學記》、《太平御覽》輯得九節,参互考訂爲卷。《初學記》引作《任嘏道德論》,他皆引作《任子》。兹依《隋》、《唐志》,題《任子道論》焉。”

唐子一卷

《隋志》:《唐子》十卷,吴唐滂撰。

本書提要云:“《唐子》一卷,吴唐滂撰。滂字惠潤,據本書言‘大晋應期一舉席捲’云云,則撰述之成,定在吴亡入晋之後也。《隋》、《唐志》道家並有《唐子》十卷,原書久佚。《意林》載十九節,又從《北堂書鈔》、《藝文類聚》、《文選註》、《太平御覽》諸書採輯,除已見《意林》者,得佚説八節,合訂一卷。其書論政談兵,不盡述道家之言。然如所謂’夫士有高世之名,必有負俗之累；有絶羣之節，必嬰謗嗤之患’，其諸和光同塵而究意於大患在有身者乎？宜其景慕韓終而抗晞元鶴也。”

杜氏幽求新書一卷

《隋志》：《杜氏幽求新書》二十卷，杜夷撰。

本書提要云：“《杜氏幽求新書》一卷，晋杜夷撰。夷字引齊，廬江灊人，官至國子祭酒。何法盛稱其秉操貞素，故以‘幽求子’自號其書。《隋志》道家有二十卷。原書久佚。《北堂書鈔》、《文選注》、《太平御覽》引之。又《三國·魏志·杜畿傳》裴松之注引《杜氏新書》七條，皆記畿及子理與恕言行，當是夷稱述其先德之美。引者不稱‘幽求’，省文也。又《御覽》引《杜子新語》一則，‘新語’蓋‘新書’之誤，並據輯録。其説道清淡以無爲爲家，宗尚老氏，書入道家以此。又謂‘齊宣見屠牽羊，哀其無罪，以豕代之’，蓋用《孟子》齊宣王以羊易牛事而誤。究心道術，故與儒書不能無舛駁也。”

孫子一卷

《隋志》：《孫子》十二卷，孫綽撰。

本書提要云：“《孫子》一卷，晋孫綽撰。《隋》、《唐志》道家並有《孫子》十二卷，引或稱‘孫綽子’，今佚。輯得二十餘節。書詮玄旨，有飄飄欲仙之致。而如評譙周勸主降魏及道德王霸之稱號，則亦出入乎名、法諸家已。”

苻子一卷

《隋志》：《苻子》二十卷，東晋員外郎苻朗撰。

本書提要云：“《苻子》一卷，晋苻朗撰。朗字元達，略陽臨渭氐人，苻堅之從兄子也。仕秦降晋，詔加員外散騎侍郎。《晋書》載記有朗傳，稱其著《苻子》數十篇行於世，亦老莊之流也。《隋志》二十卷，《唐志》三十卷，並入道家。今佚。茲從《北堂書鈔》、《藝文類聚》、《初學記》、《太平御覽》等書輯四十餘節,校録爲卷,中多春秋遺事,足資考證。文筆頗似《抱朴子》。據本書有'朗棄千金之劍,把《苻子》而趨,抱朴子趨謂曰:何夫子棄大而存小'之語,似抱朴,朗之門人也。諸書多引作'符子','符'、'苻',形近而訛,據《晋書》訂正焉。"

夷夏論一卷

《隋志》:《夷夏論》一卷,顧歡撰。

本書提要云:"《夷夏論》一卷,南齊顧歡撰。《齊書》本傳云:'歡以佛、道二家立教之異,學者非毁,乃著《夷夏論》。'又謂歡雖同二法,而意黨道教。司徒袁粲託爲道人通,公駁之。《隋志》道家著目一卷,云梁二卷,隋代已非完帙。《唐志》不著録,今佚。唯《齊書》及《南史》本傳載其略,兹據録之。夫釋、老二教,皆背中道而旁馳。佞佛者固失,談玄者豈即爲得。存其説以著受蔽之故,袁粲駁附見本書。捃拾梵夾,亦未足鍼砭乎腠理也。"

集部

楚辭

楚辭章句十七卷

《隋志》：《楚辭》十二卷，并目録。後漢校書郎王逸注。

本書提要云："《楚辭章句》十七卷，漢王逸撰。逸字叔師，南郡宜城人，順帝時官至侍中。舊本題校書郎中，葢據其註是書時所居官也。初，劉向裒集屈原《離騷》、《九歌》、《天問》、《九章》、《遠遊》、《卜居》、《漁父》，宋玉《九辨》、《招魂》，景差《大招》，而以賈誼《惜誓》、淮南小山《招隱士》、東方朔《七諫》、嚴忌《哀時命》、王褒《九懷》及向所作《九歎》，共爲《楚辭》十六篇。是爲總集之祖。逸又益以己作《九思》，與班固二敘爲十七卷，而各爲之註。其《九思》之註，洪興祖疑其子延壽所爲。然《漢書・藝文志》、《地理志》即有自註，事在逸前。謝靈運作《山居賦》，亦自註之，安知非用逸例耶？舊説無文，未可遽疑爲延壽作也。陳振孫《書録解題》載有《古文楚辭釋文》一卷，其篇第迥與今本不同。振孫又引朱子之言，據天聖十年陳説之序，謂舊本篇第混併，乃考其人之先後，重定其篇第，知今本爲説之所改。則自宋以來，已非逸之舊本。又黄伯思《東觀餘論》謂逸注《楚辭》，序皆在後，如《法言》舊本之例，不知何人移於前。則不但篇第非舊，併其序亦非舊矣。然洪興祖《考異》，於'離騷經'下註曰：'《釋文》第一，無'經'字。'而逸所註本確有'經'字，與《釋文》本不同。必謂《釋文》爲舊本，亦未可信也。逸註雖不甚詳核，而去古未遠，多傳先儒之訓詁,故李善註《文選》,全用其文。《抽思》以下諸篇註中,往往隔句用韻。蓋仿《周易·象傳》之體,亦足以考證漢人之韻。而吴棫以來談古韻者,皆未徵引,是尤宜表而出之矣。"

别集

董子文集一卷

《隋志》:漢膠西相《董仲舒集》一卷。

本書提要云:"《董子文集》一卷,漢董仲舒撰。《隋志》載一卷,註曰:梁二卷,亡。《舊唐書·經籍志》、《新唐書·藝文志》俱仍載二卷。《宋志》又作一卷。後明正德己亥,巡按御史盧雍裒其逸文以成是集。然自採録本傳外,僅益以《西京雜記》、《古文苑》所載數篇,不及張溥《百三家集》之完備。"

揚子雲集六卷

《隋志》:漢太中大夫《揚雄集》五卷。

本書提要云:"《揚子雲集》六卷,漢揚雄撰。《隋》、《唐志》皆載雄集五卷。明萬曆中,遂州鄭樸又取所撰《太玄》、《法言》、《方言》三書及類書所引《蜀王本紀》、《琴清英》諸條,與諸文賦合編之,釐爲六卷,而以逸篇之目附卷末,即此本也。雄所撰諸箴,《古文苑》及《中興書目》皆二十四篇。惟晁公武《讀書志》稱二十八篇,多《司空》、《尚書》、《博士》、《太常》四篇。是集復益以《太官令》、《太史令》,爲三十篇。考《後漢書·班固傳》註引雄《尚書箴》,《太平御覽》引雄《太官令》、《太史令》二箴,則樸之所增,未爲無據。然考《漢書·胡廣傳》,稱雄作十二州箴、二十五官箴,其九箴亡,則漢世止二十八篇。劉勰《文心雕龍》稱卿尹州牧二十五篇,則又亡其三,不應其後復出。且《古文苑》載《司空》等四箴，明註崔駰、崔瑗之名；葉大慶又摘《初學記》所載《潤州箴》中乃有'六代都興'之語，則諸書或屬誤引，未可遽定爲雄作也。是書之首又冠以雄《始末辨》一篇，乃焦竑《筆乘》之文。謂《漢書》載雄仕莽，作符命投閣，年七十一，天鳳五年卒。考雄至京見成帝，年四十餘。自成帝建始改元至天鳳五年，計五十有二歲。以五十二合四十餘，已近百年，則與年七十一者相牴牾。謂雄爲仕於莽年者，妄也。近人多祖其説，爲雄訟枉。案《文選》李善註引劉歆《七略》曰：'子雲家牒言，以甘露元年生。'《漢書·成帝紀》載行幸甘泉、行幸長楊宫並在元延元年己酉，上距宣帝甘露元年戊辰正四十二年，與四十餘之數合。其後積至天鳳五年，正得七十一年，與七十一之數亦合。其仕莽十年，毫無疑義。竑不考祠甘泉、獵長楊之歲，而以成帝即位之建始元年起算，悖謬殊甚。"

蔡中郎集六卷

《隋志》：後漢左中郎將《蔡邕集》十二卷。

本書提要云："《蔡中郎集》五卷，漢蔡邕撰。《隋志》載十二卷，註曰'梁有二十卷，録一卷'。則其集至隋已非完本。《舊唐志》乃仍作二十卷，當由官書佚脱，而民間傳本，未亡故復出也。《宋志》著録僅十卷，則又經散亡，非其舊本矣。此本爲雍正中陳留所刊，文與詩共得九十四首。證以張溥《百三家集》刻本，多寡增損，互有出入。卷首歐靜序論姜伯淮、劉鎮南碑斷非邕作。以年月考之，其説良是。張本載《薦董卓表》，而陳留本無之。其事范書不載，或疑爲後人贋作。然劉克莊《後村詩話》已排詆此表，與揚雄《劇秦美新》同稱。則宋本實有此文，不自張本始載。後漢諸史，自范、袁二家以外，尚有謝承、薛瑩、張璠、華嶠、謝沈、袁崧、司馬彪諸家，今皆散佚,亦難以史所未載,斷其事之必無。或新本刊於陳留,以桑梓之情,欲爲隱諱,故削之以滅其蹟歟?"

孔北海集一卷

《隋志》:後漢少府《孔融集》九卷。

本書提要云:"《孔北海集》一卷,漢孔融撰。案魏文帝《典論·論文》稱'孔氏卓卓,信含異氣。筆墨之性,殆不可勝'。《後漢書》融本傳亦曰:魏文帝深好融文辭,歎曰:'揚、班儔也。'募天下有上融文章者,輒賞以金帛。所著詩、頌、碑文、論議、六言、策文、表、檄、教令、書記凡二十五篇。《隋志》載融集九卷,註曰'梁十卷,録一卷'。則較本傳所記已多增益。《新》、《舊唐書》皆作十卷,蓋猶梁時之舊本。此本凡表一篇、疏一篇、上書三篇、奏事二篇、議一篇、對一篇、教一篇、書十六篇、碑銘一篇、論四篇、詩六篇,共三十七篇。其《聖人優劣論》,蓋一文而偶存兩條,編次者遂析爲兩篇,實三十六篇也。蘇軾《孔北海贊序》稱讀其所作《楊氏四公贊》,今本無之。則宋人所及見者,今已不具矣。然人既國器,文亦鴻寶,雖闕佚之餘,彌可珍也。其六言詩之名見於本傳,今所傳三章,詞多凡近,又皆盛稱曹操功德,斷以融之生平,可信其義不出此。即使舊本有之,亦必黄初間購求遺文,贋託融作以頌曹操,未可定爲眞本也。流傳既久,姑仍舊本録之,而附糾其僞於此。"

諸葛丞相集四卷

《隋志》:蜀丞相《諸葛亮集》二十五卷。

本書提要云:"《諸葛丞相集》四卷,首卷録諸葛遺文,陳壽所上目録皆不載,蓋摭拾《三國志注》及諸類書而成。其《黄陵廟記》,明楊時偉嘗駁辨其僞。今考陸游《入蜀記》作於乾道六年,記黄牛廟事,引古諺及李白、歐陽修詩、張詠贊甚詳,獨一字不及亮《記》。袁説友所刻《成都文類》作於慶元五年，亦無此文。然則贋託之本，出於南宋以後明甚。乃仍然載入，絶無考訂。又《心書》五十條，顯然僞託，亦取以苟充卷帙。且《武侯十六策》，其僞與《心書》同，晁氏《讀書志》著録，則猶出宋人之手。既取《心書》，又不取是策，何也？二卷以下，皆爲附録，所列《八陣圖》及分野諸條，猥雜尤甚。近有《諸葛忠武侯文集》四卷，附録二卷；《諸葛故事》五卷，爲沔縣祠堂刻本，與此别行。"

曹子建集十卷

《隋志》：魏陳思王《曹植集》三十卷。

本書提要云："《曹子建集》十卷，魏曹植撰。案《魏志》植本傳，景初中，撰録植所著賦、頌、詩、銘、雜論凡百餘篇，副藏内外。《隋志》載《陳思王集》三十卷，《唐志》作二十卷，然復曰'又三十卷'。蓋三十卷者，隋時舊本；二十卷者，爲後來合併重編，實無兩集。陳振孫《書録解題》亦作二十卷。然振孫謂其間頗有採取《御覽》、《書鈔》、《類聚》中所有者，則捃摭而成，已非唐時二十卷之舊。《文獻通考》作十卷，又并非陳氏著録之舊。此本目録後有'嘉定六年癸酉'字，猶從宋寧宗時本翻雕，蓋即《通考》所載也。凡賦四十四篇、詩七十四篇、雜文九十二篇，合計之得二百十篇。較《魏志》所稱百餘篇者，其數轉溢。然殘篇斷句，錯出其間。如《鷂雀》、《蝙蝠》二賦均採自《藝文類聚》。《藝文類聚》之例，皆標'某人某文曰'云云，編是集者遂以'曰'字爲正文，連於賦之首句，殊爲失考。又《七哀詩》晋人採以入樂，增減其詞以就音律，見《宋書·樂志》中。此不載其本詞，而載其入樂之本，亦爲舛謬。《棄婦篇》見《玉臺新詠》，亦見《太平御覽》，《鏡銘》八字，反覆顛倒，皆叶韻成文，實爲回文之祖，見《藝文類聚》，皆棄不載。而

《善哉行》一篇,諸本皆作古辭,乃誤爲植作,不知其下所載'當來日大難',即當此篇也。使此爲植作,將自作之而自擬之乎?至於王宋妻詩,《藝文類聚》作魏文帝,邢凱據舊本《玉臺新詠》,稱爲植作,今本《玉臺新詠》又作王宋自賦之詩。則衆説異同,亦宜附載,以備參考,乃竟遺漏,亦爲疏略,不得謂之善本。然刻植集者率以是編爲祖,無更古於斯者。録而存之,亦不得已而思其次也。"

嵇中散集十卷

《隋志》:魏中散大夫《嵇康集》十五卷。

本書提要云:"《嵇中散集》十卷,舊本題晋嵇康撰。案康爲司馬昭所害,時當塗之祚未終,則康當爲魏人,不當爲晋人。《晋書》立傳,實房喬等之舛誤。本集因而題之,非也。《隋志》載康文集十五卷。《新》、《舊唐書》並同。至陳振孫《書録解題》則已作十卷,且稱'康所作文論六七萬言,其存於世者僅如此',則宋時已無全本矣。王楙《野客叢書》云:'得毘陵賀方回家所藏繕寫《嵇康集》十卷,有詩六十八首。'此本凡詩四十七篇、賦一篇、書二篇、雜箸二篇、論九篇、箴一篇、家誡一篇,而雜箸中《嵇荀録》一篇,有録無書,實共詩文六十二篇,又非宋本之舊。蓋明嘉靖乙酉吴縣黄省曾所重輯也。"

陸士衡集十卷

《隋志》:晋平原内史《陸機集》十四卷。

陸士龍集十卷

《隋志》:晋清河太守《陸雲集》十二卷。

本書提要云:"《陸士龍集》十卷,晋陸雲撰。雲與兄機齊名,時稱'二陸'。史謂其文章不及機,而持論過之。今觀集中諸啓,其執辭諫諍,陳議鯁切,誠近於古之遺直。至其文藻麗密,詞旨深雅,與機亦相上下。平吴二俊,要亦未易優劣也。

《隋志》載雲集十二卷，又稱‘梁十卷，録一卷’。是當時所傳之本，已有異同。《新唐書·志》但作十卷，則所謂十二卷者，已不復見。至南宋時，十卷之本，信安徐民瞻始與機集並刊以行。考史稱雲所著文詞凡三百四十九篇，此僅録二百餘篇，叙次頗爲叢雜。如《答兄平原詩》二首，其一首乃機贈雲之作，故馮惟訥《詩紀》收入機詩内，而此本誤作雲答機詩。又‘緑房含青實’四語及‘逍遥近南畔’二語，皆自《藝文類聚》芙渠部、嘯部摘出，佚其全篇。故《詩紀》以爲失題，系之卷末，但註見《藝文》某部。此乃直標曰‘芙蓉’、曰‘嘯’，殆不學者所編。特是雲集，惟藉此以傳什一。故悉仍其舊録之，姑以存其梗概焉。”

陶淵明集八卷

《隋志》：宋徵士《陶潛集》九卷。

本書提要云：“《陶淵明集》八卷，晋陶潛撰。案北齊陽休之序録，潛集行世凡三本，一本八卷無序；一本六卷有序目；而編比顛亂兼復闕少；一本爲蕭統所纂，亦八卷，而少《五孝傳》及《四八目》。《四八目》即《聖賢羣輔録》也。休之參合三本，定爲十卷，已非昭明之舊。宋庠《私記》稱時所行，一爲蕭統八卷本，以文列詩前，一爲陽休之十卷本，其他又數十本，終不知何者爲是。晚乃得江左舊本，次第倫貫。今世所行，即庠稱江左本也。然昭明太子去潛世近，已不見《五孝傳》、《四八目》，不以入集，陽休之何由續得。且《五孝傳》及《四八目》所引《尚書》自相矛盾，決不出於一手，當必依託之文，休之誤信而增之。以後諸本，雖卷帙多少、次第先後，各有不同，其竄入僞作，則同一轍，實自休之所編始。今《四八目》已灼知其贋，别詳辨之。《五孝傳》文義庸淺，決非潛作，既與《四八目》一時同出，其贋亦不待言。今並删除。惟編潛詩文仍從昭明太子爲八卷。雖梁時舊第今不可考,而黜僞存眞,庶幾猶爲近古焉。"

璿璣圖詩讀法一卷

《隋志》:梁有《織錦迴文詩》一卷,苻堅秦州刺史竇氏妻蘇氏作。

本書提要云:"蘇蕙織錦回文,古今傳爲佳話。此圖唐則天皇后序,莫知所從來。考《晋書·列女傳》載:'苻堅秦州刺史竇滔,有罪徙流沙,其妻蘇蕙織錦爲回文旋圖詩。'無滔鎮襄陽及趙陽臺讒間事。又考《晋書》苻丕陷襄陽,苻堅以梁成鎮襄陽,亦不言竇滔。與序所言,全然乖異。序末稱如意元年,是時《晋書》久成,不應矛盾至此。又其文萎弱,亦不類初唐文體,疑後人依託。然《晋書》稱其圖凡八百四十字,縱横宛轉以讀之,文多不録,則唐初實有是圖。又李善註江淹《别賦》,引《織錦回文詩序》曰:'竇滔秦州被徙沙漠,其妻蘇氏,秦州臨去别蘇,誓不再娶,至沙漠,更娶婦。蘇氏織錦端中,作此回文詩以贈之。苻國時人也。'其説亦與《晋書》合,益知詩眞而序僞。考黄庭堅詩已用連波悔過、陽臺暮雨事,其僞當在宋以前也。序稱其錦縱廣八寸,題詩二百餘首,計八百餘言。縱横反覆,皆成章句。黄伯思謂其圖本五色相宣,因以别三、五、七言之異。後人流傳,不復施采,故迷其句讀。又謂'嘗於王晋玉家得唐申誠之釋,而後曉然'。今誠本已不傳,僧起宗以意推求,得三、四、五、六、七言詩三千七百五十二首,分爲七圖。明康萬民更爲尋繹,又於第三圖内增立一圖,併增讀其詩至四千二百六首,合起宗所讀,共成七千九百五十八首。合兩家之圖,輯爲此編。夫但求協韻成句,而不問義之如何,輾轉鉤連,旁行斜上,原可愈增愈多。然必以爲若蘭本意如斯,則未之能信。存以爲藝林之玩可矣。"

鮑參軍集十卷

《隋志》：宋征虜記室參軍《鮑照集》十卷。

本書提要云："《鮑參軍集》十卷，宋鮑照撰。照字明遠，東海人。'照'或作'昭'，葢唐人避武后諱所改。沈約《宋書》、李延壽《南》、《北史》作於武后稱制前者，實皆作'照'不，作'昭'也。照爲臨川王子頊參軍，没於亂兵，遺文零落，齊散騎侍郎虞炎始編次成集。《隋志》著録十卷，而註曰梁六卷，然則後人又續增矣。此本爲明正德庚午朱應登所刊，卷數與《隋志》合，而冠以炎序。考其編次，既以樂府合爲一卷，而《采桑》、《梅花落》、《行路難》亦皆樂府，乃列入詩中。唐以前人皆解聲律，不應舛互若此。然文章皆有首尾，詩賦亦往往有自序、自註，與六朝他集從類書採出者不同。殆因相傳舊本而稍爲竄亂歟？"

謝宣城集五卷

《隋志》：齊吏部郎《謝朓集》十二卷，《謝朓逸集》一卷。

本書提要云："《謝宣城集》五卷，南齊謝朓撰。朓字元暉，陳郡陽夏人。以中書郎出爲宣城太守，又遷尚書吏部郎，被誅。其官實不止於宣城太守，然詩家皆稱'謝宣城'，殆以《北樓吟詠》爲世盛傳耶？據陳振孫《書録解題》稱：'朓集本十卷。樓炤知宣州，止以上五卷賦與詩刊之。下五卷皆當時應用之文，衰世之事，可採者已見本傳及《文選》。餘視詩劣焉，無傳可也。'考鍾嶸《詩品》稱：'朓極與予論詩，感激頓挫過其文。'則振孫之言審矣。此本五卷即紹興二十八年樓炤所刻，前有炤序，猶南宋佳本也。本傳稱朓'長於五言詩'。沈約嘗云'二百年來無此詩'。鍾嶸《詩品》乃稱其'微傷細密，頗在不倫。一章之中，自有玉石'。又稱其'善自發端，而末篇多躓。過毀過譽，皆失其眞'。趙紫芝詩曰：'輔嗣易行無漢學，元暉詩變有唐風。'斯於文質升降之間,爲得其平矣。"

昭明太子集六卷

《隋志》:《梁昭太子集》二十卷。

本書提要云:"《昭明太子集》六卷,梁昭明太子統撰。案《梁書》本傳,稱統有集二十卷。《隋》、《唐志》並同。《宋志》僅載五卷,已非其舊。此本爲明嘉興葉紹泰所刊,凡詩賦一卷、雜文五卷。賦每篇不過數句,蓋自類書採掇而成,皆非完本。詩中《擬古》第二首、《林下作伎》一首、《照流看落釵》一首、《美人晨妝》一首、《名士悦傾城》一首,皆梁簡文帝詩,見於《玉臺新詠》。其書爲徐陵奉簡文之令而作,不容有誤。當由書中稱簡文帝爲皇太子,輾轉稗販,故誤作昭明。又《錦帶書》、《十二月啓》不類齊、梁文體。是亦作僞之證。張溥《百三家集》中亦有統集。以兩本互校,皆明人所掇拾耳。"

江文通集四卷

《隋志》:梁金紫光禄大夫《江淹集》九卷,《江淹後集》十卷。

本書提要云:"《江文通集》四卷,梁江淹撰。淹自序傳稱:'自少及長,未嘗著書,惟集十卷。'今行於世者,惟歙縣汪士賢、太倉張溥二本。此本乃乾隆戊寅梁賓以汪本、張本參核異同,又益以睢州湯斌家鈔本,參互成編。汪本、張本闕篇,此皆補完,脱字亦均校正,其餘字句,皆備録異同。小小疏舛,間或不免,然終較他本爲善也。"

何水部集一卷

《隋志》:梁仁威記室《何遜集》七卷。

本書提要云:"《何水部集》一卷,梁何遜撰。遜字仲言,東海剡人,官至水部員外郎。王僧孺嘗輯遜詩,編爲八卷。宋黄伯思有遜集跋,稱爲春明宋氏本,其卷數尚與《梁書》相符。而伯思云杜甫所引'昏鴉接翅歸'、'金粟裹搔頭'等句不見集中。則當時已有佚脱。此本爲正德丁丑松江張紘所刊,首列遜小傳,凡詩九十五首,附載范雲、劉孝綽同作《擬古》二首,《聯句》十三首,末載黄伯思跋,跋後附《七召》一篇,末復有紘跋,稱舊與《陰鏗集》偕刻。紘以二家體裁各别,不當比而同之,獨取是集,删其繁蕪。然則是集又經紘刊削,有所去取。字句亦多所竄亂,非其舊矣。"

庾子山集註十六卷

《隋志》:後周開府儀同《庾信集》二十一卷。

本書提要云:"《庾子山集》,周庾信撰。信爲梁元帝守朱雀航,望敵先奔。厥後歷仕諸朝,如更傳舍,其立身本不足重。其駢偶之文,則集六朝之大成,而導四傑之先路。自古迄今,屹然爲四六宗匠。初在南朝,與徐陵齊名,故李延壽《北史·文苑傳序》稱:'徐陵、庾信,其意淺而繁,其文匿而采。詞尚輕險,情多哀思。'王通《中説》亦曰:'徐陵、庾信,古之夸人也,其文誕。'令狐德棻作《周書》,至詆其'誇目侈於紅紫,蕩心逾於鄭衛',斥爲詞賦之罪人。然此自指臺城應教之日,二人以宫體相高耳。至信北遷以後,閲歷既久,學問彌深,所作皆華實相扶,情文兼至。抽黄對白之中,灝氣舒卷,變化自如,則非陵之所能及矣。《北史》本傳載有集二十卷,與周滕王逌之序合。《隋志》作二十一卷。此本雖冠以滕王逌序,實由諸書鈔撮而成。近代胡渭作註,未及成帙。吴兆宜採輯其説,復與徐樹穀等補綴成編,粗得梗概。然六朝人所見之書,今已十不存一。兆宜捃摭殘文,補苴求合,勢不能盡詳所出。後錢塘倪璠以兆宜所箋合衆手以成之,頗傷漏略。乃詳考諸史,作年譜冠於集首,又旁採博蒐,重爲註釋。其中未免失之穿鑿附會,然比核史傳,實較吴本爲詳。《哀江南賦》一篇引據時事,尤爲典核。集末楊炯之文誤入信集,辨證亦頗精審,不以稍傷蕪冗爲嫌也。”

徐孝穆集箋註六卷

《隋志》：陳尚書左僕射《徐陵集》三十卷。

本書提要云：“《徐孝穆集》，陳徐陵撰。《隋志》載三十卷。此本乃後人從諸書内採掇而成。陵文章綺麗，與庾信齊名，世號徐庾體。《陳書》本傳稱其‘緝裁巧密，多有新意。自有陳創業，文檄軍書及禪授詔策，皆陵所製，爲一代文宗’。其集舊無註釋。吴兆宜既箋《庾信集》，因并陵集箋之，未及卒業。徐文炳續爲補緝，以成是編。其中可與史事相證者，兆宜所箋，略不言及。蓋主於捃拾字句，不甚考訂史傳也。然箋釋詞藻，亦頗足備稽考焉。”

總集

文選註六十卷

《隋志》：《文選》三十卷，梁昭明太子撰。

本書提要云：“案《文選》舊本三十卷，梁昭明太子蕭統撰，唐江都李善爲之註。始每卷各分爲二。善《文選》之學，受之曹憲，有初註成者，有覆註，有三註、四註者，當時旋被傳寫。其絶筆之本皆釋音訓義，註解甚多。其書自南宋以來，皆與五臣註合刊，名曰《六臣註文選》，而善註單行之本，世遂罕傳。此本爲毛晋所刻，雖稱從宋本校正，今考其註，殆因六臣之本，削去五臣，獨留善註，未必眞見單行本也。二十七卷末附載樂府《君子行》一篇，註曰‘李善本無，五臣本有，今附於後’。其非善原書，尤爲顯證。惟是本此之外，更無别本，故仍而録之。唐顯慶中，李善受曹憲《文選》之學，爲之作註。至開元六年，工部侍郎吕延祚復集吕延濟、劉良、張銑、吕向、李周翰五人共爲之註，表進於朝，詆善之短，述五臣之長，頗欲排突前人，高自位置。然唐李匡乂摘其竊據善註，巧爲顛倒，條分縷析，言之甚詳。今觀所註，迂陋鄙倍，而以空疏臆見，輕詆通儒，殆亦韓愈所謂'蚍蜉撼樹'者歟？其書本與善註別行，南宋以來偶與善註合刻，取便參證。遂輾轉相沿，併爲一集，附驥以傳，蓋亦幸矣。然其疏通文意，亦間有可採，唐人著述，傳世已稀，固不必竟廢之也。"

玉臺新詠十卷

《隋志》：《玉臺新詠》十卷，徐陵撰。

本書提要云："《玉臺新詠》十卷，陳徐陵撰。案劉肅《大唐新語》曰：'梁簡文爲太子，好作豔詩，境内化之。晚年欲改作，追之不及，乃令徐陵爲《玉臺集》以大其體。'則是書作於梁時。今本題陳徐陵撰，殆後人所追改耳。其書前八卷爲自漢至梁五言詩，第九卷爲歌行，第十卷爲五言二韻之詩。雖皆取綺羅脂粉之詞，而去古未遠，猶有講於溫柔敦厚之遺，未可概以淫豔斥之。其中如曹植、庾信詩，本集失載，據此可補闕佚。有資於考證者，亦不一。明代刻本，妄有增益。趙宧光家所傳宋刻，有永嘉陳玉父跋，最爲完善。後人附入之作，皆一一註明，尤爲精審。其書《大唐新語》稱《玉臺集》，《元和姓纂》亦稱《玉臺集》，然《隋志》已稱《玉臺新詠》，則《玉臺集》乃相沿之省文。今仍以其本名著録焉。"

詩文評

文心雕龍十卷

《隋志》：《文心雕龍》十卷，梁兼東宫通事舍人劉勰撰。

本書提要云："《文心雕龍》十卷，梁劉勰撰。勰字彦和，東莞莒人。天監中,兼東宫通事舍人。其書《原道》以下二十五篇,論文章體製;《神思》以下二十四篇,論文章工拙,合《序志》一篇爲五十篇。據《序志》篇稱,上篇以下、下篇以上,本止二卷。然《隋志》已作十卷,蓋後人所分。又據《時序》篇中所言,書實成於齊代。此本署梁通事舍人劉勰撰,亦後人追題也。是書自至正乙未刻於嘉禾,至明凡經五刻。其《隱秀》一篇,皆有闕文。明末錢允治稱得阮華山宋槧本,鈔補四百餘字。然其書晚出,别無顯證,其詞亦頗不類。況至正去宋未遠,不應宋本已無一存,三百年後,乃爲明人所得。又考《永樂大典》所載舊本,闕文亦同。其時宋本如林,更不應内府所藏無一完刻。阮氏所稱,殆亦影撰也。至字句舛訛,楊慎、朱謀㙔以下,遞有校正,而亦不免於妄改。如《哀誄》篇賦憲之謚句,皆云'賦憲'當作'議德',然考王應麟《玉海》,則二字不誤。以是例之,其以意雌黄者多矣。"

詩品三卷

《隋志》:《詩評》三卷,鍾嶸撰,或曰《詩品》。

本書提要云:"《詩品》三卷,梁鍾嶸撰。嶸字仲偉,潁川長社人。學通《周易》,詞藻兼長。所品古今五言詩,自漢、魏以來一百有三人,論其優劣,分爲上、中、下三品。每品之首,各冠以序,皆妙達文理,可與《文心雕龍》並稱。近時王士禎極論其品第之閒,多所違失。然梁代迄今,邈踰千祀,遺篇舊製,什九不存,未可以掇拾殘文,定當日全集之優劣。惟其論某人源出某人,若一一親見其師承者,則不免附會耳。史稱嶸嘗求譽於沈約,約弗爲獎借,故嶸怨之,列約中品。案約詩列之中品,未爲排抑。惟序中深詆聲律之學,則攻擊約説,顯然可見,言亦不盡無因也。又一百三人之中,惟王融稱王元長,不著其名,蓋避齊和帝之諱,故以字行,實無他故。今亦姑仍其舊焉。”

文章緣起一卷

《隋志》：梁有《文章始》一卷，任昉撰。

本書提要云：“《文章緣起》一卷，舊本題梁任昉撰。《隋志》載任昉《文章始》一卷。《唐志》註曰‘張績補’，績不知何許人。宋人修《太平御覽》，所引書無此名。今檢其所列，引據頗疏，不足據爲典要。疑爲依託，然王得臣《麈史》有曰：‘梁任昉集秦、漢以來文章名之始，目曰《文章緣起》。自詩、賦、離騷至於勢、約，凡八十五題，可謂博矣。’知北宋已有此本，其殆張績所補，後人誤以爲昉本書歟。”

二志未收書述略

關氏易傳一卷

本書提要云:"舊本題北魏關朗撰。是書《隋》、《唐志》皆不著録。晁公武《讀書志》謂李淑《邯鄲圖書志》始有之。《中興書目》亦載其名,云'阮逸詮次刊正'。陳師道、何薳、邵博皆云阮逸嘗以僞撰之稿示蘇洵,則出自逸手,更無疑義。逸與李淑同爲神宗時人,故李氏書目始有也。"經部易類

陸法言廣韻五卷

本書提要云:"世行《廣韻》凡二本:一爲宋陳彭年、邱雍等所重修,一爲此本;註文比重修本頗簡。朱彝尊謂明代内府刊版,中涓欲均其字數,取而删之。然《永樂大典》引此本,皆曰陸法言《廣韻》。考《唐》、《宋志》皆載陸法言《廣韻》五卷。彭年等所定之本不曰'新修'而曰'重修',明先有此《廣韻》。又景德四年敕牒稱舊本註解未備,明先有此註文簡約之《廣韻》。彝尊精於考證,乃以此本爲在後,不免千慮之一失矣。隋陸法言以吕靜等六家韻書各有乖互,因與劉臻、颜之推、魏淵、盧思道、李若、蕭該、辛德淵、薛道衡八人,撰爲《切韻》五卷。書成於仁壽元年。唐儀鳳二年,長孫訥言爲之註。天寶十載,孫愐重爲刊定,改名《唐韻》。宋景德四年,以舊本偏旁差譌,傳寫漏落,又註解未備,乃命重修。書成,賜名《大宋重修廣韻》。"經部小學類

元經十卷

本書提要云:"舊本題隋王通撰,唐薛收續,並作傳,宋阮逸註。其書始晋太熙元年,終隋開皇九年,凡九卷,稱爲通之原

書。末一卷自隋開皇十年迄唐武德元年,稱收所續。陳振孫《書録解題》曰:'河汾王氏諸書,自《中説》以外,皆《唐·藝文志》所無。其傳出阮逸,或云皆逸僞作也。唐神堯諱淵,其祖景皇諱虎,故《晋書》戴淵、石虎皆以字行。薛收唐人,於傳稱戴若思、石季龍,宜也。《元經》作於隋世大業四年,亦書曰'若思',何哉?'且於周大定元年,直書楊堅輔政。通生隋世,雖妄以聖人自居,亦何敢於悖亂如是。陳師道《後山談叢》稱逸作是書。師道篤行君子,斷無妄語。《文獻通考》載是書十五卷,此本止十卷,自魏太和以後,往往數十年不書一事,蓋又非阮逸僞本之全矣。"史部編年類

南方草木狀三卷

本書提要云:"晋嵇含撰。《隋》、《唐志》俱有含集十卷,而不載此書,至《宋志》始著録。蓋唐時尚不甚顯,故史志不載也。書中所載,皆嶺表之物。凡分草、木、果、竹四種,共八十種。叙述典雅,非唐以後人所能僞,不得以始見《宋志》疑之。其本亦最完整。蓋宋以後花譜、地志援引者多,其字句可以互校,故獨尠譌闕云。"史部地理類

南中志一卷

本書提要云:"舊本題曰晋常璩撰。前有顧應祥序云:'此書附在《華陽國志》,近世無傳。升菴楊太史謫居於滇,以其舊所藏本,手録見示。'云云。考隋以來諸志,皆無此書。年月事蹟亦牴牾不一。楊慎好撰僞書,此書當亦漢《雜事秘辛》之類也。"史部地理類

荊楚歲時記一卷

本書提要云:"舊本題晋宗懔撰。《書録解題》作梁人。考《梁書·元帝本紀》載承聖三年,以宗懔爲吏部尚書。又《南史·元帝本紀》載武陵之平,議者欲還都建鄴。宗懔、黄羅漢

皆楚人,不願移。此書皆記楚俗,當即其人。舊本題晋人,誤也。《書録解題》載懔自序曰:‘傅玄之《朝會》,杜篤之《上巳》,安仁《秋興》之叙,君道《娛蜡》之述,其屬辭則已洽,其比事則未宏。率爲小説,以録荊楚歲時風物故事。自元日至除日,凡二十餘事。’檢今本實有三十六事,知陳振孫所記懔序,以三字譌爲二字。然周密《癸辛雜識》引張騫乘槎至天河見織女得支機石事,云出《荊楚歲時記》,今本無之。則三十六事尚非完本也。”史部地理類

忠經一卷

本書提要云:“舊本題漢馬融撰,鄭玄註。其文擬《孝經》爲十八章,經與註如出一手。考融所述作,具載《後漢書》本傳。玄所訓釋,載於《鄭志目録》尤詳。《孝經註》依託於玄,劉知幾尚設十二驗以辨之,烏有所謂《忠經註》哉。《隋》、《唐志》皆不著録,《崇文總目》始列其名,其爲宋代僞書,殆無疑義。”子部儒家類

中説十卷

本書提要云:“舊本題隋王通撰。《唐志》五卷,《通考》及《玉海》則作十卷,與今本合。考《楊炯集》有《王勃集序》,稱祖父通,隋秀才高第,蜀郡司户書佐,蜀王侍讀。大業末,退,講藝於龍門。其卒也,門人謚之曰文中子。炯爲其孫作序,則記其祖事必不誤。杜牧《樊川集序》引《文中子》二語,亦與今本相合。知所謂文中子者,實有其人。所謂《中説》者,其子福郊、福時等纂述遺言,虚相夸飾,亦實有其書。第當有唐開國之初,明君碩輔不可以虚名動。又陸德明、孔穎達、賈公彦諸老師宿儒,布列館閣,亦不可以空談惑。故其人其書,皆不著於當時。宋咸必以爲實無其人,洪邁必以爲其書出阮逸所撰,誠爲過當。講學家或竟以爲接孔、顔之傳,則傎之甚矣。

且摹擬聖人之語言自揚雄始,猶未敢冒其名。摹擬聖人之事蹟則自通始,乃併其名而僭之。後來聚徒講學,釀爲黨禍者,通實爲之先驅。録而存之,亦足見儒風變古,其所由來者漸也。"子部儒家類

握奇經一卷

本書提要云:"《握奇經》,一作《握機經》,一作《幄機經》。舊本題風后撰,漢公孫弘解,晋馬隆述讚。案《漢志》兵家陰陽《風后》十三篇,並無《握奇經》之名。此經解《七略》不著録,馬隆述讚,《隋志》亦不著録,則猶之公孫弘解也。考唐獨孤及《毗陵集》有《八陣圖記》,曰:'風后握機制勝,作爲陣圖,故八其陣,所以定位也'云云。所説乃一一與此經合。疑唐以來好事者因諸葛亮八陣之法,推演爲圖,託之風后。其後又因及此記,推衍以爲此經,併取《記》中'握機制勝'之語以爲之名。《宋志》始著於録,其晚出之顯證矣。高似孫《子略》曰:'馬隆本作《幄機》。序曰:幄者,帳也,大將所居。言其事不可妄示人,故云《幄機》。'則因握、幄字近而附會其文。今本多題曰《握奇》,則又因經中有'四爲正,四爲奇,餘奇爲握奇'之語,改易其名也。經後原附續圖,據《書録解題》亦稱馬隆所補。然有目而無圖,殆傳寫佚之歟?"子部兵家類

素書一卷

本書提要云:"舊本題黄石公撰,宋張商英註。分爲六篇。黄震謂商英妄爲訓釋,取老子之説以言之,遂與本書説正相反。其意蓋以商英之註爲非,而不甚斥本書之僞。然觀其後序所稱:'圯上老人以授張子房。晋亂,有盜發子房冢,於玉枕中得之,始傳人間。'又稱:'上有秘戒,不許傳於不道不仁不聖不賢之人。若非其人,必受其殃。得人不傳,亦受其殃。'尤爲道家鄙誕之談。故晁公武謂'商英之言世未有信之者'。

明都穆以爲自晋迄宋,學者未嘗一言及之,不應獨出於商英,而斷其有三僞。胡應麟亦謂其書中皆仙經、佛典之絶淺近者。蓋商英嘗學浮屠法,喜講禪理,前後註文與本文亦多如出一手。以是核之,其即爲商英所僞撰矣。”子部兵家類

十六策一卷

本書提要云:“舊題漢諸葛亮撰。考亮著作,陳壽《三國志》詳列於傳後,初無是書之名,故晁公武《讀書志》疑附託者所爲。又晁志曰:‘有序稱謹進便宜十六事,是尚有僞撰亮序文。’今本不載,而末有李革跋。革,河津人,登大定二十五年進士。蓋晁氏所據宋人本,此則金人本。然皆不足究詰也。”子部兵家類

將苑一卷

本書提要云:“舊本題漢諸葛亮撰。前有明甯仲升序,謂出於士人周源所藏。考此書諸家不著録,至尤袤《遂初堂書目》乃載其名,蓋僞書之晚出者。宋以來兵家之書,多託於亮。明以來術數之書,多託於劉基。委巷之談,均無足與深辨者耳。”子部兵家類

心書一卷

本書提要云:“舊本題諸葛亮撰。書中皆言爲將用兵之法。陶宗儀《説郛》作《新書》。明弘治間,劉讓鐫之,始改名《心書》,附以《出師》二表。嘉靖中,張鋭重刊,增入夔門圖,皆以爲眞出於亮。考五十篇内之文,大都竊取孫子書而附以迂陋之言,至不足道。蓋妄人所僞作,又出於《將苑》之後也。”子部兵家類

靈樞經十二卷

本書提要云:“《靈樞》,《漢》、《隋唐志》皆不録,或謂王冰以《九靈》更名爲《靈樞》。《隋志》:《黄帝九靈》十二卷。王冰以

《九靈》名《靈樞》，不知其何所本。至宋紹興中，史崧乃云家藏舊本《靈樞》九卷，具書送秘書省國子監，是此書至宋中世而始出。其中《十二經水》一篇，黃帝時無此名，冰特據所見而臆度之。然其言則綴合古經，具有源本，不可廢也。”子部醫家類

脈訣一卷

本書提要云：“《隋志》載《王叔和脈經》十卷，《唐志》並同。而無所謂《脈訣》者。吕復曰：‘《脈訣》一卷，乃六朝高陽生所撰，託以叔和之名。謬立七表、八裏、九道之目，以惑學者。劉元賓爲之註，且續歌括附其後。詞既鄙俚，意亦滋晦。’其説良是。然以高陽生爲六朝人，則不應《隋》、《唐志》皆不著録。是亦考之未審。《文獻通考》以爲熙寧以前人僞託，得其實矣。其書淺俚易誦，故俗醫仍相傳習。元戴啓宗考證舊文，句句爲辨，原書僞妄，殆抉摘無遺，於脈學殊爲有裨焉。”子部醫家類

褚氏遺書一卷

本書提要云：“舊本題南齊褚澄撰。書分十篇，大旨發揮人身氣血陰陽之奥。《宋史》始著於録。其書於《靈樞》、《素問》之理頗有發明，李時珍、王肯堂俱採用之。其論吐血、便血、飲寒凉百不一生，尤千古之龜鑑。疑宋時精醫理者所著，而僞託澄以傳。然其言可採，雖贋本不可廢也。”子部醫家類

術數記遺一卷

本書提要云：“舊題漢徐岳撰，北周甄鸞註。《隋志》具列岳及甄鸞所撰《九章算經》、《七曜術算》等目，而獨無此書之名，至《唐志》始著於録。書中稱‘於泰山見劉會稽，博識多文，徧於數術，余因受業’云云，大抵言其傳授之神秘。舊本皆題漢徐岳，據《晋書》所載，岳魏黃初中與太史丞韓翊論難日月食五

事,則岳已仕於魏,不得繫之於漢矣。至'天門金虎'等語,乃道家詭誕之説,尤爲隱僻不經。註所言算式數位,按之正文,多不相蒙。唐代選舉之制,算學《九章》、《五曹》之外,兼習此書。此必當時購求古算,好事者因託爲之,而嫁名於岳耳。"子部天文算法類

五曹算經五卷

本書提要云:"《隋志》有《九章六曹算經》一卷,而無《五曹》之目。《唐志》始有甄鸞《五曹算經》五卷,韓延《五曹算經》五卷。甄、韓二家,皆註是書者也,其作者則不知爲誰。考《漢書·梅福傳》,福上書言'臣聞齊桓之時,有以九九見者'。顔師古註云'九九算術,若今《九章》、《五曹》之輩'。蓋算學雖多,不出自一至九之數。故師古即以其時所有《九章》、《五曹》等書實之,非梅福時有是書也。姑斷以甄鸞之註,則其書確在北齊前耳。考《夏侯陽算經》引田曹、倉曹者二,引金曹者一,此書皆無其文。然此書首尾完具,脈絡通貫,不似有所亡佚。疑陽所引田曹、倉曹、金曹等名,乃别爲一書,而非此書之文。故不敢據以補入,以溷其眞焉。"子部天文算法類

宅經二卷

本書提要云:"舊本題曰《黄帝宅經》。案《漢志》有《宫宅地形》二十卷。《隋志》有《宅吉凶論》三卷、《相宅圖》八卷,《舊唐志》有《五姓宅經》二卷,皆不云出黄帝。是書蓋方伎之流欲神其説,詭題黄帝作耳。其法分二十四路考尋休咎,以八卦之位向乾坎艮震及辰爲陽,巽離坤兑及戌爲陰。陽以亥爲首,巳爲尾,陰以巳爲首,亥爲尾。而主於陰陽相得,頗有義理。文詞亦皆雅馴。《宋志》五行類有《相宅經》一卷,疑即此書。在術數之中猶最爲近古者矣。"子部術數類

玄女經一卷

本書提要云："舊本題云黄帝授三子《玄女經》，蓋術數家依託所爲。《隋志》有《玄女式經要法》一卷，列之五行家。此卷詳於論嫁娶日辰，其發端以天一所在占日之吉凶，以天罡加臨占與人期會，亦屬五行家言，然無以證其即《玄女式經要法》否也。"子部術數類

命書三卷

本書提要云："舊本題鬼谷子撰，唐李虚中註。後世傳星命之學者，皆以虚中爲祖。然《唐志》無是書之名，至《宋志》始有李虚中《命書格局》二卷。晁公武《讀書志》作李虚中《命書》三卷。虚中自序稱：司馬季主於壺山之陽遇鬼谷子，出逸文九篇，論幽微之理。虚中爲掇拾諸家，註釋成集云云。詳勘書中義例，首論六十甲子，不及生人時刻干支，而後半乃多稱四柱，其説實起於宋時，與前文殊相繆戾。且其他職官稱謂，多涉宋代之事，其不盡出虚中手，尤爲明甚。中間文筆，有似唐人所爲，又有鄙淺可嗤者，似出後來附益。疑唐代本有此書，宋時談星學者以己説闌入其間，託名於虚中之註《鬼谷》，以自神其術耳。今以其議論精切近理，多得星命正旨，與後來之窈渺恍惚者不同，故著之於録，以存其法焉。"子部術數類

相掌金龜卦一卷

本書提要云："舊本題鬼谷子撰。其法用草一莖，五指各自尖量至窮坑，復自拇指比至中紋，逐一截斷，排列成龜，用以推斷其成格。左右手共圖三十四，以格之全與不全判人禍福。蓋俚俗猥鄙之談，託之古人也。"子部術數類

貴賦定格三世相書一卷

本書提要云："舊本題鬼谷子撰。其法以十二辰分屬貪狼、巨門、廉貞、武曲、破軍、文曲、禄存，而各爲之像。又冠帶、臨

官、帝旺諸星亦有像。蓋術數家之俚淺者也。”子部術數類

黄石公行營妙法三卷

本書提要云:“不著撰人名氏。後有總論,稱黄石公以授張子房者,蓋亦術家所假託也。上卷論日月、星辰、風雲、氣候,中卷論鳥雀、禽獸,下卷閒取六壬、天罡、遊都之説,詞義殊爲淺陋。而又雜以他占法,尤叢雜無可取也。”子部術數類

漢原陵祕葬經十卷

本書提要云:“不著撰人名氏。前有自序,稱昔因遇樓敬先生,傳陰陽書三本,其用甚驗。直指休咎之理,出生入死。遁甲之法,乾兑坎離遷宅之法,辨年月日時加臨運式。因暇日,述斯文五十四章,分爲十卷,備陳奥旨云云。蓋術家所依託。所云樓敬先生,豈假名於婁敬,而其姓誤加木旁歟?”子部術數類

葬經一卷

本書提要云:“題《青烏先生葬經》,金丞相兀欽仄註。考青烏子名見《晋書·郭璞傳》。《唐志》有《青烏子》三卷,已不知爲眞古書否。此本文義淺近,經與註如出一手,殆又後人所依託矣。郭璞《葬書》引‘經曰者’若干條,皆見於此本,而字句頗有異同。蓋作僞者獵取璞書以自證,而又稍易其文以泯剽襲之迹耳。未可據爲符驗也。”子部術數類

葬書一卷

本書提要云:“舊本題晋郭璞撰。三代以上葬不擇地,其術自漢始萌,盛傳於東漢以後。其特以是擅名者,則璞爲最著。考璞本傳,載璞從河東郭公受《青囊中書》九卷,遂洞天文、五行、卜筮之術。璞門人趙載竊《青囊書》,爲火所焚,不言其嘗著《葬書》。《唐志》有《葬書地脈經》一卷,《葬書五陰》一卷,又不言爲璞所作。惟《宋志》載有璞《葬書》,是其書自宋始出。其後方伎之家,競相粉飾,遂有二十篇之多。蔡元定病

其蕪雜,爲删去十二篇,存其八篇。吴澄又病蔡氏未盡藴奥,擇至純者爲内篇,精粗純駁相半者爲外篇,粗駁當去而姑存者爲雜篇。今此本所分内篇、外篇、雜篇,蓋猶吴氏之舊本。書中詞意簡質,猶術士通文義者所作。必以爲出自璞手,則無可徵信。或世見璞葬母暨陽,卒遠水患,故以是書歸之歟?其中遺體受蔭之説,使後世惑於禍福,或稽留而不葬,或遷徙而不恒,已深爲通儒所闢。然如乘生氣一言,其義頗精。又所云'葬者原其起,乘其止,乘風則散,界水則止'諸條,亦多明白簡當。後世言地學者皆以璞爲鼻祖。故書雖依託,終不得而廢。據《宋志》本名《葬書》,後來術家尊其説者改名《葬經》。今仍題舊名,以從其朔云。"子部術數類

玉照定眞經一卷

本書提要云:"舊本題晋郭璞撰,張顒註。考《晋書》璞傳不言璞有此書。《隋》、《唐》、《宋志》以及諸家書目,皆不著録。蓋晚出之本。張顒亦不知何許人。疑書與註文均出自張顒一人之手,而假名於璞以行。術家影附,往往如此,不足辨也。其書雖文句不甚雅馴,而大旨頗簡潔明晰。所言吉凶應驗,切近中理,亦多有可採。如論年儀、月儀、六害、三奇、三交、四象之類,尤多所闡發。惟推及外親、女壻,以曲説穿鑿,不免牽強附會耳。蓋舊本相傳,要有所受,究非後來杜撰者所能及焉。"子部術數類

元包五卷附元包總義二卷

本書提要云:"北周衛元嵩撰。其《總義》二卷,則張行成所補撰也。元嵩,益州成都人。明陰陽歷算,獻策後周。溫大雅《創業起居注》載元嵩造謡讖,裴寂等引之以勸進,則亦妖妄之徒也。是書體例近《太玄》,序次則用《歸藏》,首坤而繼以乾、兑、艮、離、坎、巽、震、卦,凡七變合本卦,共成八八六十

四。自繫以辭,文多詰屈。又好用僻字,難以猝讀。及究其註釋,乃别無奥義。以艱深而文淺易,不過效《太玄》之顰。宋紹興中,臨卭張行成復徧採《易》説以通其旨,著爲《總義》。與《元包》本合爲一編,其來已久,今亦仍之。"子部術數類

山水松石格一卷

本書提要云:"舊本題梁孝元皇帝撰。是書《宋志》始著録。其文凡鄙,不類六朝人語。且元帝之畫,其擅長惟在人物,故姚最《續畫品録》惟稱'湘東王工於像人,特盡神妙'。未聞以山水松石傳,安有此書也。"子部藝術類

禽經一卷

本書提要云:"舊本題師曠撰,晋張華註。漢、隋、唐諸《志》及宋《崇文總目》皆不著録。其引用自陸佃《埤雅》始,其稱'師曠'亦自佃始。其稱'張華註'則見於左圭《百川學海》所刻。考書中'鶌鴶'一條,稱'晋安曰懷南,江右曰逐隱',春秋時安有是地名。其僞不待辨。張華晋人,而註引顧野王《瑞應圖》、任昉《述異記》,乃及見梁代之書,則註之僞亦不待辨。然其中又有僞中之僞,考王楙《野客叢書》載《埤雅》諸書所引,而楙時之本無之者,凡數十條。是楙所見者,非北宋之本。又楙書中辨鶯遷一條引《禽經》,辨杜詩一條引《禽經》,辨葉夢得詞語一條引《禽經》,今本又無之。馬驌《繹史》全録此書,而别取《埤雅》、《爾雅翼》所引今本不載者,附録於末,謂之《古禽經》。今考所載楙已稱《禽經》無其文者凡三條,諸條中有兩條爲楙所摘引,餘亦不云無其文。則今所見者,又非楙所見之本矣。觀'雕以周之'諸語,全類《字説》,疑即傳王氏學者所僞作,故陸佃取之。此本爲左圭《百川學海》所載,則其僞當在南宋之末。流傳已數百年,文士往往引用。姑存備考,固亦無不可也。"子部譜録類

古今刀劍録一卷

本書提要云："梁陶弘景撰。書是所記帝王刀劍，自夏啓至梁武帝，凡四十事。諸國刀劍，自劉淵至赫連勃勃，凡十八事。吴將刀，周瑜以下凡十事。魏將刀，鍾會以下凡六事。然關、張、諸葛亮、黄忠皆蜀將，不應附入吴將中，疑傳寫誤佚'蜀將刀'標題三字。又董卓、袁紹不應附魏，亦不應在鄧艾、郭淮之間，均爲顛舛。至弘景先武帝卒，而帝王刀劍一條乃預著武帝謚號，並直斥其名，尤乖事理。疑其書已爲後人所竄亂，非盡弘景本文。然考唐李綽《尚書故實》引《古今刀劍録》與此本所記漢章帝鑄劍一條，雖文字小有同異，而大略相合。則其來已久，不盡出後人贗造。或亦張華《博物志》之流，眞僞参半也。"子部譜録類

鼎録一卷

本書提要云："舊本題梁虞荔撰。考《梁書》列傳，荔爲梁中書舍人。侯景亂，歸鄉里。陳初，召爲太子中庶子，贈侍中，謚曰德。是荔當爲陳人，稱梁者誤也。其書不見於本傳，《唐志》著始録。然檢書中載有陳宣帝於太極殿鑄鼎之文，荔卒於陳文帝天嘉二年，下距宣帝嗣位時，首尾七年，安得預稱謚號。其爲後人所攙入無疑。又卷首序文乃記夏鼎應在黄帝條後，亦必無識者以原書無序，移掇其文。蓋流傳既久，屢經竄亂，眞僞已不可辨，特以其舊帙存之耳。"子部譜録類

銅劍讚一卷

本書提要云："梁江淹撰。齊永明中，掘地得古銅劍，淹因詮次劍事，考古人鑄兵用銅，後世鑄兵用鐵原委，以爲之讚。雖文止一篇，然《宋史・藝文志》、《文獻通考》皆著於録，故附存其目焉。"子部譜録類

子華子二卷

本書提要云:"舊本題晋人程本撰。案程本之名見於《家語》,子華子之名見於《列子》,本非一人。《吕氏春秋》引《子華子》者凡三見。高誘以爲古體道人。是秦以前原有《子華子》書。然《漢志》已不著録,則劉向時書亡矣。此本自宋南渡後始刊版於會稽。周氏《涉筆》據其《神氣》一篇,指爲黨禁未開之時,不得志者所爲。今觀其書,多採掇黄、老之言,而參以術數之説。《吕氏春秋·貴生》篇一條、《知度》篇一條今在篇中,《審爲》篇一條則故佚不載,以掩剽剟之迹,頗巧於作僞。然商榷治道,大旨皆不詭於聖賢。其論黄帝鑄鼎一條,以爲古之寓言,足正方士之謬。其論唐堯土階一條,謂聖人不徒貴儉,而貴有禮,尤足砭墨家之偏。其文雖稍涉曼衍,而縱横博辨,亦往往可喜。殆能文之士發憤著書,託其名於古人者。觀篇末自叙世系,以程出於趙,睠睠不忘其宗,屬其子勿有二心以事主,則明寓宋姓。其殆熙寧、紹聖之間,宗子之忤時不仕者乎。諸子之書,僞本不一,然此最有理致文彩,辨其贋則可,以其贋而廢之則不可。陳振孫謂其文不古而亦有可觀,當出近世能言之流,實爲公論。晁公武以謬誤淺陋譏之,過矣。"子部雜家類

於陵子一卷

本書提要云:"舊本題齊陳仲子撰。王士禎《居易録》曰:'萬曆間學士,多撰僞書以欺世。'《於陵子》,姚士粦作也,凡十二篇。前有元鄧文原題詞,稱前代《藝文志》、《崇文總目》所無,惟石廷尉熙明家藏,又稱得之道流。其説自相矛盾。又有沈士龍一跋引揚雄《方言》所載《齊語》及《竹書紀年》、《戰國策》、《列女傳》所載事,證爲古書,其説頗巧。然摭此四書以作僞,而又援此四書以證非僞,此正朱子所謂採《天問》作《淮

南子》,又採《淮南子》註《天問》者也。士龍與士犇友善,是蓋同作僞者耳。"子部雜家類

天禄閣外史八卷

本書提要云:"舊本題漢黄憲撰。前有晋謝安、唐田宏、陸贄題詞。又有宋韓洎贊,而冠以王鏊之序。詞旨凡鄙,顯出一手。徐應雷曰:'黄叔度言論風旨,無所傳聞。入明嘉靖之季,崑山王逢年,有高才奇癖,著《天禄閣外史》,託於叔度以自鳴。余及見其人,知其著《外史》甚確。而天下謂《外史》出祕閣,實黄徵君著,則後世曷從核眞贋乎。'又李詡曰:'《天禄外史》乃近年崑山王逢年所詭託者。邇有餘姚御史某,雜此文於《左》、《國》、司馬諸篇中刊行。頒於蘇常學宫,令諸生誦習之,亦一奇事。'則此書出王逢年,明人已早言之。而流傳之本仍題黄憲,殆不可解。王鉞曰:'其賓秦文中有《黨錮》一篇,考黨禍未起,憲已謝世。又賓晋文有《董卓篇》,益不相見。'辨其僞迹甚明。惟謂傳自謝安,或者即其門下士及子弟所爲,則仍爲僞序所欺,失考甚矣。"子部雜家類

獨斷二卷

本書提要云:"漢蔡邕撰。王應麟謂是書間有顛錯。今書中《序歷代帝系》末云:從高祖乙未至今壬子歲,三百一十年。壬子爲靈帝建寧五年,而靈帝世系末行小註,乃有二十二年之事,又有獻帝之謚,則决非邕之本文,蓋後人亦有所竄亂也。是書於禮制多信《禮記》,不從《周官》。若五等封爵,全與《大司徒》異,而各條解義與鄭玄《禮註》合者甚多。又《續漢書·輿服志》引《獨斷》,《初學記》引《獨斷》與今本異。此或諸家援引偶譌,或今本傳寫脱誤,均未可知。然全書條理統貫,雖小有參錯,固不害其宏旨,究考證家之淵藪也。"子部雜家類

感應類從志一卷

本書提要云:“舊本題晋張華撰。隋唐以來,諸志皆所不載。諸家書目亦不著録。書中語多俚陋,且皆妖妄魘制之法,其爲依託無疑也。”子部雜家類

颜氏家訓二卷

本書提要云:“舊本題北齊颜之推撰。考陸法言《切韻序》作於隋仁壽中,所列同定八人,之推與焉,則實終於隋。舊本所題,葢據作書之時也。陳振孫《書録解題》云,古今家訓,以此爲祖。然杜預《家誡》在前久矣。特之推所撰,卷帙較多耳。晁公武《讀書志》云:‘之推本梁人,所著凡二十篇。述立身治家之法,辨正時俗之謬,以訓子孫。’今觀其書,大抵於世故人情,深明利害,而能文之以經訓,故《唐》、《宋志》均列之儒家。然其中《歸心》等篇,深明因果,不出當時好佛之習。又兼論字畫音訓,並考正典故,品第文藝,曼衍旁涉,不專爲一家之言。今特退之雜家,從其類焉。又是書《唐》、《宋志》俱作七卷,今本止二卷,無由知其分卷之舊。然其文既無異同,則卷帙分合,亦細故耳。”子部雜家類

聖賢羣輔録二卷

本書提要云:“一名《四八目》,舊附載《陶潛集》中。唐、宋以來,相沿引用,承譌踵謬,莫悟其非。邇以編録遺書,詳悉推求,乃知今本《潛集》爲北齊陽休之編。休之序録稱蕭統所撰八卷,少《五孝傳》及《四八目》。今録統所闕合爲十卷,是《五孝傳》及《四八目》實休之所增,蕭統舊本無是也。統序稱深愛其文,故加搜校,則八卷以外不應更有佚篇。其爲晚出僞書,已無疑義。且集中與子儼等疏稱子夏爲孔子四友,而此録四友乃爲颜回、子貢、子路、子張。其出兩手,尤自顯。然至書以‘聖賢羣輔’爲名,而魯三桓、鄭七穆、晋六卿、魏四友

以及仕莽之唐林、唐遵、叛晋之王敦,並列簡編,名實相迕,理乖風教,亦決非潛之所爲。昔宋庠校正斯集,僅知八儒、三墨二條爲後人所竄入,而全書之贋,竟不能明。潛之受誣,已逾千載,今得以辨白而表章之,使白璧無瑕,流光奕葉,是亦潛之至幸矣。”子部類書類

錦帶一卷

本書提要云:“舊本題梁昭明太子蕭統撰。陳振孫《書録解題》又云梁元帝撰。比事儷語,在法帖中章草、《月儀》之類。詳其每篇自叙之詞,皆山林之語,非帝胄所宜言。且詞氣不類六朝,亦復不類唐格。疑宋人案《月令》集爲駢句,以備箋啓之用,後來附會,題爲統作耳。今刻本《昭明集》中亦有之,題曰《十二月啓》。然《昭明集》乃後人所輯,非其原本,未可據以爲信也。”子部類書類

編珠二卷

本書提要云:“舊本題隋杜公瞻撰。《隋》、《唐志》無此書,《宋志》始著於録,然世無傳本。出於高士奇家。其序稱於内庫廢紙中得之。首載公瞻自序稱奉敕撰進。其書隸事爲對,略如徐堅《初學記》之體,但前無序事,後無詩文。原目分天地、山川、居處、儀衛、音樂、器玩、珍寶、繒綵、酒膳、黍稷、菜疏、果實、車馬、舟楫。所存者,音樂以上五門而已。顧煬帝諱廣,而此書引《廣州山川記》。隋高祖之父諱忠,而此書引《漢書》王莽斬董忠事。此猶可曰臨文不諱,未必盡拘。至於音樂門引《樂府解題》。《樂府解題》一書古不著録,始見於《崇文總目》,云不知撰人名氏,列於吴兢《樂府古題要解》之後。郭茂倩《樂府詩集》引之,直題曰吴兢。雖未必確,然其書晚出,必非六朝舊籍,公瞻安得而見之。或明人所依託,士奇偶未審歟。《永樂大典》於前代類書無不具採,亦不登其一字,

知其出明中葉以後矣。以其採擷詞華,頗爲鮮豔,故疑以傳疑,姑存以備參考焉。"子部類書類

飛燕外傳一卷

本書提要云:"舊本題漢伶元撰。末有元自序,稱'其妾樊通德,爲樊嫕弟子不周之子,能道飛燕姊弟故事,於是撰《趙后别傳》'。其文纖靡,不類西漢人語。且閨幃媟褻之狀,嫕雖親狎,無目擊理。即萬一竊得之,亦無娓娓爲通德縷陳理。陳振孫雖有'或云僞書'之説,而又云'通德擁髻等事,文士多用。而禍水滅火之語,司馬公載之《通鑑》'。夫文士引用,不爲典據;採淖方成語以入史,自是《通鑑》之失。乃援以證實是書,紕繆殊甚。考漢初用赤帝子之祥,旗幟尚赤,而自有天下後仍襲秦舊,故張蒼以爲水德。孝文帝時,公孫臣言當改用土德,色尚黄,其事未行。至孝武帝改尚黄,則用公孫臣之説也。王莽篡位,自以黄帝之後,當爲土德,而用劉歆之説,以漢爲火德。後漢重圖讖,以赤伏符之文改用火德。班固遂以著之《高帝紀》。自王莽、劉歆以前,未有以漢爲火德者。班固在莽、歆之後,沿誤尚爲有因;淖方成在莽、歆之前,安得預有滅火之説。其爲後人依託,即此二語,亦可以見。安得以《通鑑》誤引,遂指爲眞古書哉。"子部小説家類

漢雜事祕辛一卷

本書提要云:"不著撰人名氏。楊慎序稱得於安寧土知州萬氏。沈德符曰:'即慎所僞作也。'叙桓帝懿德皇后被選及册立之事。其與史舛謬之處,明胡震亨、姚士粦二跋辨之甚詳。其文淫豔,亦類傳奇,漢人無是體裁也。"子部小説家類

述異記二卷

本書提要云:"舊本題梁任昉撰。此書《宋志》始著録。晁公武《讀書志》曰:'昉家藏書三萬卷。天監中,採輯先世之事,

纂新述異，皆時所未聞，將以資後來屬文之用，亦《博物志》之意。’案其書文頗宂雜，大低剽㓢諸小説而成，皆非僻事，不得云世所未聞。考昉本傳，稱‘著《雜傳》二百四十七卷，《地志》二百五十二卷，文章三十三卷’，不及此書。且昉卒於梁武帝時，而下卷地生毛一條云‘北齊武成、河清年中’。案河清元年壬午，當陳天嘉三年，距昉之卒久矣，昉安得而記之？其爲後人依託，蓋無疑義。考《太平廣記》所引《述異記》，皆與此本相同，則其僞在宋以前。或後人雜採類書所引《述異記》，益以他書雜記，足成卷帙，亦如世所傳張華《博物志》歟？”子部小説家類

宏明集十四卷

本書提要云："梁釋僧祐編。《唐志》載十四卷，此本卷數相符，蓋猶釋藏之舊。所輯皆東漢以下至於梁代闡明佛法之文。其學主於戒律，其説主於因果，其大旨則主於抑周、孔，排黄、老，而獨伸釋氏之法。夫天不言而自尊，聖人之道不言而自信，不待夸，不待辨也。恐人不尊不信，而囂張其外以彌縫之，是亦不足於中之明證矣。然六代遺編，流傳最古。梁以前名流著作，今無專集行世者，頗賴以存，終勝庸俗緇流所撰述。就釋言釋，猶彼教中雅馴之言也。"子部釋家類

周易參同契三卷

本書提要云："葛洪《神仙傳》稱‘魏伯陽作《參同契》、《五行相類》凡三卷。其説是《周易》，其實假借爻象以論作丹之意。世之儒者不知神丹之事，多作陰陽註之，殊失其旨’云云。今案其書多借納甲之法，言坎離、水火、龍虎、鉛汞之要，以陰陽五行、昏旦時刻爲進退持行之候，後來言鑪火者皆以是書爲鼻祖。《隋志》不著録。《舊唐書・經籍志》始有《周易參同契》二卷，《周易五相類》一卷，而入之五行家。後蜀彭曉謂伯

陽先示青州徐從事,徐乃隱名而註之。至桓帝時,復以授淳于叔通,遂行於世,而傳其訣者頗鮮。其或然歟?《唐志》列於五行類,固爲失當;朱彝尊《經義考》列《周易》之中,則又不倫。惟葛洪所云'得魏伯陽作書本旨,若預睹陳摶以後牽異學以亂聖經者'。是此書本末源流,道家原了了,儒者反憒憒也。今仍列之於道家,庶可知丹經自丹經,易象自《易》象,不以方士之説淆羲、文、周、孔之大訓焉。"子部道家類

枕中書一卷

本書提要云:"舊本題晋葛洪撰。考《隋》、《唐》、《宋志》但有《墨子枕中記》及《枕中素書》,而無葛洪《枕中書》。此本別載《説郛》中,一名《元始上眞衆仙記》。書中説多謬悠不經。又在《眞靈位業圖》諸書之下,其出後人僞撰無疑也。"子部道家類

眞誥二十卷

本書提要云:"梁陶弘景撰。書凡七篇,所言皆仙眞授受眞訣之事。《朱子語録》云:'《眞誥·甄命》篇卻是竊佛家《四十二章經》爲之。至如地獄託生妄誕之説,皆是竊佛教中至鄙至陋者。'黄伯思云:'《眞誥》衆靈教戒條、後方圓諸條,皆與佛《四十二章經》同,後人所附。'然二氏之書,亦存此一家於天地間耳。固不必一一別是非,亦無庸一一辨眞僞也。"子部道家類

眞靈位業圖一卷

本書提要云:"舊本題梁陶弘景撰。宏景有《眞誥》,見於《唐》、《宋志》。此書杜撰鑿空,又出《眞誥》之下。其用緯書,已屬附會,至以孔子爲第三左位太極上眞公,颜回爲明晨侍郎,秦始皇爲酆都北帝上相,曹操爲太傅,周公爲西明公,比少傅,周武王爲鬼官北斗君,則誕妄殆不足辨矣。"子部道家類

二十五史藝文經籍志考補萃編總目